SUBTILE JAGDEN

ERNST JÜNGER

SUBTILE JAGDEN

ERNST KLETT VERLAG

STUTTGART

6. — 10. Tausend, 1967

Alle Rechte vorbehalten

Fotomechanische Wiedergabe nur mit Genehmigung des Verlages

© Ernst Klett Verlag, Stuttgart 1967 · Printed in Germany

Druck: Ernst Klett, Stuttgart

INHALT

REHBURGER REMINISZENZEN

Die Jagd konnte beginnen: der Vater hatte uns zu Weihnachten die Ausrüstung geschenkt. Die Alten sahen es gern, wenn die Söhne Steine, Pflanzen und Tiere eintrugen, wie es seit Generationen Brauch gewesen war. Der Großvater hatte viele Stunden auf sein Herbarium verwandt. Das gehörte zum Bildungsgang der Seminare und wurde manchem der jungen Lehrer zur Gewohnheit, der er bis an sein Ende treu blieb und die auch für die Schüler fruchtete.

Die große Zeit für solche Neigungen war schon vorbei. Die eigentliche Naturkunde, das liebevolle Betrachten, Vergleichen, Ordnen und Beschreiben von Objekten, galt kaum noch als Wissenschaft. Dem Behagen an der Anschauung war der Genuß an der exakten, gezielten und messenden Beobachtung gefolgt.

Der Vater war noch ein guter Botaniker gewesen; die gewichtige, mit Tausenden von Holzschnitten gezierte »Synopsis der drei Naturreiche« des Hildesheimer Professors Johannes Leunis hatte zu seinen Schulbüchern gehört. Aber er war nicht der Bezauberung erlegen, mit der seit Linné die scientia amabilis über hundert Jahr lang die Geister in einen Bann geschlagen hatte, der uns unvorstellbar geworden ist. Obwohl mich auf unseren Gängen oft die Sicherheit erstaunte, mit der er ein unscheinbares Kraut ansprach, war er weniger mit den Tugenden der Pflanzen als mit ihrem

9

Chemismus vertraut. Als Assistent von Victor Meyer, dessen Bild seine Bibliothek zierte, hatte er aus dem Waldmeister das Cumarin isoliert, einen Stoff, der inzwischen in der Parfümerie zur Erzeugung von Heu- und Lavendeldüften unentbehrlich geworden ist.

Als Schüler schon hatte er sich unter dem Dach des elterlichen Hauses in der Hannoverschen Weinstraße ein kleines Laboratorium eingerichtet, in dem er nachts arbeitete. Auch abgesehen davon, daß dabei einmal etwas in die Luft geflogen war, behagte diese Vorliebe dem Großvater wenig, denn die Chemie galt damals noch als brotlose Kunst. Er legte dem Sohn daher auf, zugleich die Apothekerei zu betreiben und die dazu nötigen Examina zu bestehen. Das sollte sich übrigens als segensreich erweisen, denn als durch die Inflation nach dem Ersten Weltkrieg die Gelder rapid zusammenschmolzen, langten sie gerade noch, um in Sachsen eine gute Apotheke zu erstehen.

Zur Zeit, als wir die Ausrüstung bekamen, lebten wir auf dem Lande; der Vater hatte sich schon vor dem fünfundvierzigsten Jahr zur Ruhe gesetzt. Nach diesem Datum sollte eigentlich niemand mehr arbeiten und jeder sich seinen Neigungen widmen — das war einer seiner vernünftigen Gedanken, dem ich von Herzen beistimmte, ja den ich im geheimen noch übertrumpfte: besser finge man mit dem Arbeiten gar nicht erst an.

Der Vater machte seinem Sternzeichen, dem Widder, Ehre als Mensch von schnellen, zugreifenden und meist erfolgreichen Bewegungen. Das galt auch für seine Neigungen, die ihn nach kurzer Inkubationszeit heftig ergriffen und ein Jahrzehnt lang Tag und Nacht beschäftigten, bis er sie wechselte. Sie schwanden dann nicht ganz aus seinem Leben, doch verlor er die Leidenschaft dafür. Es schien, daß ihn, wenn er ein Feld beherrschte, die Lust daran verließ. So hörte er mit dem Geldverdienen auf, als es ihm leicht geworden war, und mit dem Autofahren gerade dann, als die Wagen zuverlässig und die Straßen bequem wurden. Offenbar ging es ihm eher um das Ergreifen als um den Besitz.

Damals begann das Schachspiel im Haus zu dominieren; es wurde nach dem Frühstück begonnen und getrieben, bis der Mittag die Partie unterbrach. Auch nach dem Abendessen wurde oft noch bis über Mitternacht hinaus gespielt. Die großen Bretter mit den Stauntonfiguren durften nicht abgestaubt werden, weil Hängepartien auf ihnen eingefroren waren oder ein Problem konserviert wurde. Außerdem führte der Vater bei Tag und Nacht ein Steckschach in Form einer Brieftasche mit, um sich im Bett oder auf Reisen mit dem Spiel der Spiele zu beschäftigen.

Die Ankunft von Bücherpaketen gehörte zu den ersten Anzeichen einer neuen Manie. In diesem Falle kam zunächst der »Kleine Dufresne« und dann der »Große Bilguer«, dem folgten alte Werke bis zurück zu Philidors Zeiten, Biographien berühmter Spieler, Reihen von Zeitschriftenjahrgängen. Damals erfuhr ich zum ersten Mal, daß man selbst auf so beschränktem Felde die Hoffnung, »vollständig zu werden«, bald aufgeben muß. Immerhin kam ein Grundstock zusammen, der sich auch Kennern vorzeigen ließ.

Die Mutter, die andere Anschaffungen für wichtiger hielt, schüttelte oft den Kopf, wenn der Postbote kam. Aber in solchen Fragen können die Hausfrauen wenig ausrichten, denn im Rüstzeug sieht der Mann sich ungern beschränkt.

Bedenklich wurde es nach dem Ersten Weltkrieg, als den Vater die Leidenschaft für Astronomie und Fernrohre ergriff. Da sollte ein neues Dach aufs Haus.

Auf dem Lande sind die Schachspieler spärlich gesät. Ich glaube, es war Steinitz, der, um sich mit einem ebenbürtigen Gegner zu messen, einige Male in der Woche einen weiten Fußmarsch zurücklegte. Der Vater fuhr nach Hannover, wo sich in einem Café am Raschplatz die Schachfreunde versammelten. Auch lud er Gäste ein, die für Wochen oder Monate im Haus weilten — Liebhaber gleich ihm wie Leonhard, den Vorsitzenden des Leipziger Schachklubs Augustea, oder den jungen Lasker, einen Neffen des Weltmeisters, der auch schon auf Turnieren geglänzt hatte. Ein beliebter Hausgast war ein Berliner Student namens Pahl, der trotz seiner Jugend zu den Matadoren gezählt wurde. Schon als Gymnasiast hatte er Preise eingeheimst.

Wenig erbaut war die Mutter über den Aufenthalt von Berufsspielern wie etwa des Herrn von Wurtensleben, der in seiner Jugend als Anwärter auf die Weltmeisterschaft gegolten hatte, nun aber recht hinfällig geworden war. Bei Tisch mußte man ihm das Fleisch vorschneiden. Nur am Schachbrett zeigte sich der alte Löwe noch. Der Vater spielte mit ihm turniermäßig; eine Doppeluhr stand zwischen beiden auf dem Tisch.

Rotlevi kam aus Lodz als einer von der jungen Garde, die dort, kaum daß sie lesen gelernt hat, in den Cafés den Meistern über die Schulter blickt und schon vor dem zwanzigsten Jahr eine enorme Spielstärke gewinnt. Der Vater hatte ihn im Romanischen Café kennengelernt, wo er mit Amateuren spielte, die Partie um fünfzig Pfennig oder,

12

wenn es hoch kam, um eine Mark. Beim Schachspiel geht es wie in der Lyrik oder anderen schönen Künsten: der erste Rang ist nur von Einzelnen besetzt oder gar ledig, dicht hinter ihm wird die Konkurrenz gleich sehr stark.

Rotlevi war lang, hager, kränklich; die Nase ragte wie ein Papageienschnabel aus dem olivgrünen Gesicht. Bei uns war er zum ersten Mal auf dem Lande; der Garten, dann Feld und Wiesen waren ihm eine neue Welt. Den Wald vermied er; der schien ihm unheimlich. Bald merkte er, daß die Gänge ihm gut taten, ihn auf eine Weise belebten, die er nie gekannt hatte. Er streifte lieber mit uns Kindern durch die Gegend, als daß er mit dem Vater spielte, und wurde zum unermüdlichen Wanderer, doch ging er ungern allein. Noch spät am Abend kam er und forderte mich zu einem Gang in die Heide auf, von dem wir erst gegen Mitternacht zurückkehrten.

Ich begleitete ihn gern. Sein Aufenthalt muß für mich in jenes Alter gefallen sein, in dem uns die Gesellschaft der Erwachsenen, der wir kurz vorher noch auswichen, zum Erlebnis und selbst zum Abenteuer wird. Die neue Welt wird zwar noch nicht gesehen und noch weniger begriffen, obwohl sie sich im Umriß wie am Ende einer Seefahrt ankündet. Wir wissen nicht, ob es Wolken oder Berge sind.

So kommt es, daß ich fast vergessen habe, was wir in der Nacht verhandelten, wenngleich die Stimmung sich gut erhalten hat. Für meinen Begleiter war bislang der Alltag das Caféhaus gewesen, der Festtag das Turnier. Einmal war er zum Wettkampf mit anderen bei einem Großfürsten zu Gast gewesen; inmitten des Aufwandes hatte ihn der Gedanke an das Trinkgeld bedrückt. Wenn man im Hotel vergeblich auf Geld hoffte, mußte man sinnen, am Portier vorbeizukommen; man wartete draußen vor der Glastür auf den Augenblick, in dem er beschäftigt war, und drückte sich dann die Treppe hinauf.

Offenbar brauchte er einen Vertrauten und nahm mit mir vorlieb. Wohl hätte er einen verständigeren Zuhörer finden können, doch keinen begierigeren. So pflegt der erste Roman auf uns zu wirken, weniger durch seinen Inhalt als durch den Einblick in eine neue Welt. Eines konnte mir nicht verborgen bleiben: die schwere Melancholie, die diesen Erwachsenen bedrückte, der im Grunde nur wenig älter war als ich. Doch wiegen in diesem Alter die Jahre schwer.

Zum ersten Mal im Leben begegnete ich hier einem Typus, der mit der Differenzierung der Gesellschaft immer häufiger auftritt: frühreifer Begabung auf einem Feld der schönen Künste, die den Kenner überrascht und entzückt. Soll nun die Existenz darauf gegründet werden, so ergeben sich Probleme besonderer Art. Das Spiel ruht in sich selbst als Frucht der Muße; wo es zum Mittel wird, können böse Erfahrungen nicht ausbleiben.

Von solchen Sorgen hatte ich nur eine unklare Vorstellung. Aber was sind Sorgen anders als sichtbare und veränderliche Schatten, die auf ein unsichtbares und unveränderliches Leid deuten? Die Sorgen wechseln, die Sorge bleibt. Das teilte sich mir mit und bedrückte mich schwer, als wir durch die Nacht schritten. Es ergriff mich wie ein Alb, wie eine bleierne Wolke, die über dem Haupt des Gastes lastete.

»Bad« Rehburg, auch »der Brunnen« genannt, war ein Kurort, der den Besuchen des Hannoverschen Hofes sein Ansehen verdankte und der sich wenig verändert hatte, seitdem der blinde König gegangen war. In Menckes Hotel hatte man ihn noch gut gekannt, auch im »Herzog von Cumberland«. »Stadt« Rehburg war kaum mehr als ein entlegenes Heidedorf. Dort gab es noch Häuser ohne Schornstein, bei denen der Rauch durch die Dielentür nach draußen zog. Es roch nach Torf, nach Kühen, nach den Schinken und Speckseiten, die über der Tenne hingen, nach dem moorigen Bach, der das Wasser des Steinhuder Meeres zur Weser hinabführte. Es durchfloß die Schwimmenden Wiesen, an deren Rändern Kranich und Reiher fischten, dann ausgedehnte Brüche, auf denen im April der Kiebitz brütete. Um diese Zeit sahen wir auch schon die Störche die Stichgräben abschreiten.

Die Bauern pflügten mit Kühen; Roggen, Hafer, Kartoffeln, Buchweizen wurden gebaut, auch Lupinen seit kurzer Zeit. Viel anders konnte es hier nie ausgesehen haben, nach Mardorf, nach Leese, nach Nienburg hin. Das Moor ist geschichtslos; da ist mehr Wesendes als Werdendes, graues und braunes Nornengespinst. Die Römer waren kaum hier gewesen; Germanicus hatte das Land nur gestreift und ganz in der Nähe, »einen Fluß in der Front und einen See im Rücken«, erfolglos operiert. Zuvor waren sie durch den Teutoburger Wald gezogen und hatten dort an den Bäumen bemooste Schädel von Menschen und Pferden gesehen, Relikte der Varusschlacht. Karl der Große hatte das Weihwasser gebracht, allerdings, wenn man den Pastoren glauben wollte, mit nicht viel größerem Erfolg. Immerhin war das Kloster Loccum in der Nähe; die Zisterzienser bauten sich wie die Biber gern in solchen Sümpfen an. Jahrhundertelang hatten die Münchhausens hier eine Burg besessen; sie war in der Hildesheimer Stiftsfehde so gründlich zerstört worden, daß keine Spur mehr geblieben war. Beim Pflügen kamen zuweilen Ziegel und steinerne Kugeln hoch.

Rotlevi ging schnell, als ob er eine Pflicht oder eine heilsame Übung verrichtete. Selbst im Krug war es schon dunkel, nur beim Pastor brannte noch Licht. Wir sahen ihn vor der Haustür stehen; er litt an Atemnot, die ihn in schwülen Nächten wie dieser ins Freie zwang. Er ging dann vor der Kirche auf und ab und legte sich Gedanken für den Sonntag zurecht. In der Predigt suchte er die Bauern beim alten zu halten und bekämpfte die neuen Moden, wie etwa die der Gardinen, die um diese Zeit aufkamen. In ihm war viel Unruhe; eines Tages war er verschwunden und blieb trotz allen Nachforschungen verschollen; nach Jahren wollte ein Soldat ihm während des Krieges in Polen begegnet sein. Andere meinten, daß ihn die Freimaurer »ausgelost« hätten, und wieder andere, daß er bei einem seiner nächtlichen Gänge in ein Moorloch gefallen sei, wie es seltsamerweise einem seiner Vorgänger zugestoßen war, von dem man auch nie wieder gehört hatte.

Wir ließen den Ort im Rücken und gingen noch ein Stück die Nienburger Landstraße entlang, bis wir am Waldrand umkehrten. Zur Rechten lag der Friedhof; wir hatten unlängst ein Brüderchen dort begraben, das in der Wiege gestorben war. »Ich wußte schon, warum ich dich Felix genannt habe«, sagte die Mutter, als sie von ihm Abschied nahm.

Den kleinen Judenfriedhof auf der anderen Seite umringte ein niedriger Wall von Findlingen. Es mußte vieler Jahre bedurft haben, um den Heidesand mit all den Gräbern zu beschicken, denn es lebten immer nur eine oder zwei jüdische Familien im Ort, Schlachter und Lederhändler — Hammerschlag, Hamlet, Löwenstein. Der Urgroßvater Hamlet war im Walde von einem Handwerksburschen erschlagen und seiner Barschaft von acht Pfennigen beraubt worden. Chamisso hat die Untat und ihre späte Sühne in einem Gedicht geschildert, das damals in keinem Lesebuch fehlte: »Die Sonne bringt es an den Tag«.

An der Abzweigung nach Mardorf oder nach Maderup, wie es auf Platt genannt wurde, stand eine Gruppe sehr alter Scheunen, die nach dem Weltkrieg abbrannten. Vermutlich hatten Stromer dort genächtigt und geraucht. Der Zugang war nicht schwierig, denn es gab Lücken, an denen der Lehm aus dem Fachwerk gefallen war. Unten wurden Feldfrüchte, oben Heu und Stroh verwahrt. Auf unseren Streifzügen pflegten wir uns dort einzuschleichen, um uns mit Kartoffeln zu bewerfen und anderen Unfug zu treiben, wenn niemand in der Nähe war. Einmal hätte uns fast der Bauer erwischt; wir konnten eben noch die Leiter hinaufklettern und uns im Heu verstecken, als er schon die Tür aufschloß. Als er die Unordnung bemerkte, begann er gräßlich zu fluchen, während uns oben der Atem stockte, aber offenbar hatte er uns nicht gehört. Seitdem mieden wir den Ort. Das Erlebnis ging mir nach, und zwar mit einer Stärke, die seinen episodischen Charakter bei weitem übertraf. Es wiederholte sich in Träumen, in denen es sich auf mannigfache, doch stets bedrückende Weise spiegelte.

Der Schachfreund ging noch schneller, um sich zu ermüden; er hatte die Erschöpfung durch körperliche Anstrengung als eine ihm bisher unbekannte Wohltat entdeckt. Ich konnte mit ihm leicht Schritt halten, denn wir legten, wie wir es im »Lederstrumpf« gelesen hatten, oft lange Strecken in einer Art von Hundetrab zurück. Wir sprachen dabei über dieses und jenes, und immer hing seine Schwermut bleiern über dem Gespräch.

Als wir die Friedhöfe wieder passiert hatten, hielten wir bei den Scheunen ein wenig an. Im Mondlicht sah ich das bleiche Gesicht; es war immer, und nicht nur, wenn es sich beim Spiel konzentrierte, Bewegung darin, als ob feine Spiralen sich krümmten und wieder ausstreckten. Zu meinem Erstaunen hörte ich mich sagen, und ich erschrak, als ich es gesagt hatte:

»Herr Rotlevi, ich halte das nicht länger aus. Ich kann nicht begreifen, warum Sie so traurig sind.«

War es eine Frage, eine Klage, eine Anklage? Ein Wagnis auf jeden Fall. Noch mehr erstaunte mich, daß ich auch eine Antwort erhielt — einer der Großen vertraute mir sein Geheimnis an. Ich sah ihn im Schatten des Strohdachs die Hände emporheben wie einen der alten Propheten, der während einer langen Dürre um Regen fleht:

»Was ist ein Leben ohne Liebesglanz?«

War es ein Anruf, eine Gegenfrage? Ich ahnte es nicht; eine Klage war es gewiß. Ich kannte auch den Dichter nicht, der hier zitiert wurde. Aber ich fühlte, daß dem nichts hinzuzusetzen war. Wir gingen still durch den Ort zurück.

Auch dieses Gespräch blieb, ähnlich wie die Erinnerung an den Einbruch in die Scheune, mit großer Stärke in mir haften; zum ersten Mal kam eine Frage, auf die es keine Antwort gab. Auch das ist eine der Marken, die das Ende der Kindheit ankünden.

18

Rotlevi entschwand dann bald aus unserm Gesichtskreis; er muß in den Wirbeln des Ersten Weltkrieges untergegangen sein. Auch im Milieu wußte man nichts mehr von ihm. Seine Spur ist verschwunden bis auf einige schöne Partien in den Jahrgängen der Schachblätter.

Dieses Verschwinden hat mich immer beunruhigt, auch wenn ich auf schon halb bemoosten Gräbern Namen entzifferte. Schnell hinter Booten und Schiffen glättet sich die Bahn. Oft sind wir die einzigen, die den flüchtigen Gast noch im Gedächtnis haben; mit uns stirbt er noch einmal, zerbricht die letzte Stele, in die sein Name eingegraben war. Daher kommen die Toten auch immer wieder, selbst alte Feinde, und klopfen bei uns an.

Die Mutter hörte mich spät die Treppe hinaufgehen; ihr waren diese Gänge suspekt. Sie vermutete, daß ich da wenig Gutes lernte; außerdem erschien ihr die Art, mit der bei uns im Hause das Schachspiel zelebriert wurde, immer bedenklicher. Es gab eine Spanne, in der Morphy fast mit derselben Begeisterung wie Napoleon genannt wurde, und das wollte viel sagen. Wir begannen, uns mit Eröffnungen, Problemen, Endspielen lieber zu beschäftigen als mit Dingen, die die Mutter für wichtiger hielt, und auch eine gewisse Überheblichkeit zu entwickeln — »Der weiß nicht einmal, wie man en passant schlägt«, oder »kann nicht mit Pferd und Läufer matt setzen«. Oft mußten wir als Partner einspringen. Der Vater gab uns erst einen Turm vor, dann einen leichten Offizier und den Anzug, aber es kam immer häufiger dazu, daß er sagte: »Donnerwetter, da hab ich nicht aufgepaßt« oder »Den will ich nochmal zurücknehmen«.

Ich spielte lieber mit dem Bruder oder mit den Gästen, denn »den Vater schlagen« hat selbst im Spiel keinen guten Klang. Leonhard spielte »blind« gegen den Bruder, die Schwester und mich gleichzeitig drei Partien und wußte es manchmal so einzurichten, daß er uns gewinnen ließ.

Das Schachspiel hat den Vorzug, daß geistige Macht so unwiderleglich bezeugt wird wie auf keinem anderen Feld, und zwar durch eine Reihe von Vorweisungen, die nur durch andere Vorweisungen bestritten werden können — so hält es die Mitte zwischen dem Disput und der strategischen Aktion. Vom Disput unterscheidet es sich dadurch, daß jedem Zug eine unbezweifelbare Realität innewohnt. Es gibt, auch wenn sie nicht gefunden wird, die beste Erwiderung, die, wie ein Richtspruch, nicht der Zustimmung des Gegners bedarf. Diese Realität ist andererseits den materiellen Schwierigkeiten und Zufällen entzogen, mit denen der Stratege zu rechnen hat. Man möchte meinen, daß die Ersinnung eines solchen Spieles das menschliche Vermögen überschreite und daß es Zeiten entstamme, in denen Götter mit uns Umgang hielten und bei uns einkehrten. Irgendwo im Universum könnte um Reiche und Länder oder um Sterne gespielt werden, die Figuren könnten Heere bedeuten — doch bliebe nur das Bedeutende, der Schicksalszug in seinem schwerelosen, unerschütterlichen Wandel, gleichviel ob es um Nüsse oder Königreiche geht. Das Spiel gibt eine Ahnung von dem, was an ganz anderen Orten, was unter Geistern, ja was in fremden Welten möglich ist.

So war die Leidenschaft verständlich, mit der es den Vater ergriff. Noch viele Jahre später, als ich selbst dieses Alter erreicht hatte, fand ich ihn mit seinem Taschenschach beschäftigt, wenn ich in sein Schlafzimmer trat. Er saß in die Kissen gelehnt und schob die Elfenbeinplättchen hin und her. Da war Macht um ihn. Ich fragte mich dann, wie das mit einem Geist, der alle Urteile und Vorurteile seines Jahrhunderts so klar und oft so schneidend zum Ausdruck brachte, vereinbar sei. Immer gab es noch eine andere Seite, eine Welt des Spieles und der Spiele, der reinen, absichtslosen Neigung, die dieser Klarheit widersprach und doch zuweilen sich mit ihr vereinte und sie erwärmte wie ein Licht. Mozart, die »Zauberflöte«, Alexander und die Diadochen, Cortez und die Konquistadoren, »Tausendundeine Nacht«, Champollion und die Entzifferung der Hieroglyphen — das alles mußte einen gemeinsamen Nenner haben, und wenn man tief genug ansetzte, gehörten auch die exakten Naturwissenschaften und der Atheismus, gehörte der Gegensatz dazu.

Die Mutter sah weniger das Schachspiel als die Spieler, von denen die einen wie Pahl und Leonhard sich beim Spiel erholten, während die anderen es zum Beruf machten. Die einen waren ihr angenehm, die anderen unheimlich. Sie brachten ein fremdes Element ins Haus. Die jungen Matadore waren nervös, abwesend, hatten Caféhausallüren und sprachen kein gutes Deutsch. Die Alten waren bis zur Hilflosigkeit abgenutzt. Ihr Gehirn hatte in ähnlicher Weise an Kontur verloren wie das Gesicht betagter Mimen — die einen hatten sich in Kombinationen, die anderen in Charakteren erschöpft. Wurtensleben gab sich zu allerhand Geschäften her, so für die Anpreisung von Patentmedizinen — aus keinem anderen Grund als dem, daß er denselben Namen trug wie ein berühmter Internist, ein entfernter Verwandter von ihm. Auch adoptierte er für Geld.

21

Außerdem vermutete die Mutter nicht ganz zu Unrecht, daß die Besucher meist en panne wären, wenn sie ankamen, und daß sie flottgemacht werden mußten, wenn sie abreisten. Das sprach sich dann herum. So war Giacomo Isis, der vor kurzem noch das Prager Turnier gewonnen hatte, eine Weltkapazität, und doch mußte, als er zusammen mit Wurtensleben in einer Provinzstadt spielte, beiden das Geld ausgegangen sein, denn es kam ein Telegramm mit der Bitte um Auslösung. Leonhard, der gerade im Haus war, nahm sich der Sache an. Er sandte das Lösegeld zusammen mit einem Gedicht, dessen Anfang mir in Erinnerung geblieben ist:

> Der Wurtensleben und der Isis
> Sind beide in sehr großer Krisis:
> Der Isis und der C. v. W.
> Haben nichts im Portemonnaie.

In solche Händel hätte die Mutter uns ungern verstrickt gesehen. Einmal fragte sie mich, ob ich es nicht mit dem Malen versuchen wolle; das sprach ihre Anschauung an. Das Feuer schien ihr da nicht gänzlich in Rauch aufzugehen, denn ein Bild, selbst wenn es keinen Anklang findet, blieb doch etwas anderes als eine gewonnene Partie. Aus diesem Grunde begrüßte sie auch, daß der Vater uns die Ausrüstung schenkte; das würde uns von der Schachspielerei ablenken.

Da hatte sie recht vermutet, obwohl nicht mehr geschah, als daß die Passion sich auf ein anderes Ziel richtete. Es fragt sich immer, ob man sie im Zaum behält. Selbst der unvergleichliche Morphy, der schon als Zehnjähriger den Europameister Löwenthal besiegt hatte, führte in New Orleans ein

Anwaltsbüro und verlor mit der Zeit die Lust am Spiel, ähnlich wie Rimbaud die am Gedicht.

Die Gefahr liegt in der Person, nicht in der Sache, und daher kann jede Neigung Formen der Sucht annehmen. Freilich gibt es Zeitvertreibe, die der Manie entgegenkommen; zu ihnen gehört, wie man seit altersher weiß, die Jagd als Muster unermüdlicher und ergötzlicher Nachstellung.

Fischefangen und Vogelstellen
Verderben manchen Junggesellen.

Die Ausrüstung war vorerst bescheiden — Netz, Nadeln, Fangflasche, ein Kasten, dessen Boden mit Torf gefüttert und mit Glanzpapier bezogen war. Damit beginnen alle Entomologen, und die meisten in früher Jugend — subtile Jäger, die den Kerfen, den Entoma, nachstellen. Dazu ein Buch mit vielen Bildern: Fleischer, »Der Käferfreund«.

Damit war bereits eine erste Weiche gestellt. Die bunten Bilder waren Köder; bald saß ich an der Angel fest. Was den Zeitverlust angeht, so lief es fast auf dasselbe hinaus wie beim Schachspiel, doch war die Lockung stärker, denn die Partie erschöpfte sich nicht in reinen Kombinationen, sondern eröffnete zugleich ein unerschöpfliches Feld der Anschauung.

Zum Glück kamen die Anfälle schubweis; die kleinen Objekte gewannen dann magischen Glanz. In solchen Phasen fehlte es mir nie an Zeit für sie; wunderlich war eher, daß noch Zeit für anderes blieb.

Es war Dezember; das Steinhuder Meer war zugefroren, Schnee lag auf dem Land, soweit der Blick reichte. Das versprach kaum Ausbeute. Uns waren die »feinen Methoden« der Kenner noch unvertraut. Wir wußten nicht, daß es Schlupfwinkel gibt, die der scharfe Frost erst zugänglich macht. Zu ihnen zählen, um ein Beispiel zu nennen, die Schilfgürtel der großen Seen, an denen das Eis besonders lang brüchig bleibt. Wenn es zugänglich wird, kann man von dort einen Vorrat von dürrem Rohr eintragen. Zu Hause blättert man die gebräunten Stengel wie Papyri auf und wird dann durch den Anblick bunter Coccinellen und anderer Raritäten nicht minder erfreut als ein enragierter Ägyptologe durch den Hieroglyphentext.

Man tut überhaupt gut, an eigene Schwächen zu denken, wenn man von solchen Vorlieben hört. Der eine gerät über eine vom Grünspan zerfressene Münze in Entzücken, der andere über einen Urnenscherben, der dritte über einen Heuschreck aus Sansibar. Jeder nimmt eine winzige Facette am Stein der Weisen wahr. Doch allen gemeinsam ist das Licht, das aufglänzt, und die Lust, mit der es wahrgenommen wird. Der Anblick erinnert an eine groteske Gruppe von Astronomen, die wenig voneinander wissen, obwohl die Perspektive auf denselben Stern gerichtet sind.

Die Finessen des Winterfanges also waren uns noch unbekannt. Später lernte ich deren eine Menge kennen, vor allem durch die Anleitung des Lehrers Fehse aus Thale am Harz, der darin Meister war. Damals, bei unseren ersten Ausflügen, beschränkten wir uns darauf, durch den ver-

schneiten Wald zu streifen, um alte Baumstümpfe aufzuspüren, die wir mit der Handaxt anschlugen. Sie trugen
grüne Kappen aus vereistem Moos, die mit Kränzen von
verdorrten Pilzen garniert waren. An andere hatten Baum-
schwämme sichelförmige Konsolen angesetzt. Das Holz im
Inneren war entweder zu weißem Faserstoff vergoren, oder
es war rotbraun, trocken, bröckelig.

Hier hatten sich die großen Caraben eingebettet und
hielten Winterschlaf — frisch aus der Puppe geschlüpfte Tiere,
die noch kein Licht berührt hatte. Sie glänzten in der kargen
Januarsonne, einige braun oder schwarz, die meisten metallisch, von dunklen Erz- oder Bronzetönen bis zum bestürzenden Feuerrotgold. Von manchen kannten wir schon den
Namen, so von der Goldleiste, einem schwarzen Ritter,
dessen Rüstung ein schmaler Amethystsaum einfaßte. Das
Tier gefiel mir trotz seiner Bescheidenheit. Sein Schimmer
war wie das Augenzwinkern eines großen Herrn, ein Blitz
des Einverständnisses durch das Visier. Wir fingen es häufig
und hatten an ihm ein erstes Beispiel der Mannigfaltigkeit,
die nicht nur die Familien und Geschlechter, sondern auch
die Arten auszeichnet. Linné führt es in seinem »Natursystem« von 1758 als »violaceus« auf; er muß also ein
Exemplar mit violettem Rand vor Augen gehabt haben. Wir
fanden auch grün-, rosa- und goldgerandete.

Ähnliche Unterschiede entdeckten wir beim Goldschmied
oder Feuerstehler, der Körnerwarze, dem Garten-, dem
Hain- und dem Waldläufer. Kopfzerbrechen machte auch
die Farbe der Beine, die bei derselben Art vom Antimon-
schwarz bis zum Korallenrot eine Reihe von Übergängen
durchlief. Hinzu kam, daß es bei den Kettenläufern wie bei

den Kupferstichen mehr oder minder scharfe Prägungen gab. Ich bemühte mich, diese Fülle nach bestem Gewissen zu ordnen, denn von Wissen konnte noch nicht die Rede sein. Als besonders kostbar hegte ich die Tiere, die wir nur ein oder zwei Mal aus dem Holz geholt hatten wie etwa den Goldglanzläufer, einen nordischen Zwerg innerhalb der Gattung, doch auch eins ihrer Prunkstücke.

Bereits im Februar mußte ich den Vater um einen neuen Kasten bitten, denn der erste, der zur Ausrüstung gehört hatte, war schon gefüllt. Das ist ein Kreuz, das den Sammler sein Leben lang begleitet und mit den Jahren nicht leichter wird. Ein Kasten, ein Schrank, ein Zimmer folgt dem anderen, bis endlich der Besitzer selbst in Wohnungsnot gerät. Dabei ist noch nicht einmal der nötigsten Bücher gedacht, die auf die Flure verbannt werden, bis auch dort kaum ein Durchkommen mehr ist. Die Ausschließlichkeit, mit der solche Passionen den Mann ergreifen und ausfüllen, spiegelt sich in seinem Hauswesen.

Auch Mörike, als großer Sammler von Versteinerungen und anderen Raritäten, muß diese Nöte gekannt haben, obwohl es damals den schwäbischen Pfarrhäusern an Raum und ihren Hausfrauen an liebevoller Einsicht nicht mangelte. Seine »Häusliche Szene« mit der Regieanweisung: »Schlafzimmer. Präzeptor Ziborius und seine junge Frau. Das Licht ist gelöscht« schildert den Übelstand.

Zu den Chimären, in deren Bannkreis der Sammler gerät, gehört die Vollständigkeit. Vergebens eilt er mit Mühen und Opfern hinter ihr her; sie behält ihren Vorsprung vor ihm. Man möchte meinen, daß sich dem abhelfen ließe, indem man das Gebiet verkleinert, dem man sich zuwendet —

26

so etwa nicht mehr griechischen Münzen nachspürt, sondern nur sizilischen. Vergebens, denn diese Zuwendung verkleinert zwar das Jagdfeld, aber sie schleift auch neue und feinere Facetten an. Mit dem wachsenden Fingerspitzengefühl treten Unterschiede hervor, die dem Auge bislang fremd waren.

Man könnte, um bei den Läufern zu bleiben, aus dem unübersehbaren Heer der Käfer nur diese Familie, Carabidae, auswählen. Aber auch sie repräsentiert sich durch die stattliche Menge von fünfundzwanzigtausend Arten, die sich ständig durch neue Beschreibungen vermehrt. Beschränken wir uns also auf eine einzige ihrer Gattungen, das Genus Carabus. Selbst zu seiner Erfassung würde unser Leben, auch wenn wir hundert Jahr alt würden, nicht ausreichen.

Das Abenteuer, auf das wir uns einlassen, gleicht Aladins Einstieg in die Schatzhöhle. In der Vorhalle findet er mit Goldstücken gefüllte Krüge, doch während er sie betrachtet, fällt sein Blick auf den Garten mit seinen Bäumen, die statt der Früchte Juwelen tragen, »deren Glanz die Strahlen der Sonne im Vormittagsschein verblassen läßt«. Indem er sich am Smaragdbaum die Taschen füllt, verschlingt er mit den Augen bereits den, der Opale trägt, und sieht immer weitere sich bis an die Grenzen der Sicht ausdehnen. Doch das sind nur Vorgärten zum Festsaal, in dem die Wunderlampe hängt.

Das Märchen trifft eine Wirklichkeit, die sich in jedem Begehren wiederholt. So auch in diesem Falle, wie ich im Lauf der Jahre und Jahrzehnte erfuhr. Es war nur ein Handgeld gewesen, was uns da im Winterwald durch eine Reihe von frischgeprägten Stücken entzückt hatte. Jedes war nur ein Muster, eine Probe unschätzbarer Reichtümer. Wir wußten nicht, daß der Lederläufer, der uns als Koloß unter seiner Sippschaft erstaunte, schon in den Bergwäldern der Südsteiermark einen doppelt so schweren Verwandten namens Gigas besitzt. Nicht minder stattliche, zum Teil auch farbige Arten schließen sich nach Südosten an — über Kärnten, den Balkan, die Krim bis nach Transkaspien und Syrien. Wir waren auf den Vorposten einer Heerschar gestoßen, die die feuchte Bergwälder der Transsylvanischen Alpen, des Parnaß, des Kaukasus, der kolchischen und kilikischen Gebirgszüge auf der Jagd nach Würmern und Schnecken durchstreift. In Anatolien, am Bulghar Dagh und auf anderen Höhen, stellten ihnen unter Assistenz von einheimischen Fängern die Bodemeyers nach, passionierte Entomophilen, deren Leidenschaft sich durch drei Generationen forterbte. Wenn man die anatolische Fauna studiert, wimmelt es dort von Arten wie Bodoi, Bodoana, Bodemeyeri, Bodemeyerorum, die ihnen zu Ehren benannt wurden. Der Frühling kommt dort mit Gewalt, aber man kann ihn verlängern, indem man ihm auf die Höhen nachfolgt und inmitten beständiger Blüte den Gipfel gewinnt. Dabei trifft man stets neue Gäste, und auf diese Weise hat besonders Bodo von Bodemeyer kleinasiatische Cetoniden zu einer prächtigen Palette vereint.

Der kleine Goldglanzläufer, den wir für selten hielten, war wiederum der Fixpunkt für Projektionen in ganz anderer Richtung: nach beiden Hängen der Pyrenäen, auf denen die eigentlichen Goldcaraben ansässig sind. Auch von diesem Reichtum gewann ich nur allmählich, quasi in Raten, eine Vorstellung. Im Rückblick gleicht das der Entfaltung vielfarbiger Raketen in der Lustfeuerwerkerei.

Um die Goldcaraben in ihrer schönsten Prägung über das Moos eilen zu sehen, muß man sich also die Mühe nicht ver-

drießen lassen, an den Berghängen Südfrankreichs und Nord-
iberiens Steine zu wälzen und hinter die Baumrinden zu
spähen. Da wird es an Beute nicht fehlen; selbst das kleine
Andorra beherbergt eine eigene Rasse: perignitus, die
»durchaus feurige«.

Weilt man nur wenige Tage an einem Ort, so wird man
Fallen stellen, um zu sehen, was ein Waldstück, ein Berg-
rand, ein Hochmoor an Schätzen zu bieten hat. Auf diese
Weise hat Carl-Ludwig Blumenthal, Major der Bundeswehr
und Revierförster honoris causa, noch vor kurzem im Pie-
mont den Carabus Olympiae wiedergefunden, den man für
ausgestorben hielt.

ANTAEUS

Die Schönheit der Goldcaraben wird noch übertroffen
durch eine Edelsteinkohorte, die den Namen Coptolabrus
trägt. In China, Korea, am Amur liegen ihre Residenzen;
verwandte Stämme zweigen sich auf die japanischen Inseln
ab. Der Erlanger Professor Hauser widmete ihnen eine
Monographie. Schon die Lektüre des Registers läßt Außer-
ordentliches vermuten, denn Namen wie Smaragdinus, Man-
darinus, Tyrannus, Coelestis, Dux, Principalis, Giganteus,
Augustus, Gemmifer verleiht man nicht umsonst.

Die Arten geben eine Ahnung von der Urkraft fernöst-
licher Gebirge, von der despotischen Pracht eines Räuber-
geschlechts, das mit dem Kaiserhaus wetteifert. Ich entsinne
mich noch der Bestürzung, mit der ich zum ersten Mal einen
dieser Recken betrachtete. Er war mit der Sendung eines
chinesischen Händlers gekommen; ein Zettelchen wies ihn

29

als den Antaeus aus. Es mußte das Tier sein, das Oberst Hauser, Bruder des Professors, in Kwantung, einer der südlichsten Provinzen Chinas, entdeckt hatte. Um dieselbe Zeit und ganz in der Nähe hatte der Doktor Mell, ein liebevoller Kenner der chinesischen Fauna, den gleichen Fund gemacht. Der Oberst hatte seine Ausbeute dem Bruder gesandt, der Doktor die seine dem Berliner Museum, wo Kolbe sie bearbeitete. Beide Entomologen hatten das Tier beschrieben — der Erlanger Professor als Antaeus, der Berliner Zoologe als Mellianus, wobei ihm allerdings der Antaeus in der »Stettiner Zeitung« von 1914 um einige Wochen zuvorgekommen war.

Nach dem von Linné aufgestellten Gesetz der Priorität löschte damit der Antaeus den Mellianus aus. Wie jedes Gesetz zugleich ein Recht verleiht und eine Fessel bildet, so kann auch dieses sich zur Plage auswachsen. Ein Generationen von Liebhabern vertrauter Name hat zu weichen, wenn ein entomologischer Bücherwurm aus einer längst verschollenen Scharteke eine »Priorität« ausgräbt.

Der Antaeus erfreut sich also dem Mellianus gegenüber der Legitimität. Allerdings erscheint mir eine zarte, der subtilen Materie angemessene Aufmerksamkeit des Erlanger Professors gegenüber dem konkurrierenden Gevatter der Erwähnung wert. Nachdem er nämlich in seiner 1921 erschienenen Monographie die Daten und damit die Rechtslage geklärt hat, stellt er fest, daß zwischen der Beschreibung des Antaeus und der des Mellianus eine geringe, doch wahrnehmbare Differenz besteht, denn Kolbe führt einen Blaustich der Flügeldecken an, der bei dem typischen Antaeus fehlt. Offenbar lag ihm eine Variante vor, die als »Coptolabrus Antaeus varietas Mellianus« Erhaltung verdient.

Nur Eingeweihte, Kenner der Eifersucht, mit der zünftige Entomologen ihre Arten und Abarten verteidigen, wissen solche Züge zu würdigen. Der Umfang der Händel, die so entsprangen, erscheint noch unglaublicher, wenn man die Objekte betrachtet, derentwegen sie entbrannten: etwa ein Tierchen von der Größe eines Reiskorns, dessen letztes Fühlerglied der eine Partner als konkav, der andere als konvex bezeichnete. In dieser Hinsicht hatte der oben erwähnte Kustos Kolbe durch die Angriffe des streitbaren Doktor Kraatz Erhebliches auszustehen. Es brach da ein Krieg aus, der den trojanischen an Länge übertraf. Den beiden Streitern eilten nicht nur befreundete Koryphäen zu Hilfe, sondern ihre Zwiste dehnten sich auch auf Vereine, Zeitschriften, Museen aus und erbten sich auf die Epigonen fort.

Es scheint ein Rätsel, warum gerade in dieser entlegenen Zelle unsres babylonischen Turmes jede Quisquilie so leicht zum Erisapfel wird. Die Antwort liegt schon in der Frage: der Umgang mit feinsten und allerfeinsten Objekten birgt die Gefahr, daß die Differenzen überbetont werden.

Auch die Beschreibung gehört zur Jagd. Sie krönt sich in der Benennung, die einer Handauflegung gleicht. Ein neuer Name wird in Linnés großes Jagdbuch eingetragen und mit dem eigenen verknüpft. Er bleibt dort als Trophäe, solange das System besteht. Das Wild wurde mit einem Tabu belegt. Der Triumph ist geistig, ist ein Lohn des Scharfblicks wie der Sieg im Schachspiel und höher als die physische Besitzergreifung, denn wer die Beute erkennt, dem zinst sie länger als dem, der sie erlegt. Amerika heißt nicht nach dem, der es entdeckte, sondern nach dem, der es zuerst erkannte und beschrieb.

Höchst ungern läßt der subtile Jäger sich die Autorschaft bestreiten; die Verleihung von Namen ist sein Regal, sein Waidrecht, um das er, ohne es zu merken, auf absonderliche und oft auch unduldsame Weise kämpft. Außer Dienst ist er großzügig, friedlich, mitteilsam wie Tristram Shandys zugleich kriegerischer und herzensguter Onkel Toby oder auch unser Doktor Kraatz, ein Gönner, der ganzen Generationen das Tor zum Heiligtum der Isis öffnete. Was er, der Stifter des Dahlemer Museums, als blinder Greis getan hat: die im Laufe eines langen Lebens gehorteten Schätze frei verschenken — das ist in unserer Zunft eher die Regel als die Ausnahme.

Die Jagd als Urform großer Spiele, »Kriegen und Verstecken«, ist eine ernste Sache; sie duldet nichts anderes. Argus hat hundert Augen und *ein* Ziel. Der Mythos stellt ihn halb wachend, halb schlafend dar, nicht nur weil seine Augen sich erholen müssen, sondern auch weil sie nur einen Ausschnitt der Welt wahrnehmen. Der Sinn des Jägers ist zu stark auf den Mittelpunkt geheftet, als daß er nicht an der Peripherie zerstreut wäre. Das gilt nicht nur für seine Spielart des zerstreuten Professors, sondern es geht durch den Kosmos hindurch. Der Jäger ist immer auch der Gejagte, wie der Krieger auch der Bekriegte ist. Auf der Jagd, im Kriege, während der Balz, in unserer dynamischen Welt auch beim Überholen, wächst das Risiko.

Wenn wir zwischen dem Castel Vecchio und der Laguna gebadet hatten und am Mittag durch die Hügel zurückkehrten, war es oft glühend heiß. Die Täler waren sich recht ähnlich; verfehlten wir den Einstieg, so gab es weite Umwege. Manchmal wußten wir nicht, ob wir den rechten Pfad getroffen hatten, wenn wir uns zwischen den Brombeer- und Opuntienhecken entlangwanden. Es gab dann eine freudige Überraschung, sobald am Ortsrand von Villasimius die Arkaden des reichen Signor Todi auftauchten. So nannten wir eine zierliche Säulenreihe in dem sonst öden sardischen Nest. Sie gehörte zum verfallenen Gutshof eines alten Feudalen, der nach den Cavourschen Reformen aus dem Land gegangen war. Wie alles dort schnell verwittert und in den Mythos absinkt, hatten wir nur Sagenhaftes über ihn gehört, über seine Herden, seine Hirten, seine Festmähler.

Einmal, es war während meines siebten oder achten Aufenthaltes am Capo Carbonara, als ich hinter dem Bruder herschlich, wendete er sich um und rief mich an: er hatte die Arkaden gesehen. Er hatte aber nicht auf den Weg geachtet, auf dem uns sonst wenig zu entgehen pflegte, und nicht die Schlange bemerkt, die er fast gestreift hätte. Ich wies ihn darauf hin. Gefahr war nicht dabei, denn schon die Römer erwähnten als eine der wenigen Annehmlichkeiten der Insel, daß sie keine Giftschlangen kennt. Wir blieben stehen und betrachteten das Wesen: eine Eidechsennatter von stattlicher Größe, an einer Mannslänge fehlte nicht viel. Nur am Capo Rosso sollte mir eine mächtigere vorkommen. Keine andere Natter wirkt so metallisch; der Bronzepanzer mit seinen gelben und grünen Schuppen gleicht einer Prunkrüstung. Erst als ich das Tier mit dem Stock am Rücken berührte, schoß es in das Brombeergebüsch davon.

Im Weitergehen unterhielten wir uns über die Achtlosigkeit, mit der sich das sonst so scheue Wesen exponiert hatte. Sie war nur dadurch zu erklären, daß es im Anstand auf eine Beute gewesen war — vermutlich auf eine der kleinen grün und schwarz gescheckten Eidechsen, die sich dort tummelten. Das war ein Beispiel für die hypnotische Starre, die der Anblick des Wildes erzeugt. Halb hatte Argus geschlafen, halb gewacht.

Wer jagt, wird selbst gejagt, und wer beobachtet, wird selbst beobachtet. Je seltsamer, je wertloser, je fremdartiger die Beute, desto mehr drängt sich die Frage nach dem Sinn der Suche auf. Ein Gleichnis bleibt alles, bleibt jede Erdberührung, im bunten Insekt wie auch im Edelstein. Was fesselte mich hier, was machte mich zugleich blind und sehend — wo steckt der Sinn des Spieles, und wo ist der, der mich dabei beobachtet? So fragte ich mich oft und fragte ich auch damals, als ich mich vom Staunen über den Antaeus erholt hatte.

Damals dauerte es lange, bis eine Sendung aus dem Fernen Osten eintraf; heute folgt sie dicht auf die Bestellung, und auch das Drum und Dran hat Fortschritte gemacht. Leichte und buntfrankierte Schächtelchen kommen wie auf fliegenden Teppichen. Die Objekte sind in Hüllen verwahrt, in denen sich die Biegsamkeit des Seidenpapiers mit der Durchsichtigkeit des Kristallglases vereint. Sie bieten sich unmittelbar dem Auge; ihr Glanz wird eher erhöht als geschwächt. Ich bewunderte ihn erst in diesen Tagen, als ich eine Sendung des Kollegen Hayasaka aus Tokio musterte: ein Los von Cetoniden aus Formosa, dargeboten mit einer Eleganz, die in Europa nicht erreicht oder gar übertroffen werden kann.

Beim Enthüllen der Tiere unterlag ich nicht zum ersten Male einer Augentäuschung — dem Eindruck, daß ich es nicht mit Kunstwerken der Natur, sondern des Menschen zu tun hätte. Manche dieser Gebilde schienen wie chinesische Miniaturen, von Meisterhand aus Horn, Jade oder Elfenbein geschnitzt und mit Ideogrammen geschmückt.

Ein solcher Eindruck ist nicht zufällig. Die Kraft der Territorien bestimmt aus großen Tiefen nicht nur die Harmonie der Lebewesen zueinander, sondern auch zur unbelebten Natur. Entfernte Dinge gewinnen Anklang, wie Worte von ganz verschiedener Bedeutung Anklang gewinnen durch den Reim. Die Welt wird dichter, wird Gedicht.

Es gibt ein Schriftbild der Natur; das in der Betrachtung seiner feinsten Züge geübte Auge erkennt in ihnen die Charaktere eines Weltteils, einer Insel, einer Alpenkette, so wie der Kundige die Eigenart des Menschen aus seiner Handschrift zu deuten weiß.

Von einem der schönsten Schmetterlingsgeschlechter, den Ornithopteren oder Vogelflüglern, beschrieb Staudinger 1893 die Art Paradisea, die diesen Namen verdient. Außer den prächtigen Farben trägt sie als besonderen Schmuck einen Wimpel, zu dem sich der Hinterflügel durch eine Spange verlängert hat. Sieht man das Tier inmitten einer Sammlung, so drängt sich auf den ersten Blick die Ähnlichkeit mit einem Paradiesvogel auf. Der Eindruck wird bestätigt durch den Fundort: Neuguinea, dessen Urwälder sowohl den Vogel wie den Schmetterling bergen — den einen vielleicht als Verfolger des anderen, doch beide auf den gleichen Schlüssel gestimmt. Merkwürdig ist auch, daß ganz verschiedene anatomische Elemente ein so ähnliches Habit ausbilden. Darin verrät sich der Vorrang der geistigen vor den Blutsverwandtschaften.

Das Lesen solcher Bilder setzt freilich wie das von Partituren lange Übung voraus. Es zielt auf Einheit, auf die Harmonie der Welt. Das Mannigfaltige hingegen wirkt wie der Vorstoß dieser Einheit; die Darbietung trifft das Bewußtsein überraschend und mit großer Macht. Hier wirkt der Eros stärker als der Nomos der Welt.

Auch Wallace, der große Forscher, hat die Archipele besucht, denen sowohl die Paradiesvögel wie die Ornithopteren eigentümlich sind, und es ist kein Zufall, daß die Leidenschaft des weitgereisten Mannes, dem Darwin viel zu verdanken hat, sich gerade auf diese beiden Gattungen richtete. Er kannte, ja fürchtete beinahe den Eros, der den Geist verwundet, wenn die Große Mutter ihm eines ihrer Geheimnisse offenbart. Das wird an vielen Stellen seiner Tagebücher deutlich, wie auch an jener, an der er die Begegnung mit einer besonders schönen Ornithoptere schildert, die er »den Stolz der östlichen Tropen« nennt.

Bereits auf seinem ersten Gang durch den Wald der Molukkeninsel Batchian hatte er einen »ungeheuer großen« Schmetterling beobachtet. Der sammetdunkle, mit weißen und gelben Flecken gezierte Falter ruhte auf einem Blütenstrauch außerhalb der Reichweite seines Netzes; bevor er abflog, hatte der geübte Blick in ihm das Weibchen einer neuen Ornithoptera erkannt. Wallace richtete daraufhin den Wechsel, den er wie jeder Entomophile in der Nähe seines Standortes ausgemacht hatte und täglich zu begehen pflegte, so ein, daß er an jenem Busch vorbeiführte. Wirklich gelang es ihm, im Januar 1859 ein Weibchen zu erbeuten, und den Tag darauf ging ihm auch das Männchen, einer der herrlichsten Schmetterlinge der Erde, mit sammetschwarz und feurig orangeroten Schwingen, ins Garn.

»Als ich es aus dem Netz nahm und die prachtvollen Flügel entfaltete, begann mein Herz heftig zu schlagen, das Blut stieg mir zu Kopfe, und ich fühlte mich einer Ohnmacht näher, als hätte ich dem Tode ins Auge geschaut. Ich hatte den Rest des Tages Kopfschmerzen, so groß war die Erregung — von einer Ursache hervorgerufen, die den meisten Menschen als sehr unzureichend erscheinen wird.«

Nicht nur sah Wallace damals dieses Tropenwunder zum ersten Male, sondern er war auch der erste Abendländer und Linnéist, der seine Pracht erfuhr. Er ließ sich nicht nehmen, es zu beschreiben und zu benennen: als Ornithoptera Croesus, den Krösus-Schmetterling.

Den Schmetterlingen, insonderheit den großen, schöngefärbten Arten, wendet sich eine Neigung zu, die fast jeder einmal empfunden hat. Hier ist die Darbietung besonders zwingend; das Aufschlagen der Flügel, vor allem, wenn sie »Augen« tragen, hat etwas Umwerfendes. Geschieht es in Intervallen, so fühlt der Betrachter ein lustvolles Behagen: ihm teilt sich der Rhythmus des Lebens mit, dem auch sein Herzschlag folgt. Ich entsinne mich eines fürstlichen Morphos, der mich in einem Waldstück bei Santos auf diese Weise entzückte: wenn die Flügel sich schlossen, leuchteten sie wie Goldbrokat, geöffnet wie Silberspiegel mit azurenem Grund, der ihnen den Namen der Celestes, der Himmlischen, eingetragen hat. Es war still, und die Sonne schien glühend; der Bann wurde stärker und stärker, wie der Blick eines Auges, der von Lidschlag zu Lidschlag immer mächtiger, immer zwingender einschläfert. Da wächst mit der

Lust auch die Furcht, die Ahnung von drohender Gefahr. Die Schönheit will uns des Eigenen berauben; wird sie zu stark, so würde sie uns der Zeit entrücken wie den Mönch von Heisterbach.

Der Schmetterling erinnert an den Vogel, den er an Leichtigkeit noch übertrifft. Daher erweckt er Vorstellungen von feinster Verstofflichung. »Psyche« heißt eine seiner Gattungen, »spiritu« nennen die Hirten die weißen Falter auf Sardinien.

Die Käfer bieten sich dem Auge nicht mit solcher Grazie dar. Sie sind stoffhafter, härter und als Schmuck der Erde eher den Früchten als den Blüten, eher den Muscheln und Kristallen als den Vögeln verwandt. Sie offenbaren ihre Schönheit nicht mit einem Schlage, und so kommt es, daß ihre Liebhaber meist beständiger als die der Schmetterlinge sind.

Die Leidenschaft freilich ist hier wie dort die gleiche; sie wird entzündet, doch nicht befriedigt durch die flüchtigen Modifikationen der Substanz. Wenn Oken den Käfer als die höhere Potenz des Wurms bezeichnet, so hat die romantische Zoologie damit einen ihrer guten Treffer gemacht. Aber es gilt auch für den Schmetterling. Die ganze Pracht ist eben auf den Wurm gegründet – auf die Larve des Käfers, die Raupe des Falters, und was sich in die Potenz erhebt, ist Ausprägung der grauen, unscheinbaren, über jeden Begriff erhabenen Substanz. So funkelt der Gedanke in der grauen Rinde, glüht die Perle, wenn sie ans Licht gehoben wird. Sie kommt aus lichtloser Tiefe, und die Leidenschaft, die sie im Menschen erweckt, reicht auf den Grund seines Wesens hinab.

Zum Kapitel des Coptolabrus fällt mir Oskar Vogt ein, der berühmte Neurologe, den ich vor dem Zweiten Weltkrieg im Schwarzwald aufsuchte. Bei der Begegnung mit ihm, wie überhaupt bei der mit alten und sehr alten »Afficionados«, die sich auch auf anderen Gebieten einen Namen erworben hatten, fragte ich mich zuweilen, wie ihnen das nebenher möglich gewesen sei — ich meine natürlich den Erfolg im Beruf.

Vogts Adlatus, der Doktor Backhaus, ein junger Arzt, der bald darauf in Nordafrika fallen sollte, hatte mich im Verlauf unserer Korrespondenz darauf aufmerksam gemacht, daß sein Chef da oben eine Schatzgrotte hüte, der so leicht keine andere gleichkäme. Die Coptolabren sollten beinah vollständig sein.

Ich ließ mich also anmelden, setzte mich in Überlingen auf die Bahn und kam in Neustadt gerade zum Tee zurecht, bei dem ich den Professor, seine Gattin und Mitarbeiterin Cécile, Doktor Backhaus und Madame Forel, die Witwe des Zürcher Psychologen und großen Kenners der Ameisen, versammelt fand.

Nicht jede Blume hat, wie die Rose und die Dahlie, eine eigene Gesellschaft, und nicht jedes Organ des menschlichen Körpers, wie das Herz, ein eigenes Institut. Ich weiß nicht, wie viele in der Welt dem Hirn gewidmet sind — jedenfalls leitete der Professor hier in den Bergen das von ihm gegründete »Institut für Hirnforschung«.

Obwohl das stattliche Haus inmitten des von Koniferen bestandenen Parkes Vorstellungen von Sicherheit und Komfort erweckte, war es eher eine Fluchtburg, ein Hort zusammengeraffter Schätze inmitten beginnender Flutungen. Dem Professor war in hohen Jahren und seines Weltrufs ungeachtet gleich manchem anderen ein Mißgeschick begegnet, wie es Klimastürzen folgt. Der Stein des Anstoßes war Lenins Gehirn gewesen, das er im Auftrag der russischen Regierung nach allen Regeln der Kunst untersucht hatte. Sein Gutachten hatte die besondere Wohlgestalt der Pyramidenzellen betont. Hatte er nun auch gesagt, daß man dort den Sitz der Genialität vermutet, oder war das implicite zu verstehen gewesen? – gleichviel, es hatte zur Proskription genügt. Die Hirnforschung war nun zur privaten Beschäftigung des abgesetzten Professors geworden; sein Institut wurde durch mächtige Freunde, vor allem von Krupp, unterstützt.

Diese Dinge bildeten zunächst das betrübliche Thema unserer Unterhaltung, die der Professor mit den Worten abschloß: »Mit denen habe ich nichts zu schaffen, die haben mich abgesetzt.« Noch bis vor kurzem hatte er die große Irrenanstalt Buch geleitet; dort waren seltene Gehirne angefallen wie die Walnüsse im Herbst. Darin, daß sein Sektionsbefund nur für Idioten ein Politikum darstelle, konnte ich ihm nicht ganz beipflichten. Wäre es andersherum gekommen, so würde den Professor der entsprechende Beifall kaum erstaunt haben. In dieser Hinsicht war er naiv wie die meisten Gelehrten; auch Hugo Fischer, der Magister, hatte Lenins wegen Unannehmlichkeiten gehabt. Er war gemaßregelt worden, weil er ein Werk über ihn publiziert hatte. Sein ohnehin bescheidenes Gehalt war um die Hälfte gekürzt worden. Als ich ihm im Leipziger »Merkur« deswegen kondolierte, sagte er: »Kann man denn nicht mal mehr ein Buch über einen toten Russen schreiben?« Das war doch wohl auf eine zu einfache Formel gebracht.

Nachdem diese und ähnliche Ärgernisse abgehandelt waren, belebte unser Gespräch sich freudig, als es auf die »Entoma« überging. Wieder fand ich den Satz bestätigt, mit dem Otto Schmiedeknecht, Kustos des Rudolstädter Naturalienkabinetts, sein den Hymenopteren Mitteleuropas gewidmetes Hauptwerk einleitet — daß nämlich dieses Studium sich stets »als eine Quelle ungetrübten Genusses und als ein Zufluchtsort in den Wechselfällen des Lebens erweist«.

Ein Rundgang durch das Gebäude schloß sich an. Auf den Böden war es still, ein wenig unheimlich. Ein Anflug des Makabren kam hinzu. Der Titel von Benns Novelle fiel mir ein: »Gehirne« — hier waren sie gespeichert, gleich nach dem letzten Atemzuge der Besitzer sorgfältig fixiert. Der Tod, fast schon das Sterben, verändert das Organ.

In Paraffin gebettet, harrten die Gehirne darauf, daß der Professor oder einer der Eingeweihten sie studieren würde, wie er einst das von Lenin studiert hatte. Er kannte die feinsten Hügel, Schluchten, Brücken, Kammern und Zellen dieser Landschaft, auch sehr entlegene Orte, so wie ein Astronom die fernsten Nebelflecke kennt. Der Adlatus gab mir einen durchsichtigen Block in die Hand. Das darin eingezwingerte Gehirn war das eines Dichters: es hatte Sudermann gehört. Ich hielt es wie eine Bienenwabe — wo waren die Bilder und Gedanken, die drin gewohnt hatten? Und hatten sie, wie die Bienen, sich dereinst dieses Nest gebaut? Ein Ketzereinfall in dieser Mumienkammer — ich ließ ihn nicht laut werden. Etwas von Kopfjägerstimmung war dabei.

Wir gingen dann zu den Insekten, denen, abgesehen von der Bibliothek, ein Raum von der Größe eines Tanzsaales zugewiesen war. Schon Stichproben zeigten, daß hier die Beute eines großen Kapitäns gespeichert war, dem es an Mitteln und Hilfskräften nicht gefehlt hatte. Der Kundige erkennt das weniger an der Pracht und Menge der Einzelstücke als an der Lückenlosigkeit der Lieblingsgattungen und an der Entlegenheit der Fundorte. Hier summierte sich beides, das verwies auf außerordentliche Anstrengungen.

Bepelzte Hummeln drängten sich zu Legionen, vorwiegend Arten, die man nicht an begangenen Wegen trifft. Mongolische und chinesische Fänger hatten nach ihnen Tal um Tal entlegener Gebirgszüge durchstreift. Caraben wurden zu Tausenden verwahrt. Vor kurzem hatte ihr großer Monograph, der Doktor Breuning, die Sammlung revidiert. Daneben offenbarte sich die Neigung des Professors für die plumpen, dunklen Pimelien und die buntgefleckten Arten der Gattung Mylabris. Die Pimelien bewohnen die Länder am Mittelmeer; sie strahlen von dort nach Nubien und Indien, zum Senegal, zu den Kanaren aus. Fast jede Insel, jeder Küstenstreifen beherbergt eine eigene Art. Noch weiter dehnt sich das Gebiet der Mylabriden aus. Hier fiel mir der Reichtum an asiatischen Stücken auf. Sie waren aus Transkaspien, dem Kaukasus, Turkmenien, der Dsungarei, der Mongolei, Sibirien, Tibet, der Wüste Gobi zusammengetragen, ersichtlich nicht als Raffbeute von Reisenden, sondern als ausgesuchte Strecke subtiler Jäger, die man eigens in jene Länder entsandt hatte. Das berühmte Gehirn hatte also auch Vorteile gebracht.

Trotz ihrer Mannigfaltigkeit hatte die riesenhafte Auf-

sammlung einen Generalnenner. Ihr Besitzer schien Gruppen
zu bevorzugen, die sich durch Streifung auszeichnen. Bei den
Pimelien und Caraben waren die Streifen plastisch und der
Länge nach geordnet, bei den Hummeln und Mylabriden
traten sie als quere Bänder und Diademe der bunten Haar-
tracht oder des Pigments hervor. Die Auswahl war nicht
zufällig; der Professor brachte diese Form- und Farbenspiele
mit dem Bau der Hirne und ihrer Schichtung in Zusammenhang. Er wollte einen gemeinsamen Strukturplan nachweisen.
Ich konnte das nicht beurteilen, obwohl ich wußte, daß er
um die Jahrhundertwende ein Atlaswerk über die Mark-
streifung des Kindergehirns publiziert hatte. Schließlich steht
alles mit allem in Zusammenhang. Das gilt besonders für
unsere Neigungen.

Nachdem er mich in die Sammlung eingewiesen, auch hin
und wieder einen Schrank geöffnet hatte, ließ der Professor
mich allein. Er lud mich ein, seine Schätze nicht nur nach
Herzenslust zu betrachten, sondern auch von den Dubletten
auszusuchen, was mir gefiele — allerdings mit der Einschrän-
kung: »Nur von den Coptolabren kann ich nichts abgeben.«
Nun, die sollten mich nicht in Versuchung führen, denn ich
kam über die Mylabriden nicht hinaus. Ich saß am Fenster
vor einer Auswahl der gebänderten Idole; ihr Anblick
brachte mich ins Träumen, bis die Farben ineinanderflossen —
die Dämmerung brach ein. Die Stunden waren im Flug vergangen wie über den Seiten eines Buches, das man schon oft
gelesen hat und dessen man trotzdem, ja gerade deshalb,
nicht müde wird. Die bunten Mumien feierten Auferstehung,
und wieder einmal bekam ich die Macht zu spüren, die sich
in einem Stückchen belebter Substanz verbirgt.

Ich hegte eine frühe Neigung für diese Wesen, nahe Verwandte der Spanischen Fliege, die bei uns kaum vorkommen. In der Provence und Dalmatien, auf Rhodos und den Balearen, auch in Nordafrika war ich ihren Vorposten begegnet, oft lustvoll überrascht, wenn ich sie wie schwere Blutstropfen an den Kräutern hängen sah. Sie erinnern dann an die Schmetterlinge, die man Widderchen nennt, und halten auch deren Muster und Farbenspiele ein. Zu ihren Eigentümlichkeiten gehört, daß sie eines schönen Tages in Massen auftreten und am nächsten verschwunden sind.

Ich sah dort am Fenster die Arten wieder, die ich vom Mittelmeer mitgebracht hatte. Ein warmer Anhauch, ein sanftes Glühen ging von ihnen aus. Es war ein ganz bestimmtes Klima, ein jäher Frühling, dessen Erinnerung sie hervorriefen. Da war die Heiterkeit starker Verwandlungen.

Wenn wir zu früh über die Alpen fahren, kann es uns begegnen, daß wir im Süden stärker frieren als zu Haus. In Neapel bläst noch im März eine Tramontana, die uns die Zähne klappern läßt. Regentage bei kaltem Wind, in ungeheizten Albergos verbracht, die paradiesische Namen führen, sind doppelt unangenehm.

Wenn aber der Wind umschlägt und von den Hesperiden kommt, kündet sich das schon in den Träumen an. Wir erwachen heiter und frühstücken auf der Terrasse, von der aus wir auf das Meer hinausblicken. Über Nacht hat sich alles verändert; der Frühling erwartet uns jenseits der mit hohen Mauern verwahrten Gärten, am Strand, in den Bergen, in der Macchia mit ihren Ginstern und Zistrosen.

Das Besondere am südlichen und am morgenländischen Frühling ist die Verbindung von Kargheit und Überfluß.

Der Reichtum wächst auf der Armut, wirft Polster und Teppiche über die Wüste, er quillt aus den Fugen hervor. Der Geist erschrickt fast vor der jähen Fülle — was mag da noch im Hintergrund sein?

In den Dünen der Costa del Sol ist der Sand am Mittag schon so heiß geworden, daß er den nackten Fuß verbrennt. Er blendet, doch in den Mulden kann sich das Auge ausruhen. Dort haben sich fast über Nacht Gewebe von zarten Klee-, Lauch- und Nelkenarten zusammengesponnen; dazwischen Marmordisteln, Katzenpfoten und schon der erste silberne Lilienschweif. Dem Sonnenbad in einem der heißen Kessel schließt sich der Streifzug ins Innere an. Der weiße Seesand reicht noch über zwei, drei Ketten; die Winterstürme ließen Bänke von ausgeglühten Muscheln zurück. Kämme von Strandhafer halten sich über den rieselnden Abstürzen. Dann kommt der grüne Hügel mit der mächtigen Korkeiche, unter der die Maultiere weiden, und endlich das Ziel, Armidens Garten, die blühende Insel im Tal. Duft, Farben, Wärme verschmelzen; sie werden vom Summen zahlloser seidenfeiner Flügel begleitet, in das vom Boden die Grillen, aus den Zweigen die Vögel einstimmen.

Das war der tägliche Gang nach dem Bade — war es bei Marbella oder am Cap d'Antibes, war es am Strand von Xylokastron oder von Rhodos zwischen der kleinen Moschee und dem Pinienwald? Die Orte verschwimmen, doch nur, um sich zum Bild zu festigen. Wir suchen in ihrem Wechsel auch nicht die Gärten, sondern allein *den* Garten, den Hort der großen, festlichen Zeit. Ihm können wir uns nur im Bild nähern.

Wunderbar ist das starke Erwachen im Küstenstreifen des

alten Phönikerlandes, am Taurus, am Libanon. Am besten Ort, inmitten der Ruinen von Byblos, wurde ich von ihm überrascht. Reste uralter Tempel und Gräber sind dort ans Licht gehoben und in einer Weise ausgebreitet, die man vielleicht in späteren Zeiten einmal als »Archäologenstil« bezeichnen wird. Tempel, die man in Schichten ausgrub, sind nebeneinander aufgestellt. Die Sonne weidet sich auf einem blendend weißen Kalkstein, der auf den Höhen des Libanon gebrochen ist. Weiß ist auch der Sand der Königsgräber, die der Scharfsinn der Gelehrten erst vor kurzem aufspürte — feinster Quarzsand vom nahen Meeresstrand. Ich ging hinab, um ihn dort zu sehen, aber das Ufer war von Geröll bedeckt. Dafür fand ich zwei Purpurschnecken, groß wie Signalhörner. Wenn man zum Meer blickt, steht zur Rechten die alte Kulturschicht als rotbraune Lehmbank an. Die Flut wäscht Perlen, Münzen, Schmuckstücke heraus.

Verglichen mit den Pharaonen, deren Geschenke sie mit in ihre Gräber nahmen, waren die Könige von Byblos kleine Herren. Doch hielten auch sie darauf, die Unterwelt mit königlichem Gepränge zu betreten, und scheuten keinen Aufwand dafür. Ihre Gräber sind tief in den Fels geschachtet und bergen gewaltige Sarkophage auf dem Grund. Es bleibt ein Rätsel, wie diese tonnenschweren Särge in die Tiefe versenkt wurden. Vermutlich wurden sie auf Sand gestellt, mit dem man die Schächte gefüllt hatte und der dann wieder entfernt wurde. So sank der tote König Zoll um Zoll zur Ruhe hinab. Der Sand wurde dann wieder nachgeschüttet und der Ort unkenntlich gemacht.

Auch hier war schon die Furcht lebendig, daß diese Ruhe durch Grabräuber gestört würde, die man wohl als die ersten

Aufklärer bezeichnen kann. Daher wurde auf Denkmäler verzichtet und jede Spur der Bestattung verwischt. An der Südwand des brunnenartigen Schachtes, der zur Grabkammer Ahirams, eines Königs des 11. Jahrhunderts, hinabführt, finden sich in halber Höhe die Worte eingemeißelt: »Warnung hier! Dort unten lauert dein Tod!« Sie werden ergänzt durch den ausführlichen phönikischen Bannspruch, den Ahirams Sohn in den Sargdeckel graben ließ. Jede Möglichkeit künftiger Plünderung ist dort vorausgesehen, selbst die durch den feindlichen Feldherrn, der Byblos erobert hat. Dessen Gebeine sollen zerstreut werden, »ein Vagabund soll seine Inschrift auslöschen«. Die Sorge um die Grabruhe ging also allen anderen voran; der Tote will selbst durch den Untergang seiner Stadt nicht gestört werden.

Über das kleine Amphitheater aus griechisch-römischen Zeiten fällt der Blick auf das Meer. Phallische Kegel, Opfersteine mit Blutrinnen. Nach alten Überlieferungen wurde hier einmal im Jahr ein Mensch geopfert, an den übrigen Tagen traten Tiere für ihn ein. Immer wieder ist ER das eigentliche Opfer, alles andere bedeutet ihn.

Der Wind weht vom Meer her über das Gräberfeld. Er schwenkt die Kelche der großen blauen Anemonen, die in Büscheln zwischen den Gräbern stehn. Der Tod ist nahe, das Leben wird durch ihn grundiert. Hier stand der Tempel des Adonis, des hellsten und heitersten Frühlingsgottes von allen, die je auf der Erde mit Jubel und Trauer verehrt wurden. Hier bei Byblos soll er vom Eber getötet worden sein. Lukian besuchte auf seiner Reise durch die syrischen Tempel auch diesen und berichtet über die Mysterien. Der Tod des Adonis wurde mit Tränen und Wehklagen gefeiert;

die Frauen schnitten sich die Haare ab wie die Ägypterinnen, wenn Apis gestorben war. Welche von ihnen sich nicht auf diese Weise berauben wollte, mußte einen Tag lang vor dem Tempel der Aphrodite ihre Schönheit den Fremden feilbieten. Adonis soll die phönikische Metamorphose des Sonnengottes Osiris sein. An dieser Küste sind die Götter von jeher mit besonderer Inbrunst begrüßt und verehrt worden. Hier hatte auch die vielbrüstige Diana ihren Tempel, und spät noch soll in den Klöstern am Libanon dem Adonis beim Meßopfer eine heimliche Spende gebracht worden sein. Die Götter wandern wie die Menschen; sie sind sterblich, doch auch unsterblich wie wir.

Viel kam hier aus Ägypten, unter anderem der herrliche Rosengranit von Assuan. Noch heute liegt am kleinen Hafen von Byblos eine Reihe solcher Säulen, die in Kreuzritterzeiten aus den Tempelruinen entfernt, doch nicht versandt wurden.

Adonisgärten nannten die Alten diese Gefilde mit ihrer reichen und schnell verwelkenden Pracht, zu der das Adonisröschen gehört. Auch der kleine Fluß, der hier mündet, wurde Adonis genannt. Er schwillt im Vorfrühling an und führt dann rotes Wasser bis weit ins Meer hinaus. Das war das Blut des Gottes und kündete seinen Tod. Immer wieder wurde er oben in den Bergen verwundet, und immer wieder teilte das Volk, teilten die aus Phönikien, Arabien und Babylonien, aus Kappadokien, Kilikien und Assyrien zusammengeströmten Pilger seine Passion.

Noch heute rötet sich das Wasser auf die gleiche Art, die Lukian bei der Aufzählung der Wunder schildert, denen er in Byblos begegnete. Freilich berichtet er auch, daß ein Einwohner der Stadt ihm eine andere Erklärung gegeben habe, indem er sagte: »Der Fluß Adonis, mein Fremdling, strömt durch das Gebirge des Libanon, das ein rötliches Erdreich hat. Die Frühlingsstürme führen dann den mennigroten Staub in den Fluß und bringen ihm die blutige Farbe. So ist also nicht das Blut die Ursache dieser Erscheinung, sondern der Boden.«

Darin liegt nichts Erstaunliches, wohl aber in der Bemerkung, die Lukian an die Erklärung des Bybliers knüpft:

»Wenngleich der Mann hierin untrüglich gesprochen hat, so scheint mir auch schon das Zusammentreffen gar sehr von göttlicher Veranstaltung zu zeugen.«

Das Wunder ist also im Ganzen zu suchen, nicht im Phänomen. Unter dem Zusammentreffen versteht Lukian wohl vor allem die zeitliche Konkordanz im Schwellen des Wassers, seiner Rötung, der stärkeren Kraft der Sonne, der Pracht der Blüte und ihrer Vergänglichkeit, die in der wiederkehrenden Gestalt des Gottes begrüßt und beweint wurden. Vielleicht läßt dieser phönikische Frühling es noch mächtiger empfinden als der maurische von Granada oder der sarazenische von Sizilien. Zu Myriaden erheben sich die kleinen Sonnen des Adonis aus der roten Erde als Spiegel und Ebenbilder des großen Gestirns. Sie blühen um die Tempel des Frühlingsgottes und »Unserer Frau von Byblos«, der Baalat Gebal, um die Königsgräber, die Mameluckentürme, die Kreuzritterburg der Herren von Gibelet. Hier wurde auch Simeon, der Stylit, auf seiner Säule vom Volke verehrt.

Der Fluß des Adonis heißt jetzt Nahr-el-Kalb; er mündet bei der kleinen Siedlung Maameltein. Dort überquert ihn eine Römerbrücke in Form eines Kamelrückens. Als ich seinem Lauf bergaufwärts folgte, um zu sehen, was die Jagd zu bieten hätte, fand ich das Wasser klar und lebhaft wie das unserer Harzbäche. Das Bett war tief in den Fels geschnitten, der bald am rechten, bald am linken Ufer gangbar war. Da galt es dann, auf Steinen das Wasser zu überqueren, um wieder ein Stück des Pfades zu gewinnen, der durch Ziegenherden getreten war. Die Mühe wurde durch eine immer köstlichere Einsamkeit belohnt.

Der Fels war feucht, an manchen Stellen tuffartig. Dort quollen kleine Wasseradern aus ihm hervor, unter denen sich dunkle Moosbärte kräuselten — ein typischer Ort für das Venushaar. Zum ersten Mal sah ich hier im Freien und in üppigen Beständen diesen zierlichen Farn, der in keinem Kalthaus und keinem Blumenladen fehlt. Im Gras schneeweiße Alpenveilchen mit blutrotem Kelchgrund, hart an den Ufern Margeriten- und Ginsterbüsche und, weithin leuchtend, ein baumhoher Seidelbast wie ein gescheckter Narr, der in wattiertem Fastnachtsgewand den Winter verhöhnt.

Leider wuchsen die Ufer bald zur Klamm zusammen, in der an weiteren Aufstieg nicht zu denken war. Herrin des magischen Ortes war eine fast armlange Eidechse, die eine Felsenburg bewohnte, in deren Tore sie aus- und einschlüpfte. Ein Tier der Vorwelt, seine Zeichnung entsprach dem Kolorit des Ortes, der Wand aus grauem Kalkstein mit den Sonnenflecken und schwarzen Schlagschatten. Talabwärts war wie durch den Schlitz eines Visieres das Meer zu sehen; ein großes, helles Schiff, ein Flugzeugträger, zog vorbei.

Überall an den Steilküsten der drei Kontinente, die dem Mittelmeer anliegen, auch auf den großen und kleinen Inseln, die es übersäen, finden sich diese Einschnitte, die oft nur mit dem Boot oder durch versteckte und gefährliche Einstiege zu erreichen sind. Warum verknüpft sich mit solchen im nackten Fels verbrachten Stunden die Erinnerung besonders lebhaft, besonders stark?

Es gibt wohl wenig Orte, an denen man sich der Erde näher fühlt. Zu ihnen möchte ich die Wadis zählen, die inmitten der trockensten Wüsten dem Geist Zeiten des Überflusses wachrufen. Sie führen am Toten Meer, am Sinai, in der Sahara von Becken zu Becken, von Kessel zu Kessel durch schmale, oft fast zu Höhlen verengte Gänge im heißen Geklüft empor. Die mächtigen Stufen sind von Kaskaden abgerundet, die Wände hier marmorglatt und dort gesintert, zu Orgelpfeifen aufgetürmt. Nester voll blanker Kiesel zeugen von rastlosen Mahlgängen. Der Wassergeist, nicht sichtbar, doch desto stärker, haust hier in seinen steilen Domen, die er in Jahrtausenden errichtete. Im Schweigen verbirgt sich die Macht verschollener Ekstasen; hier *ruht* die Wiederkehr. Ein leeres Haus, ein Haus im astrologischen Sinne; ein Bangen ergreift uns, wenn wir es betreten, als könnte der Strom in jedem Augenblick mit tödlicher Gewalt einbrechen. Alles zeugt ja für ihn.

In der Erinnerung eilen wir schneller als mit Chamissos berühmten Stiefeln; ein Sprung führt mich vom Libanon zur Wüste Ghor. Aber auch in der physischen Welt würde ein Reisetag genügt haben, hätte ich nicht in Syrien Station gemacht.

Am Rande der Wüste Ghor, im Bannkreis des Toten Meeres, stieg ich in einem dieser ausgestorbenen Felsschlösser empor. Die Gänge waren aus blaßgelbem Alabaster ausgeschliffen und verzweigten sich im Gestein. Ich folgte

51

dem Tobel bis zu einer Halle, in die ein Spiralgang mündete. Hier hatte vielleicht niemals ein Mensch geweilt. Ich mußte umkehren.

Draußen leuchtete die Sonne, als ob ich aus einer Gruft oder aus Katakomben herauskäme. Auch hier war einer der Orte, an denen ich vom Frühling, als würde ein Zauberteppich ausgeworfen, überrascht wurde. Ich kam aus Damaskus, dort hatten eisige Winde vom Antilibanon geweht. Sie verlieren im Jordangraben, der tiefsten Senke der bewohnten Erde, ihre Macht. In der Oase, die Jericho umschließt, kann wie in einem Treibhaus ohne Pause geerntet und gesät werden. Der Ort ist oft zerstört und oft wiedererbaut worden, doch immer blieb er die Rosen- und Palmenstadt. Ahasver hat dort schon römische Paläste und Kreuzritterburgen gesehen. Das Lustschloß des Herodes ist zerfallen; heute steht an seiner Stelle ein Dörfchen, das den Namen Erriha, das heißt: Wohlgeruch, trägt.

Vor kurzem war Regen gefallen, und die Blüte zog sich, als ob die Oase überschäumte, bis tief in El-Ghor, eine der trockensten Wüsten, hinein. Malven, Levkojen, Kamillen, Lauch- und Lilienarten drängten sich dichter, bunter und duftender als in den Ziergärten. Sie blühten in Streifen und Bändern und folgten so den Rissen, die den Kalkstein zerklüfteten.

Die Art, in der sich hier Armut und Reichtum, Tod und Leben trafen, bot nicht nur ein erlesenes Schauspiel, sondern auch einen der reichsten Jagdgründe. Ich konnte durch Begehung der Blütenbänder Zoll von der Fülle erheben, doch auch die Leere wurde dienstbar, da sich auf ihr die Beute abzeichnete. Hier waren Ort und Stunde günstig, wie es

52

selten zusammentrifft. Auf den Rabatten schwelgten Blütengäste; sie schwärmten über den bunten Polstern, und schärfer noch zeichnete sich von den kahlen Flächen ihr Gewimmel ab. Ein festlicher Jahrmarkt in Gullivers Reich.

Ein solches Bild will vom Geist als Ganzes erfaßt werden, ehe er sich dem Vereinzelten zuwendet und sich in die Zerstreuung verliert. Inmitten dieser ganz von Leben durchpulsten Wüste, dieser blühenden Einöde, in die ich aus dem Dunkel hinaustrat, wurde die Zeit kostbar — so kostbar, daß ich sie kaum auszugeben wagte, sondern ihr lieber Bremsen angelegt hätte wie einem allzu schnellen Gefährt.

Indessen hatte ich nur einen kurzen Nachmittag vor mir und mußte ihn auskaufen. Jeder subtile Jäger hat beim Betreten der Wildbahn seine Gepflogenheiten, die meist auf langer Erfahrung beruhen. Ich beginne mit einigen Notizen über den Ort und seine Eigenart, vor allem über den Bewuchs. Botanik und Entomologie sind eng verschwistert, abgesehen davon, daß beide scientiae amabiles sind. Immer lohnt es sich dabei, die eine oder andere Blüte zu pressen, um sie dem Journal einzuverleiben, denn sie wirkt selbst nach Jahren, wenn der Blick auf sie fällt, wie eine Springwurzel, deren Kraft halbverschüttete Gänge wiedererschließt. Um Erinnerung geht es hier ja vor allem — um die Knüpfung eines Systems, das in Zeit und Raum Beständigkeit gewährt, um die Sicherung von Fixpunkten. Dazu noch der Duft, den das Feigenblatt, der Fenchel, die Kamille, die Minze in immer feineren Potenzen ausströmen.

Dann wird das Handwerkszeug ausgebreitet und an sichtbarer Stelle verwahrt, damit es nicht im Eifer der Jagd verlorengeht. Ich wähle gern einen Baum oder einen Felsblock als

Mittelpunkt konzentrischer Umgänge, zu dem ich zurückkehre, wenn ein Gewässer, ein blühender Strauch, ein Holzstapel oder eine Schotterbank ein besonderes Gerät fordern.

In den asiatischen und afrikanischen Steppen und Wüsten kommt der Frühling explosiv; oft drängt er sich auf wenige Tage zusammen, so daß man ihn vom Sommer kaum unterscheiden kann. Er kommt sanguinisch-cholerisch wie ein Mann ohne Hals. Bei uns ist dieser Umschlag selten — es müßte denn einen Winter, der sich bis in den Mai hinaus verzögert hat, ein Wettersturz mit West- und Südwinden abschließen. Das werden wir eher erleben, wenn wir dem Frühling entgegenfahren, ihn als Reisende aufsuchen.

Schon auf Sizilien oder Sardinien bedeckt sich zwei, drei Tage nach einem Regen die Erde mit grünem Flaum. Heftiger noch antwortet sie in Ägypten, in Mauretanien, in Syrien. Das ist Mylabriswetter, und hier am Rande von El-Ghor fand ich es in seinem vollen Glanze; das Leben drängte sich aus dem Staub hervor.

Wie es Ausschläge gibt, die Krankheiten verraten, so auch eine Akne, die Gesundheit kündet; und diese Wesen, die das Land besternten, bestätigten mir auch diesmal wieder, daß die Erde in Blüte stand. Sie waren mit den Gräsern und Blumen über Nacht aus dem Staub emporgestiegen und würden bald zu ihm zurückkehren.

Ziegel- und orangerote Mylabriden tummelten sich hier mit ihren Verwandten, deren formen- und farbenreiche Sippe die alten Zoologen als Cantharidae bezeichneten. Da landete der veilchenblaue, rothalsige Oenas und mit ihm die smaragdene Cerocoma, deren Fühlhörner aufgereihten Kristallen gleichen, und auf den Steinplatten krochen schwerfällige Meloiden in schwarzen und blauen Panzern, deren Scharniere kupfrig schimmerten.

Gemeinsam sind diesem Aufzug die grellen Töne, die das Auge lebhaft reizen, besonders wenn es vom nordischen Winter ermüdet ist. Im Reich der Pflanzen zeigen die Wolfsmilcharten eine ähnliche Palette, ein heftiges Staccato von Rot, Gelb und Grün. Für den in solchen Kompositionen versteckten Reichtum zeugt die bunte Raupe, die von der Wolfsmilch lebt. In ihrem Wachstum und im Wechsel ihrer Trachten bietet sie ein unerhörtes Schauspiel farbiger Auf- und Untergänge, das wie jede Entwicklung zugleich mit einer Spaltung verbunden ist. Im Grunde ist es der weiße, zähe Saft der Pflanze, der über einen Gelbstich sich zu entzünden und zu vergeuden beginnt.

Die Wolfsmilch, auf der diese Raupe weidet, wirkt auf andere Tiere als starkes Gift. Um so wunderbarer erscheinen die Prachtgewänder, zu denen dieses Wesen den tödlichen Saft zu verweben versteht. Das heißt Licht aus dem Rachen der Schlange geraubt. In jedem Gift verbirgt sich der Tod und verbergen sich Heilkräfte.

In dieser Richtung muß ich suchen, will ich die Stimmung erklären, die mich so oft beim Anblick der Mylabriden und ihrer Verwandten überfiel und immer stärker ergreift im Maß, in dem sich der Schatz der Erinnerung mehrt. Die roten und schwarzgefleckten, die in metallgrünen oder violetten Tinten spielenden Wesen rufen Stunden zurück, in denen das Gemüt nach langen Wintern für die Schönheit der Erde besonders empfänglich war. Die Sonne, die sie zu Legionen aus ihrem Erdschlaf weckte, erheiterte das weite südliche Land. Nicht minder überraschend war die Blüte, die über

Nacht den harten Boden gesprengt hatte — hier Krokus, Träubel, Anemonen, dort die Narzissen von Ain Diab oder auch die winzige blaue Iris, die ich auf dem Wege zum Friedhof von Carloforte ein Mal und dann nie wieder sah.

Die Sonne pocht so gewaltig an; sie sprengt die Tore auf. Die Erwartung wächst mit dem Licht, das sie ausschüttet. Wer weiß, wie das noch enden mag. Das Auge weilt auf einer roten Knospe, sieht sie ein buntes und ein gläsernes Flügelpaar ausspannen und emporsteigen. Überall Verwandlung des Staubes, Umarmung im wirbelnden Licht. Dichter haben es gesehen und bezeugt. So Klopstock an vielen Stellen, besonders aber in »Zwei Johanneswürmchen« und »Die Frühlingsfeier«:

> Ja, ich glänze, wie du! Welche Verwandelung
> Nach der Flucht aus der tiefen Kluft!

Und dazu der Schatten des Vergänglichen:

> Aber du Frühlingswürmchen,
> Das grünlichgolden neben mir spielt,
> Du lebst; und bist vielleicht
> Ach nicht unsterblich!

Die jähe Besternung des Gefildes mit leuchtenden Blüten und Tieren, wie damals bei Byblos am Strom des Adonis, erinnert an Kristallisationen im Gestein. Man sieht sie, wenn man gegen die Sonne über eine Granitbank geht, in Fülle aufleuchten. Was in der Gesteinswelt der Druck von großen Massen, das ist bei diesen Lebewesen die kurze Spanne in gerafftem Licht. Sie fordert verdichtete Essenz. Nicht nur die grellen Farben, sondern auch die scharfen Säfte sind den Pflanzen eigen, die aus kargen Böden stammen — kolchische Gifte und Medeas Zaubertränke, aber auch Gewürze wie der Safran, den schon Salomo rühmte, und mächtige Heilmittel.

Ähnlich ists mit den Tieren, die mit diesem Flor aus den Grüften emporsteigen. Oft, wenn ich eines von ihnen aufnahm, sah ich, daß es sich durch einen grellroten Saft zu wehren suchte, den es aus den Gelenken hervorquellen ließ. Auch auf die Eigenschaften oder, wie man früher sagte, auf die Tugenden dieser Wesen wurde der Mensch früh aufmerksam. Medizinmänner sammelten sie ein, trockneten und zerrieben ihre Körper, um aus dem Pulver Pfeilgift zu gewinnen, auch Tinkturen von blasenziehender Wirkung und Liebestränke von gefährlicher Kraft.

Meloë, der Maiwurm, auch ein Verwandter der Mylabriden, wurde früher als Mittel gegen die Hundswut in den Offizinen verwahrt. Einige Arten wagen sich bis in unsere Breiten vor. Um so mehr wunderte es mich, daß ich bei Goslar oder auch hier in Wilflingen dem Tier bereits im März auf den noch kahlen Wiesen begegnete. Es ist ein Rätsel, warum Linné den plumpen Gesellen durch den melodischen Namen auszeichnete. Vielleicht hatte er Anklänge an mel, den Honig, im Sinn, da die Larve in Bienennestern parasitiert. Schon de Geer vermutete um 1775 phantastische Zusammenhänge, deren Einzelheiten durch Fabre und andere Beobachter geklärt wurden. Um zum Honig zu kommen, müssen die Tierchen eine abenteuerliche Fahrt zurücklegen, bei der sie sich an die Biene klammern wie Sindbad an den Vogel Roch. Tausende werden angesetzt, damit einer in die

Zitadelle gelangt. Daraus erklärt sich die Dickleibigkeit der Weibchen, die mit gewaltigen Ovarien ausgestattet sind.

Als ich mich mit der Anatomie der Meloiden beschäftigte, kamen mir beim Anblick dieser Gebilde, in denen sich die Masse der winzigen Eier zu gelben Trauben ordnet, zuweilen Gedanken, die über die Statistik hinausführten, so etwa horoskopischer Natur: Wo bleibt das Schicksal, wenn fünftausend Individuen zu gleicher Zeit am gleichen Ort geboren werden und ausschlüpfen? Freilich ist die Konstellation für die Art dann desto bedeutsamer. Die Art hat tiefere Realität als ihre Repräsentanten, und daher wird die Astrologie gerade dort spannend, wo sie vom Glück und Unglück der Individuen absieht und sich den großen Einheiten und Zeiträumen zuwendet. Das Glück ist wie ein Orden oder wie jede andere Auszeichnung: man trägt es für die Gesamtheit mit und wird es eines Tages ablegen wie alles, was zur Repräsentation gehört. In guten Zeiten freuen sich aber auch alle am Glücklichen mit.

Der mühsame Weg zu den Imagines spiegelt im Bewegten die Gewinnung ruhender Inbilder. Ich verfolgte dieses Treiben an einem heiteren Vormittag auf Rhodos an der Straße, die von der Altstadt nach Trianda führt. Sie war von gelben Kompositen gesäumt, in deren Körben die bleichen Larven, die Triangulinen, warteten. Pelzbienen, die hier ihre Weide fanden, dienten ihnen als Reittiere. Auf der anderen Seite der Straße flimmerten die Dünen; von dorther kam in Wellen die in ihren Kesseln erhitzte Luft. Das Bad würde köstlich sein. Aber ich hatte Zeit; die Tage dort sind zugleich länger und kürzer als bei uns — das ist eines der Zeichen, an denen man die glücklichen Inseln erkennt.

Gern hätte ich gewußt, ob die Natur daran gedacht hatte, die hier auf Anschluß harrenden Gäste mit einer Zwischenmahlzeit zu versorgen, also eine Art Bahnhofsbüffet zu errichten, in dem Honig oder Blütenstaub serviert wurde. Obwohl ich mich einer scharfen Lupe bediente, fand ich dafür keine Anzeichen. Offenbar macht es dem hier zu vermutenden Genie nichts aus, ob es qualitativ oder quantitativ arbeitet. Wird die Chance der Individuen geringer, so wird eben ihre Anzahl vermehrt.

Noch manche Begegnung ließe sich dem anfügen. Doch ruht der Zauber nicht im Umfang, sondern in der Tiefe der Erinnerung. Sie ist uns vorgegeben, und daher ist jede Erfahrung zugleich Befahrung, ist Auslotung eines Grundes, auf dem wir a priori daheimgewesen sind. »Geraffter Frühling«, mächtige Wiederkehr der Sonne, zu der die Erde ihren Festschmuck anlegt — das war es, was mich beim Anblick der bunten Mumien ergriff. So wirkt die Kugel aus Bergkristall, in die wir uns vertiefen, so wirken alle Bilder, vor denen wir mit Liebe meditieren: aus den verflossenen Zeiten steigen die ruhenden Inhalte empor.

Noch war ich dabei, Stücke aus Bombay zu betrachten, Muster hochpotenzierter Erdkraft, hochkarätige Rubine, als der Professor mich zum Abendessen abholte. Ich blieb noch bei ihm bis zum nächsten Mittag und hatte Muße, mir von dem Mann ein Bild zu machen, denn wir saßen mit dem Adlatus und einer Assistentin bis über die Mitternacht beim Wein.

Den großen Herrn erkennt man weniger daran, daß er mehr Raum, als daran, daß er mehr Zeit hat als die anderen.

Die Zeit gehört ihm, auch wenn er sehr beschäftigt ist. In dieser Hinsicht waren die Gelehrten, die noch aus dem 19. Jahrhundert stammten, ihren Schülern überlegen, die zwar mehr wußten, aber weniger waren als sie. Die Ziffer hatte noch nicht in diesem Maße die Herrschaft angetreten, auch nicht die Uhrziffer. Das hat mir manche Begegnung gezeigt.

Dem Professor Vogt aus Husum konnte die Zeit zwar Unangenehmes bringen, aber sie bewegte ihn weniger, als daß sie durch ihn hindurchströmte. Sie änderte die Umstände, doch nicht den Mann und sein ruhendes Maß. Das gibt eine gute Prognose, auch ein Gefühl der Sicherheit, das solche Charaktere mitteilen.

»Dem wird die Zeit so leicht nichts anhaben.« In dieser Voraussicht sollte ich mich nicht getäuscht haben, denn es vergingen kaum zwölf Jahre, bis wir uns im Schwarzwald wiedersahen, zwar nicht in Neustadt, doch in Lahr bei unserem gemeinsamen Freunde Michel Bouvard, der dort als Kommandeur der französischen Luftwaffe saß. Wir trafen uns wieder beim Tee, dem diesmal Hélène präsidierte und zu dem Pariser Bekannte heranflogen. Es war, als ob wir uns erst am Vortag getrennt hätten.

TYPHOEUS

Im ersten Winter hatten wir also als Wildbeuter auf ziemlich grobe Weise den großen Caraben nachgestellt. Als der Frühling kam, war unsere Aufmerksamkeit gewachsen; dem folgt die Schärfung der Augen nach. Ich merkte es daran, daß sich die Zahl der Tiere, die das Feld belebten, vermehrt zu haben schien, als wir an einem der ersten warmen Tage zum Haarberg aufbrachen. Der Haarberg, eher ein Hügel, war eines unserer häufigen Ziele; dort hatte einstmals die Rehburg gestanden, der feste Sitz der Ritter von Münchhausen, nach dem das Städtchen den Namen trug.

Der Winter war lang gewesen; wir hatten bis tief in den März hinein Frost gehabt. Nun, Anfang April, wurde es über Nacht sommerlich warm. Das sind dann wahre Auferstehungstage für das im Boden schlummernde Leben; es steigt in Wolken aus der Erde empor. Wir sahen die Schwärme über den gepflügten Feldern, den Weihern und Heidewegen; Myriaden von zarten Flügeln blinkten in der Luft. Auch Falter waren schon erwacht — ein gelber Buttervogel, ein rotbrauner Fuchs. Wir kannten sie seit der frühesten Kindheit als erste Frühlingsboten, doch heute sahen wir mehr, als die Augen bewältigten.

Der Feldweg, dem wir folgten, war mit Moos bewachsen; nur in einer Doppelspur, die das Fuhrwerk eingeschnitten hatte, leuchtete der Heidesand. Sie wirkte als Falle, als Fanggraben für die dem Boden entsteigenden oder aus der Luft wieder landenden Scharen und für uns als Fundgrube. Mit wachsendem Staunen sah ich die Farben, sah ich die Formen der Geschöpfe, die sich dort im Staube mühten und die ich noch nie beachtet, nie wahrgenommen hatte — jedes war neu für mich, nicht nur als Einzelwesen, sondern neu in seiner Art. Sie suchten dort den Hang aus weißem Sand zu zwingen, von dem sie sich scharf abzeichneten — Tiere in allen Größen, denn auch mein Urteil über das, was groß und was klein war, veränderte sich nun auf wunderliche Art. Es war fast, als ob ich diesen Weg mit einer Lupe betrachtete.

Groß, riesengroß schien mir ein lackschwarzer Bursche, der auf dem Rücken lag und zappelte. Er wirkte in der Menge wie ein Elefant oder, besser noch, wie ein Nashorn, denn als ich ihn aufhob, um ihn näher zu betrachten, entdeckte ich, daß er absonderlich bewaffnet war. Der Halsschild war in drei Stoßhörner ausgezogen, von denen die beiden seitlichen als lange Klingen, das mittlere wie eine Speerspitze den Kopf schützten.

Von keinem der großen lebenden Tiere war mir eine ähnliche Rüstung bekannt. Das erinnerte eher an Bilder von Sauriern oder an Schrecken der mythischen Welt. In der Tat war mir hier ein Wesen in die Hand gefallen, das den Namen eines Giganten trug. Die alten Zoologen waren noch gute Humanisten, daher wimmeln ihre Texte von mythologischen Anspielungen. Dieses Dreihorn hatte Linné nach dem Riesen Typhoeus getauft.

Typhoeus ist nach Hesiod der drachenköpfige Sohn der Gaia und des Tartaros. Gaia ist die Titanenmutter und der Tartaros die dunkle Heimat schrecklicher Gestalten; ein Amboß muß zehn Tage lang fallen, ehe er den Grund erreicht. Bei unserem Dreihorn freilich zielt der Gigantenname nur auf die Erscheinung; kein Leben kann harmloser verlaufen als das dieses Dungabräumers, eines nahen Verwandten des Scarabaeus, der von den Ägyptern verehrt wurde. Nicht nur erleiden weder Tier noch Pflanze durch ihn Schaden, sondern er wirkt auch als Reiniger der Erde, in der er den weitaus größten Teil seiner Zeit verbringt. Was uns als Waffe vorkommt, dient ihm als Grabscheit und Vorschneidemesser bei seiner wühlenden und räumenden Arbeit, seiner Sorge um Schutz und Vorrat für die Nachkommen, deren Wiege oft seine Grabkammer wird. Fabre hat dieses Treiben liebevoll studiert.

Daß wir dem Typhoeus gleich auf einem der ersten Gänge begegneten, war ein Glücksfall, der sich nur einmal wiederholte, und zwar Jahrzehnte später, auf dem Übungsplatz Teutsch-Neureuth. Jetzt, beim Durchlesen des Textes, kann ich noch eine dritte Begegnung nachtragen. Im März des Jahres 1965 hatte ich kurz nach dem Frost im Totengrund von Wilsede Gelegenheit, das Tier und seine Gewohnheiten ausführlich zu beobachten. Da es zu seiner Wühlarbeit auf leichte, sandige Böden angewiesen ist, war es kein Zufall, daß ich es jedesmal in einer Heidelandschaft traf. Dort sind seine Lieblingsreviere, auf denen es im Umkreis der Kaninchenbauten sein heimliches Wesen treibt.

Auch die erste Wiederbegegnung war einem harten Winter gefolgt, nämlich dem von 1939 auf 1940, den wir in den Bunkern verbracht hatten. Jetzt lagen wir in Bürgerquartieren, noch halb im Winterschlaf. Eine Übung war angesetzt; ich stand mit der weißen Schiedsrichterbinde hinter einem lichten Gebüsch. Die Haseln und Weiden waren noch unbelaubt, doch glänzten ihre Gerten, als ob sie vom Licht gescheuert wären; die Sonne schmiegte sich ihnen an.

Der Feind ließ auf sich warten; ich war ihm nicht böse darum. Die Haselblüten waren aufgegangen; sie hingen in wolligen Schnüren herab. Der Winter schließt, der Frühling öffnet; auch sie waren dem Gesetz gefolgt. Wenn ich die Zweige nur leise anstieß, stäubten gelbe Wolken herab.

Auch ein Pilz war bereits erschienen, ein Männlein mit hohem, geflochtenem Hut. Es mußte über Nacht emporgewachsen sein; noch hatte es den Kranz von dürren Blättern um seine Kappe nicht abgestreift. Eine Morchel, recht früh im Jahre und noch dazu auf sandigem Boden — da mußte wohl eine alte Brandstelle sein.

Indem ich den Platz ins Auge faßte, schien es mir, als ob es sich unter ihm bewegte, als ob ein winziger Maulwurf dort Erde anschupfte. Gleich darauf wurde eine Prise weißen Sandes ans Licht gefördert, der weitere folgten, bis eine Abraumhalde in Form eines kleinen Kegels aufgeworfen war. Was mochte da für ein Gnom am Werke sein? Ich stieß leicht mit dem Fuß an seinen Krater und sah den Mineur erscheinen, schwarz, glänzend, im Festschmuck der drei Hörner — es war ein Männchen des Typhoeus, mit dem ich nach dreißig Jahren Wiedersehen feierte. Das Tierchen war so klar, so deutlich wie ein gestochenes Kupfer; sein Eindruck war durch die zeitliche Entfernung nicht im mindesten getrübt. Es war nicht allein; es hatte sein Weibchen bei sich, das sich von ihm nicht nur durch zierlicheren Umriß, sondern auch durch die nur angedeutete Armierung unterschied. War es ein Wunder, daß ich, als ich mich auf das Pärchen niederbeugte, den Einsatz verpaßte — Ort, Stunde und Auftrag vergaß? Da war die stärkere Wirklichkeit.

Auch die Gattungsverwandten des Dreihorns kamen mir so selten vor, daß ich mich jeder Begegnung entsinnen kann. Es sind deren drei; ihr Areal ist auf Europa, Marokko und Kleinasien beschränkt. Unübersehbar dagegen ist die Sippe, deren Angehörige alle ein mehr oder minder ähnliches Familienleben führen und demselben Beruf nachgehen.

Die Scarabaeiden teilen sich in die beiden gewaltigen Zweige der Blatt- und der Kotfresser, der Coprophagen, zu denen unser Typhoeus gehört. Wenn diese Tiere besonders aufmerksame Beobachter gefunden haben, so nicht ohne Grund. Sie geben unter anderem ein Beispiel dafür, daß Gesittung und Evolution nicht notwendig verkoppelt sind. Spiritus flat ubi vult. Ein Anzeichen der Gesittung ist die Sorge für die Nachfahren und die Brutpflege, im besonderen auch jene Form der Arbeit, die weder allein, noch in Rudeln oder Scharen, selbst nicht in Staaten, sondern die paarweis geleistet wird. Ich fand, daß auch Begleiter, denen diese Reiche fremd, ja vielleicht widrig waren, sich doch erfreut, betroffen dem Treiben eines Scarabaeuspärchens zuwandten, an dem uns der Weg vorbeiführte. Etwas Bekanntes, Eigenes rührte sie dabei an, ein Strahl des Lichtes, der andere Gipfel als die der physischen Verwandtschaft aus dem Dunkel hebt.

Unter den Coprophagen gibt es Riesen und Zwerge. Manche überraschen durch prächtige Farben, die wenig harmonieren mit den Orten, an denen sie sich umtreiben; doch kann, wo und wann auch man einen von ihnen antrifft, an seiner Zugehörigkeit kein Zweifel sein. Auch im Verhalten folgen sie festen Regeln; die Palette ist groß, doch scharf umrissen, wenngleich es hier wie überall Sonderlinge gibt. So trägt der Rebschneider nicht Dung, sondern, wie schon der Name verrät, die frischen Triebe der Weinrebe ein, die er mit seinen zu Scheren abgeflachten Kiefern kappt und in Brutkammern kompostiert. Das ist ein Übergang zu den reinen Blattfressern.

Das Schauspiel einer besonderen Perversion innerhalb dieser Sekte von Vegetariern der strengsten Observanz überraschte mich im angolanischen Hochland: Auf einem der roten Lateritpfade, die dort durch den Busch führen, wäre ich fast auf ein Ontophaguspärchen getreten, das ein braunes Stäbchen vor sich her rollte. Ich nahm es auf — ein Stückchen eines Tausendfüßlers, zwei, drei gedörrte Segmente wie Salamischeiben, eine sonderbare Beute innerhalb dieser Gattung, die sich streng an ihre Tischsitten hält. Ich hätte das als Kuriosum angesehen, wenn mir nicht immer wieder Pärchen mit der gleichen Last begegnet wären; offenbar waren sie auf gedörrten Tausendfuß erpicht. Da nach dem besten lebenden Kenner der Coprophagen, dem Prager Professor Balthasar, nur eine kleine südamerikanische Gattung sich so weit vergißt, lebende Tiere anzugreifen, mußte es sich hier um Nekrophilie handeln. Wahrscheinlich versorgten diese Sonderlinge sich an den Plätzen, an denen die Skorpione mit den Myriapoden ihre Kämpfe ausfechten. Wer gewohnt ist, auch auf das zu achten, was unter Steinen und hinter Baumrinden vor sich geht, stößt nicht selten auf die Reste der Gemetzel, bei denen die Skorpione mit ihren scharfen Scheren unfehlbar den Sieg davontragen. Obwohl der Prager Professor in seinem dreibändigen Werk erwähnt, daß allein aus Äthiopien über siebenhundert Ontophagen bekannt geworden sind, vermute ich, daß dieser Myriapodenfreund zu den noch unbeschriebenen Spezies gehört. Was von den Sitten gesagt wurde, gilt auch für die Unsitten; in jeder Familie begegnet man solchen Capriccios.

Obwohl die Sippe den Kot von Vögeln, Schildkröten, Fröschen und sogar Insekten nicht verschmäht, auch Außenseiter in Termitenbauten abzweigt, folgt sie doch in ihrer Masse den pflanzenfressenden Säugetieren vom Elefanten bis zur Maus. Wer als subtiler Jäger deren Wechsel abgeht, dem fehlts an Beute nicht. Wenn er den Straßen folgt, auf

denen Herden entlanggetrieben werden, wenn er die Hoch-
almen, Viehweiden, Schaftriften absucht, so gilt sein Eifer
nicht den großen Tieren, sondern den Scharen der geflügelten
Trabanten, die dort am Werke sind.

Merkwürdig und fast unerklärlich bleiben jedoch gewisse
Ähnlichkeiten zwischen den großen und den kleinen Wesen,
die wir auf diesen Bahnen antreffen. Die Ähnlichkeiten
können nicht auf Verwandtschaft, sie müssen auf anderen
Prägungen beruhen. Wenn uns ein Großwildjäger seine Tro-
phäensammlung vorführt, den Kopfschmuck der Gazellen,
Hirsche, Antilopen, Wildschafe, Nashörner und all der anderen Bewohner von Gebirgen, Steppen und Prärien — die
Hörner, Geweihe, Schaufeln, Krickeln, Gabeln, Spieße, Grab-
und Stoßzähne — so können wir kleinen Leute mit dem gleichen, ja größeren Reichtum aufwarten.

Nahe liegt die Vermutung, daß hier ein Drittes einspielen
muß. Wenn wir es in der Lebensweise suchen, sind wir auf
dem rechten Wege, vor allem, wenn wir das Wort weit fassen, im Sinne der vegetativen Existenz, zu der mehr als die
Pflanzenkost gehört. Es ist offenbar dasselbe wuchernde, sich
verzweigende und verästelnde Element, das hier im Pflan-
zen- und dort im Tierreich figuriert. Wo Hochwild sich zu
Herden sammelt, wie sie heute nur noch selten sich dem
Auge bieten, da wirken die Kronen wie ein Wald. Auch im
Abwerfen der Gehörne verrät sich ein vegetativer Periodus.
Ein Raubtier muß immer bewaffnet sein. Bei den Insekten,
die nur für kurze Tage, oft nur für Stunden im Licht erscheinen, würde sich diese Art der Erneuerung nicht lohnen,
sie werfen den Körper ab. Doch auch bei ihnen unterscheiden
sich Räuber und Pflanzenfresser im Habitus.

Selbst wenn man sich jahrzehntelang mit den Scarabäen beschäftigte, erlebt man immer wieder Überraschungen. So griff ich erst vor kurzem in der Nähe von Gibraltar einen der nächsten Verwandten des Dreihorns auf, einen noch stattlicheren Burschen, der mir sogleich merkwürdig erschien. Ich war auf dem Wege zum Konsul Frey, der in Tutzing eine der größten Sammlungen besitzt und mir, als ich ihm in seinem spanischen Bungalow den frischen Fang zeigte, meinen Eindruck bestätigte: »Das ist was Besonderes.«

Daheim im Studio beschäftigte ich mich näher mit dem Tier. Hier war der Halsschild in einen einzigen starken Spieß verlängert, der wie die Waffe des Schwertfisches nach vorn gerichtet war. Dafür trug auch der Kopf ein kräftiges Nashorn, das, rückwärts gebogen, den Spieß berührte, so daß beide eine Art von Zange bildeten. Wie schon im Feld vermutet, hatte ich einen südlichen Vetter des Dreihorns vor mir; er trug den Namen Hoffmannseggi, zu Ehren eines Forschers, dem er vor über hundert Jahren zugeeignet worden war. Johann Centurius Graf von Hoffmannsegg zählt wie Graf Dejean und andere zu den großen Herren unseres Ordens, die keinen Aufwand scheuten, um ihr Naturalienkabinett zu vervollständigen. Sie unternahmen weite Reisen, schickten Sammler in aller Herren Länder, hielten Hauskustoden, gaben Zeitschriften und Prachtwerke heraus — so Hoffmannsegg die »Portugiesische Flora«, für die er bereits fünfzigtausend Taler aufgewandt hatte, als der Preußische Staat ihre Fortsetzung übernahm. Über diese Daten unterrichtete ich mich erst, nachdem mir der stattliche Hoffmannseggi in die Hand gefallen war.

Jedes Wissen wird durch Personen gefördert und unterhalten — daß man immer wieder auf ihre Namen stößt, wenn man sich in einen der Seitenzweige der Naturwissenschaften verirrt hat, ist daher nicht nur unvermeidlich, sondern bildet noch einen besonderen Reiz. Ein Autor wie Hoffmannsegg, dem zu Ehren ein Tier getauft wurde, bleibt oft länger durch diese Patenschaft als durch sein Opus bekannt.

Natur- und Menschengeschichte weben sich ineinander; beim Studium der Monographien und Kataloge kommen nicht nur kaleidoskopisch die Namen und Zeichen der großen ordnenden Geister wieder, sondern zuweilen auch die von Sonderlingen, die dem Eingeweihten durch einen Glücksfund oder eine Anekdote in Erinnerung geblieben sind. Das eben schafft ein wärmeres Zuhause; jedes Museum, jedes Institut, jeder Kreis von Sammlern und Liebhabern hat seine Geschichte, die nicht minder auf die Person als auf die Sache gegründet ist.

Daher gewährt die Lektüre der kleinen verschollenen Zeitschriften einen besonderen Genuß. Berichte über Reisen und Exkursionen, Biographien anläßlich von Geburts- und Todesdaten beleben und lockern die Materie. Ein Musterbeispiel bietet die »Stettiner Zeitung« bis zum Tode Carl August Dohrns, der jeden Jahrgang mit einem Gedicht einleitete. Eine ähnliche Fundgrube ist Kranchers »Entomologischer Kalender«, der von 1892 bis 1939 erschien. Der Zweite Weltkrieg hat ihm, ebenso wie der hundertjährigen »Stettiner«, den Garaus gemacht. Er hat damit nur ein Schicksal beschleunigt, das nicht aufzuhalten war.

Ich bewahre von diesen Blättern, die sonnabends von ihren Abonnenten mit Ungeduld erwartet wurden, einen

Vorrat als Lektüre für betrübte Nächte auf. »Isis, Zeitschrift für alle naturwissenschaftlichen Liebhabereien«, für einen weiten Kreis von Jägern, Fischern, Gärtnern und Bastlern bestimmt, blühte in Berlin von 1876 an eine Reihe von Jahren hindurch. Sie beschäftigte sich mit der Beobachtung und Erbeutung, der Zucht, Pflege und Sammlung von Tieren und Pflanzen aller Art, auch mit geologischen Exkursionen und physikalischen Experimentierkünsten. Man findet dort Beiträge wie »Die Erdkröte in der Gefangenschaft« — übrigens die erste Arbeit Wilhelm Bölsches, der sie als Primaner schrieb.

Billiges, brüchig gewordenes Papier, Kaufmannsdeutsch, Abbildungen im Stil jener Jahre — woher mag die Teilnahme an längst vergessenen Freuden kommen, die bei der Lektüre wiederauferstehen? Sie reicht vom Titelblatt, das die Göttin mit dem Sistrum bestreitet, bis zu den Anzeigen, in denen Raritäten gesucht und angepriesen werden, von denen man kaum weiß, daß sie existieren, geschweige denn, daß sie käuflich sind. Aber da ist noch Liebe, unmittelbarer Eros zu den Dingen, weder zur bloßen Meßkunst vergletschert noch zum Hobby degradiert.

Für diese Sonderlinge waren die kleinen Vereine unschätzbar, die nicht nur in den Weltstädten, sondern auch in der Provinz, in Stettin, Halle, Le Mans, Stawropol ihr bescheidenes Dasein fristeten. Sie durften dort einer Neigung folgen, die vielleicht schon Vater und Mutter nicht gern gesehen oder gar bekämpft hatten. Nun aber war es, als ob sie ein Schiff bestiegen, dessen Passagiere diese Neigung teilten und dessen Einrichtung ihr genau entsprach. Da begann für Jahre und Jahrzehnte eine geruhsame, höchst angenehme Fahrt.

Eine Voraussetzung zum Genuß der Mannigfaltigkeit liegt darin, daß man sich auf die Dimension einspielt. Das ist im Fall des Typhoeus und seiner Verwandten nicht weiter schwierig, da schon das unbewaffnete Auge zur Wahrnehmung der Formen genügt. Allerdings: sie zu sehen und zu unterscheiden muß man gelernt haben. Wollte ein Uneingeweihter die hier möglichen Überraschungen nachempfinden, so müßte er sich die Beute vergrößert denken oder den Jäger verkleinert, was in der Wirkung auf dasselbe herauskäme.

Würden wir Menschen uns in den Maßstäben des Termitenstaates bewegen, so hätten Tiere wie der Typhoeus die Größe von Sauriern. Als Dung- und Pflanzenfresser wären sie gefahrlos zu erlegen, dagegen würden die Caraben auf uns Jagd machen. Jäger und Gejagte wären wir auf unseren Wechseln und Heerstraßen. Raubfliegen und Wespen kämen wie beschwingte Greife, um uns Gefährten zu entführen, während die Beutetiere schwerfällig in Trupps und Herden weideten.

Wo der Räuber beraubt wird, gelten Zähne, Krallen und die bunte Decke als Trophäen, während man Schutzwaffen bei ihm vergeblich suchen wird. Er führt nichts mit, was den Angriff erschwert. Die Scarabäen dagegen vertreten in diesen Reichen die Antilopen, die Büffel, die Nashörner. Keine Phantasie könnte ersinnen, was die Coprinen und Cetoniden, die mächtigen Dynastiden und Lucaniden an wucherndem Zierat ausbilden. Wir müßten in die Trophäensäle der Termitenschlösser oder der Ameisenburgen eintreten. Das Horn gilt seit frühesten Zeiten als Symbolon, als magisches Zeichen der Lebenskraft. Es gibt die sichtbare Aura — Horn, Krone, cornu, corona: das sind uralte Anklänge.

71

Der Liebhaber bedarf nicht des Hinweises auf Termitenpaläste; er spürt, um mit Novalis zu sprechen, das in den Geheimnisstand erhöhte Leben im kleinsten Geschöpf, dem er seine Neigung zuwendet. Er spürt es in ihm nicht minder als in den prächtigen Phanaeus-Arten, die Südamerika bewohnen, wie jener lichtblaue Ensifer oder Schwertträger, den ich in den heißen Niederungen von Bahia bewunderte.

Ein Frühlingsmorgen am Rand einer Viehweide genügt. Ich entsinne mich vieler solcher Stunden, die ich, auf einem Stein, einem Baumstumpf, der Fassung eines Brunnens sitzend, verbracht habe. Da verschmelzen Erinnerungen an eine Alm im mittleren Norwegen, an einen Saumpfad der inneren Provence, auf dem Ziegen entlanggetrieben wurden, an Waldwiesen im Harz, an verkarstete Hochflächen mit vertrocknetem Bewuchs. Und immer wieder sardische Bilder: von blühenden Opuntien gesäumte Wege, die durch das Fruchtland zum Strande führen, Rast vor den Hütten der Schafhirten.

Überall dort war es einsam und heiter; die Stunden verflossen jenseits der meßbaren Zeit. Es roch nach Meer, nach Blüten, nach harzigem Holz, nach dem Rauch von offenen Feuern, nach dem von weißen, braunen oder schwarzen Hirten bewachten Weidevieh. Dazu der Scheich, der inmitten der Herden das Wasser verteilte, und die schlanke, bis zum Gürtel nackte Nubierin, das Geläut der Kuhglocken um die Sennhütten und am Rande der Moorwälder, der Wildpfad, auf dem der Büffel zum Fluß gezogen war. Noch hing die Witterung im mannshohen Gras. Das führt zurück in Zeiten, in denen der Mensch weder Rad noch Wagen kannte und das Pferd noch nicht meisterte.

72

Überall dort umschweben auch die beschwingten und gehörnten Trabanten ihre Flugplätze, die Scarabäen mit den Namen von Stieren, Widdern und Giganten, die ihnen Linné und seine Schüler verliehen. Auf dem weißen Sand der Dünen und Heidewege, an den rotbraunen Hängen des Fruchtlandes und der Weingärten beginnen sie ihr altes und wohlbekanntes Spiel. Sie finden sich zusammen, begatten sich noch halb im Fluge, schneiden mit ihren messerscharfen Schienen und dem gezackten Kopfschild den Dung und rollen ihn zu Kugeln, die sie tief in die Erde eingraben. Wie oft belauschte ich sie bei ihrem Treiben, wenn sie paarweis diese Kugeln einen Hang hinaufschoben und sich stets von neuem bemühten, wenn ihnen die Last entglitten war. Nicht umsonst hat Latreille eine ihrer Gattungen Sisyphus genannt.

Die Tiere haben ein untrügliches Gefühl für den günstigen Ort und scheuen keine Mühe, ihn zu bestellen; sie wissen, wo die Erde standhält und nicht Überschwemmungen oder andere Unbilden drohen. Dort gehen sie, ohne eine Sekunde zu verlieren, ans Werk, zu dem sie vortrefflich ausgerüstet sind. Ihr Werkzeug könnte von keinem Meister besser ersonnen sein. Sie sind je nach Bedarf mit Messer und Säge, mit Bohrer und Schaufel versehen. In unserem technischen Arsenal verfügen wir erst seit kurzem über eine dem Kopfschild der Scarabäen ähnliche Ausrüstung — in der Armierung der Greif- und Schürfbagger.

An den Meeresküsten und in den Flußtälern patrouillieren die schweren Geschöpfe auf und ab. Die dunklen Deckflügel sind geschlossen, die Schwingen im Gelenk geöffnet und weit ausgefahren, wie es die Ägypter in ihren Totenbüchern darstellten. Die Fühler sind wie Laternen an ihren Stielen ausgeschwungen oder, besser noch, wie Schwämme von poröser Empfindsamkeit. Ein Hauch, ein Molekül vom Duft des Festmahls, das sie begehren, trifft diese Kissen wie ein Nadelstich.

Wie scharf sie wittern, erfuhr ich erst neulich wieder im Hochland von Angola. Wir waren auf den Pingana gestiegen, wahrscheinlich als die ersten Europäer nach der portugiesischen Expedition von 1949 — das Stierlein, Franz von Stauffenberg, ein eingeborener Jäger und ich. Nach mühsamem Aufstieg pirschten wir auf dem bewaldeten Scheitel entlang.

Wir waren hinter Rotbüffeln her; der Padrão brauchte frisches Fleisch für hundert Arbeiter. Der Weg hatte an einem unbewohnten Kessel vom Umfang des Kaiserstuhls entlanggeführt und dann an den Gräbern eines Stammes, der längst aus der Gegend verschwunden war. Nun war es Mittag, unsere Schatten waren kaum noch spannenlang. Die Büffel mußten ganz nah sein; ihr Dunst beizte die schwüle Luft, und frische Losung hielt uns auf der Spur.

Wir traten sacht auf und wagten kaum noch zu atmen; der Bantu war wie ein Vorstehhund in seinem Element. In mir dagegen wollte Jagdeifer sich so wenig regen wie Liebeslust in einem Eunuchen; vielmehr war ich von verräterischen Gedanken erfüllt. Vielleicht sollte ich aus Versehen einen Schuß loslassen. Die Aussicht, ein mächtiges Tier in eine Fleischmasse zu verwandeln, war mir zuwider — und die Stärke dieses Widerwillens erstaunte mich, wenn ich an die Jugend zurückdachte. Wenn wir im Winter aus der Schule kamen, begann es schon zu dämmern; dann schlich ich mich eilig mit dem geladenen Terzerol an den Hecken entlang und spähte, ob dort noch ein Vögelchen sein Wesen trieb. Was mag den Jäger so tief beglücken, wenn er die Beute fallen sieht und in der Hand hält, während die Federchen noch in der Luft schweben? Das geht, wie nach erhörten Opfern, weit über Eigenes hinaus.

Nun aber lockten selbst Büffel nicht mehr. Ein solches Schwinden der Neigung ist durch die Jahre kaum zu erklären, denn es gibt alte Jäger, die immer noch die gleiche Leidenschaft bewegt, uralte sogar. Hier muß man schon an einen Wandel denken, wie er den Astrologen als »Eintritt in ein neues Haus« geläufig ist. Unsere Zeit ist erfüllt von solchen Beispielen.

Doch brauchte ich mir die Gunst der Jäger nicht zu verscherzen; die großen Tiere waren hellhörig genug. Sie zogen stetig außer Schußweite davon. Über dem Wechsel zuckten grüne Blitze: Flugbahnen von Scarabäen, die von fern die Losung witterten. Die Wildbahn war von ihrer Geschäftigkeit belebt. Sie waren von der gleichen Größe wie der dunkle Heilige der Ägypter, jedoch von seidengrünem Glanz. Wie dieser formten sie ihre Kugeln und rollten sie paarweis davon. Smaragdene Kleinode — ich nahm ein Dutzend als Dank der Büffel mit.

Die Wucht, mit der die großen Scarabäen der Strandlinie folgen, erinnert an die von Geschossen, vor allem, wenn wir das Verhältnis ihrer Größe zu der unseren in Rechnung ziehen. Es sind Wesen, denen wenig Zeit vergönnt ist, doch ist diese Zeit durchaus erfüllt. Der Eindruck steigert sich noch, wenn man sie ans Werk gehen sieht. »Über etwas herfallen« ist das Wort dafür. Eben noch hat hier eine Kuh den Strandhafer abgeweidet, und schon ist Leben um ihre Hinterlassenschaft. Sie kommen aus dem Unsichtbaren, ähnlich wie die Geier, wenn ein Kamel gefallen ist, und auch wie diese in mannigfacher Größe und Gestalt.

Ich fragte mich oft, wenn ich in der Sonne saß, etwa auf den Stufen eines Tempels, im heißen Sand der Düne oder auch auf einem Findling in der Heide, und an dem Schauspiel teilnahm, was mich daran zugleich ergriff und erheiterte. Da war im flüchtigen Augenblick noch etwas anderes verborgen, Zeitloses in der Zeit.

Flüchtig gewiß ging es zu. So werden Jahrmarktsbuden aufgeschlagen, wird der Tag durchtaumelt; am Abend bleibt Stroh auf der Straße zurück. Die Kinder waren fröhlich, die Händler zogen mit dem Gewinn davon. Doch war im Fest noch etwas anderes, ein Wiederkehrendes war in seiner Wiederkehr.

Auch in diesem flüchtigen Treiben ist etwas uralt Festliches, über das die Menschen schon nachgesonnen haben, bevor die Pyramiden erbaut wurden. Dem Hirten im Niltal, der seiner Herde folgte, konnte der Scarabäus nicht entgehen. Und er sah Heiliges in ihm.

Sollte denn auch in der Verwaltung von etwas Kot sein Leben beschlossen sein? Oder selbst darin, daß er neue Geschlechter zeugt, die dem Geschäft obliegen? Das kann nicht sein, schon seine äußere Bildung ist dafür zu reich, zu wunderbar. Und gar der Ernst, mit dem er ans Werk geht, verrät ein Wissen vor jeder Wissenschaft.

Wenn ich ihm zusah, wie er aus der Ferne ankam, sein

Weib umfing, die Kugel rollte und in die Erde einstieg, fühlte ich das Glück ganz nahe und ahnte, daß ich, indem ich darüber nachsann, auf gutem Wege war. Gewiß blieb das ein großes Rätsel, schlechthin *das* Rätsel, das nie aufzulösen war und das uns darum immer wieder beschäftigte. Und doch schien dann die Sonne stärker, wärmer, eindringlicher mit jedem Augenblick. »Heiß, heiß«, pflegte die Großmutter am Ostertag zu sagen, wenn ich dem Ei, das sie versteckt hatte, ganz nahe war. In der Ferne sang der Hirte sein Lied.

CICINDELA

Nahe dem Rehburger Hause lag der Mühlberg, einer der Plätze, die wir am liebsten heimsuchten. Er trug seinen Namen nach einer Mühle, die vor Jahren einem Brand zum Opfer gefallen war. Ihre Ruine hatte sich erhalten, sie diente uns zu gewagten Besteigungen. Ein freier Platz umgab sie; er war von Dickichten umrahmt.

Dieser nahe und doch entlegene Ort war das erste Stück freier Natur, mit dem wir, aus der Großstadt kommend, vertraut wurden. Es war ein Revier, wie Brehm es der Zauneidechse zuschreibt, denn nach ihm werden »Abhänge sonniger Hügel, namentlich solcher, welche mit krüppelhaftem Buschwerk bestanden sind«, von diesem Tier bevorzugt, und in der Tat begegnete ich ihm dort bereits auf meinem ersten Gang. Es war ein schönes, sattgrünes Männchen, das auf der braunen Rinde eines Kiefernstammes saß. Zuerst glaubte ich, daß ich mich getäuscht hätte. Solche Geschöpfe gehörten wie die Papageien zu den Schaustücken der zoologischen Gärten; es konnte nicht sein, daß man ihnen hier und am Alltag begegnete. Doch blieb kein Zweifel an der Gegenwart des wunderbaren Wesens, das wie eine Agraffe an den Stamm geheftet war. Wenn es den Kopf bewegte, fächerten sich die Schuppen an seinem Hals. Es hielt sich flach ausgedehnt, um die Sonne besser zu genießen, die Flanken hoben und senkten sich: es atmete.

Später belauschte ich stattlichere, prachtvollere Arten — die Perleidechse an den Ölbäumen Iberiens, die Smaragdeidechse in den dalmatinischen Weinbergen. Doch keine Begegnung reichte an diese erste heran, auch nicht jene auf den Balearen, wo jedes Inselchen seine besondere Spielart ausbildet. Zuweilen kam ich an Orte, an denen es schien, als ob die Natur ganz von Lazerten erfüllt wäre: an blendende Felswände, wie sie Böcklin als Vorwurf für seine Toteninsel gedient haben — doch wie auf Procida von einer grünen Festwoge belebt, die sich kaum noch in Individuen aufteilen ließ.

Wie viele Tier- und Pflanzenbilder leidenschaftliche Bewunderer finden, wie es seit langem Tauben-, Tulpen- und Rosennarren gegeben hat, so gab und gibt es auch Eidechsennarren wie Lenz, Rollinat und Madame Physalis. Solche Neigungen werden nicht durch den Rang der Geschöpfe bestimmt, sondern durch die Wahl und den Standort des Liebhabers. Eben hier sah er im Meer der flüchtigen Erscheinung die Woge blitzen, in der das Licht sich teilte, und eben dies ist das Fensterchen, durch das er auf die Pracht des Universums blickt.

Daß sich der erste Eindruck als der stärkste bewährt, ist kein Zufall; wir begegnen in ihm der Gattung, und das trifft tiefer als jede noch so prächtige Vertretung durch die Art. In jedem späteren Bilde taucht das erste aus großer Tiefe wieder auf. Dem konnten auch die herrlichen Agamen Westafrikas nichts hinzufügen.

Am Mühlberg gab es eine Reihe solcher Begegnungen. Die mit der Cicindela muß in das gleiche Jahr wie die mit dem Typhoeus gefallen sein. Doch war es etwas später, wahrscheinlich Anfang Mai. Um diese Zeit kehrt die Uferschwalbe aus ihren ostafrikanischen Quartieren zu den Brutplätzen zurück. Es muß gleich nach ihrer Ankunft gewesen sein, als wir, um ihr Treiben zu beobachten, in die »Sandkuhle« gingen, die den Mühlberg an der unserem Hause zugewandten Seite anschürfte. Abschied und Wiederkunft der Zugvögel waren feste Daten in unserem Jahreslauf. Storch, Graugans und Kranich, Star, Schwalbe, Kiebitz und Schnepfe gingen und kamen im Herbst und im Frühling; eine kurze Gastrolle gab der Mauersegler, der im Kirchturm brütete. Andere, heimliche Wesen verrieten sich nur durch den nächtlichen Schrei.

Die Ufer- oder Sandschwalbe zählt zu den koloniebildenden Vögeln, die zugleich Höhlenbrüter sind. Die enge Röhre, die sie mit großem Geschick in Sand- oder Lehmwände gräbt, erweitert sich am Ende zu einem mit Federn und Wurzelfäserchen gefütterten Nest. An manchen Flußufern siedeln Tausende von Paaren und nähren sich von den Insekten, die aus den Sümpfen aufsteigen. Dort sind die Wände mit Fluglöchern gespickt, um die es wimmelt wie vor einem Bienenstand.

Die Sandkuhle beherbergte nur eine Kolonie von etwa dreißig Nestern, auch lag sie vom Wasser entfernt — es war kein typisches Vorkommen. Zudem wurde von dort Sand abgefahren, da konnte die Wand einstürzen, und die Gelege gingen zugrund.

Wir waren wie gewöhnlich spät aus der Schule gekommen und standen auf dem oberen Rand der Grube; zu unseren Füßen flogen die Schwalben aus und ein. Die Nester mußten dicht unter dem Boden liegen; wir hörten durch das Gras ein sanftes Zirren, und wenn wir auf die Erde stampften, flogen die Pärchen heraus.

Vom Grund der Grube aus war das Treiben entfernter, dafür sahen wir die weißen Brüste aufleuchten. Noch schien die Sonne; ich mußte öfters, um die Augen von der Blendung zu erholen, zu Boden schauen. Dort lagen Kiesel, auf denen sich moosartige Muster ausgesintert hatten, zwischen Flächen aus festgetretenem Sand.

Einmal, als ich wieder hinunterblickte, schien es mir, als ob etwas schnell anflöge und verschwände — es mochte aber auch ein Nachbild der Schwalben gewesen sein, das sich abzeichnete. Indessen wiederholte sich das Phänomen. Da war etwas Neues, schwer zu Erkennendes, ein Schattenspiel, vielleicht ein Augentrug. Das Wesen, das sich dort über den Grund bewegte, schien schwerelos zu sein. Es kam wie ein Pfeil, huschte zwei, drei Armlängen weit über den Boden und schoß wieder davon. Nun waren es mehrere, ein ganzer Schwarm. Ich sah etwas Blitzendes, eine Ahnung von Purpur und Gold, und auch etwas anderes, das mit dem hellbraunen Sandgrund verschmolz. Aber sowie ich mich rührte, löste es sich auf wie ein Hauch in der Luft. Offenbar bewirkte schon die Bewegung meines Schattens diese Flucht.

Vielleicht war das Ganze auch nur eine Täuschung, ein Blendwerk nach einem von Bildern erfüllten Tag. Das war mir öfters begegnet; erst neulich war ich einem Schwarm von Goldammern gefolgt, bis er sich in eine Handvoll dürrer Blätter verwandelt hatte, die der Wind vorübertrieb. Und mit der Ermüdung nahmen solche Verwandlungen zu.

Ohne ein wenig Glück würde ich das Vexierbild kaum gelöst haben. Aber indem ich auf dem Fleck verharrte und das Belebte vom Unbelebten zu sondern suchte, landete einer dieser Schatten in meinem Blickfeld — zwar nur für einen Augenblick, doch der genügte, um zu erkennen, daß hier ein reales Wesen seine Spiele trieb. War es eine prächtige Fliege, war es eine bunte Wespe oder gar ein Käfer — dann mußte er sich von allen seinesgleichen unterscheiden, die ich bislang erblickt hatte. Ich muß zugeben, daß diese letzte Möglichkeit mich vor allem ergötzte — das änderte gewiß nichts an dem Tier und seiner Schönheit, wohl aber war es das Zeichen einer Neigung, die bereits gewählt und damit auch sich beschränkt hatte.

Wie gesagt, währte die Begegnung nur einen Augenblick, allein der Funke zündete. Ebenso überraschend, wie das In-bild erschienen war, verschwand es; in beiden Bewegungen verbanden sich Leichtigkeit und Kraft: zunächst ein Davon-schießen auf ebener Erde, fast unsichtbar schwebend, und dann mit einer zarten Explosion von bunten Metallen die Ablösung.

Ein Gast aus dem Wunderland; ich mußte seiner habhaft werden, mußte ihm nacheilen. Er schien sich in gerader Richtung zu bewegen, denn wenn ich ihr folgte, spürte ich ihn wieder auf — freilich vergeblich, denn er erhob sich wieder, ehe ich ihn erreicht hatte. Im Rennlauf wäre es mir gelungen, doch in den Flugstrecken schlug er mich mühelos. Zwar merkte ich, daß die Sprünge allmählich kürzer wurden, doch erlahmte in gleichem Maße meine Ausdauer. So eilte ich hinter dem Wild her wie Achilles hinter der Schildkröte. Dann ging die Sonne unter, und die Tiere verschwanden mit dem letzten Strahl. Das Spiel war aus. Doch setzte es sich in den Träumen fort, als ein vergebliches Haschen nach etwas Köstlichem.

Kaum konnte ich erwarten, daß der Tag anbrach. Daß es ein Werktag war, kümmerte mich wenig; die Schule mußte ausfallen. Gewöhnlich standen wir kurz vor sechs auf und kamen kurz vor vier Uhr nachmittags wieder; wir fuhren mit der Bahn nach Wunstorf hin und zurück. Das war eine lange Zeit, und daher hatte sich als Lizenz herausgebildet, daß wir hin und wieder den Zug verpassen durften; es galt als Entschuldigung. Nur durften wir nicht zu oft davon Gebrauch machen, sonst nahm uns der Direktor ins Gebet. Meist hatten wir auch einen besonderen Anlaß; im Walde waren die Beeren oder die Pilze gut geraten, oder wir planten eine Expedition. Expeditionen waren im Gegensatz zu den kurzen Gängen Ausflüge nach Punkten, die uns nur von der Karte oder gerüchtweise bekannt waren. Wir suchten uns dann im Dickicht und im Schilf zu bewegen, wie wir es bei Stanley gelesen hatten, dessen »Durch den dunklen Erdteil« zu den Büchern gehörte, die wir wieder von vorn begannen, wenn die letzte Seite gewendet war.

Der Zug durfte nicht einfach versäumt, er mußte haarscharf verpaßt werden. Die Bezeugung des guten Willens durch einen vergeblichen Dauerlauf gehörte zu den Spielregeln. Es kam freilich vor, daß ich schon statt der Bücher das Angelzeug dabei hatte und gleich vom Bahnhof aus einen der Feldwege zum Meerbach einschlug.

Eines Morgens entsinne ich mich besonders; das Wetter war schwül und grau. Ich hatte mich auf die geländerlose Brücke gesetzt, die damals dieses träge Gewässer überquerte, das den Überfluß des Steinhuder Meeres zur Weser führt. Das Wasser war schwer wie Blei; es schien, als ob die Schilfstengel aus Löchern emporwüchsen, die durch seinen Spiegel gebohrt waren. Bleiche Eintagsfliegen schwebten darüber hin. Ich fing eine davon und zog sie an die Angel — noch hatte ich sie nicht eingetaucht, als ein silberner Fisch an ihr zappelte. Das wiederholte sich mit jedem Wurfe; es kamen breite Weißfische, stachlige Barsche und Zander aus der Tiefe hervor.

Bald hätte ich die Last nicht mehr tragen können; endlich warf ich nicht nur die Überzahl, sondern den ganzen Fang ins Wasser zurück. Hier ging es nicht mehr um Beute, sondern um ein webendes Hin und Her mit den Eintagsfliegen und den silbernen Fischen, die ich aus dem Wasser wie aus einer dunklen Truhe hob — das muß ich gefühlt haben. Es war kein Zufall, auch kein Glück mehr, und kaum noch Wahrnehmung. Es war, als hätte mich ein Maler mit derselben Farbe, mit der gleichen grauen Paste ins Bild gemalt. Das Schilf am flachen Ufer, das stille Wasser, die moorige Luft, der Reiher, der am Meere fischte — wir waren alle in dieses Bild gebannt.

Doch ich will in die Sandgrube zurückkehren. Am nächsten Vormittag war ich wieder dort mit einem Netz aus grüner Gaze und meiner mit Papierschnitzeln gefüllten Fangflasche.

Der an ihren Kork geheftete Wattebausch war »geladen« — das heißt, mit Äther betropft.

Meine Erwartung sollte nicht enttäuscht werden; das wunderliche Treiben war eher noch lebhafter als am Vorabend. Wolken von bunten Funken sprühten auf. Jetzt war ich ihnen überlegen und hatte bald die Art erfaßt, auf die ihnen beizukommen war. Eines der Tiere im Auge behaltend, folgte ich ihm so, daß mein Schatten hinter mir blieb. Es wiederzufinden war schwierig, da der Umriß mit dem Boden verschmolz. Doch meist verriet es sich durch kurze, ruckhafte Bewegungen und war gefangen, falls es nicht aufflog, während das Netz noch in der Luft schwebte. So hatte ich bald eine kleine Strecke im Glas.

Zu Haus kam dann die gründliche Betrachtung, deren Genuß sich dadurch noch erhöhte, daß mir wirklich ein Käfer ins Garn gegangen war, wie ich schon draußen, während ich die Beute aus dem Netz nahm, erkannt hatte. Die Schönheit des Tieres war bestürzend; ich konnte mich nicht satt an ihm sehen.

Als wir abends am Tisch beisammen saßen, rühmte ich mich in meiner Entdeckerfreude, daß ich ein neues Tier, eine unbekannte Spezies, erhascht hätte. Da würde eine Beschreibung fällig sein.

Es war wohl nicht sehr pädagogisch vom Vater, daß er solche Überheblichkeiten gern hörte. Indessen wiegte er doch den Kopf und meinte: »Da sollte man vorher die Literatur zu Rate ziehen.«

Das war nicht schwierig, denn damals war gerade der erste der fünf Bände der Reitterschen »Fauna Germanica« erschienen, eines Werkes, das ich noch heut benutze und schon mehrere Male neu angeschafft habe, wenn es völlig zerfledert war. Mich in Bestimmungstabellen zurechtzufinden, hatte ich schon in der Botanik gelernt und auch den Genuß erfaßt, der mit dieser Form der Enträtselung verbunden ist.

So konnte ich nach einigem Kopfzerbrechen ermitteln, daß ich ein wohlbekanntes Tier erbeutet hatte: die bereits in Linnés Natursystem von 1758 aufgeführte Cicindela hybrida. Der Kaiserliche Rat Reitter bemerkt dazu: »Im ganzen Faunengebiet, sowohl in der Ebene als auch im Vorgebirge, besonders auch an den steinigen Ufern der Flüsse, oft sehr zahlreich.«

Das war meine erste Begegnung mit der Gattung Cicindela. Sie führte zu einer Enttäuschung: schon viele Augen hatten das Wunder geschaut, das ich für einzig gehalten hatte, es war überall und alltäglich zu sehen. Ich hatte vorschnell geurteilt und war belehrt worden. Immerhin war mein Anspruch nicht ganz unbegründet: mein Eigentum war das Tier geworden, bevor ich den Namen gekannt hatte. Ich hatte es mit Lust herausgehoben aus der Lichtwelt, in deren Schimmer es verflochten war.

Daß ich aus eigener Kraft ein Bild gesondert hatte, wurde mir später oft am Verhalten von anderen deutlich, denen diese Sonderung nicht gelang. Die Cicindelen beleben die hellen, weiten Strandflächen; sie haben das mit den Badegästen gemein. Beide lieben die freie Bewegung in Luft und Sonne, obwohl sie voneinander kaum Notiz nehmen. Wenn ich nun also, was ich an solchen Stränden, etwa der Costa brava, der Ägäischen Inseln oder auch unserer schönen Ostseebäder, nie versäumte, der Cicindelenjagd oblag, ließ es sich nicht vermeiden, daß ich die Aufmerksamkeit von

Badenden erweckte, die sich dort ihrem Behagen hingaben. Sie kamen näher, staunten, erkundigten sich nach dem Objekt. Dabei erfuhr ich, daß es schwierig, ja oft unmöglich war, ihnen darzustellen, worum es ging, wenn ich ihnen nicht ein erbeutetes Tier zeigte. Und auch dann konnte ich kaum mehr als ein Lächeln ernten: Für eine Fliege solche Anstrengung?

In den Monaten, in denen gebadet wird, besonders in der Hochsaison, scheucht der Strandgänger Wolken von Cicindelen auf. Sie fliegen dicht vor ihm hoch und fallen hinter ihm ein — Tausende von Geschöpfen, von denen er nie eines geahnt, geschweige denn gesehen hat. Darin liegt nichts Ungewöhnliches. Es ist ein Beispiel für die Pluralität der Welten — nicht etwa im Hinblick auf Fixsternfernen, sondern auf unseren engsten, unmittelbaren Bereich, von dem wir nur einen winzigen Ausschnitt wahrnehmen. Diese Wesen sind ebenso wunderbar wie unsereiner, mit all unseren Organen ausgestattet, geflügelt zudem. Wir wissen nichts über ihre Beziehung zum Unendlichen. Das hat schon Klopstock betrübt.

Dabei sind es Geschöpfe, die sichtbar und meßbar sind. Wir dürfen sie auch als Beispiel für Kräfte nehmen, die unsere Wege kreuzen, ja die uns durchdringen, ohne daß wir sie wahrnehmen — wie etwa Wellen, die im Sehr-Fernen auf einen Schirm ein Bild werfen.

Linné hat nicht nur die *Art* Hybrida, die ich als erste kennenlernte, sondern auch die *Gattung* Cicindela benannt. Immer wieder und selbst beim Studium trockener Kataloge erstaunt die Bescheidenheit, mit der dieser synoptische Geist sein Wissen eher verbirgt als offenbart. Die Einteilung der Schmetterlinge bietet ein klassisches Beispiel dafür.

Eine Cicindela ist schon bei Plinius zu finden, der damit das Johanniswürmchen meint. Das Wort muß selbst zu jenen Zeiten alt gewesen sein. Es ist aus »candeo«, leuchten, entstanden, und zwar auf die Art, die von den Philologen als »durch Reduplikation gebildete Intensivierung« bezeichnet wird. Solche Bildungen gehen oft auf die Kindheit der Sprachen zurück. Bei dieser wirkt nicht nur die Verdoppelung, sondern auch der Übergang zum intensiveren Vokal. Ähnlich verhalten sich »Glanz« und »Glimmer«, »Glänzen« und »Glitzern«; ein ruhiges Leuchten wechselt über in die verwirrende Bewegung von Lichtpunkten.

Der von Plinius überkommene Name wird noch sprechender angesichts jener südlichen Arten von Glühwürmchen, die ihr Licht nach Belieben löschen und wieder aufflammen lassen, als verfügten sie über einen elektrischen Kontakt. Das ist ein Schauspiel, das man schon in Illyrien oder der Provence genießen kann, um so mehr, als die Tierchen zu ihrer Liebesfeier einen Abend wählen, der mild, dunkel und windstill ist.

Auch das Johanniswürmchen unserer Waldränder und Gärten, Lampyris, vermag sein Licht zu verstärken, wenngleich nicht auf die elektrische Art der südlichen Luciola oder gar bis zum Feuerwerk der großen Elateriden in den tropischen Urwäldern. Das flügellose Weibchen erklimmt Halme, um sein Licht zu erhöhen, das wärmer, lebhafter zu leuchten beginnt, wenn ein fliegendes Männchen seine Sphäre berührt.

Linné, der die südlichen Nächte nicht kannte, hat also den Namen Cicindela für ein Sonnentier adoptiert. Er hätte keine Familie damit besser treffen können, selbst nicht die Buprestiden, die gleichfalls als vorzügliche Flieger eine solarische Existenz führen. Diese »Richards« der Franzosen lieben die brennende Sonne, in deren Mittagsstrahl sie auf Blüten, auf Schlagholz oder selbst auf dem blanken Boden verharren. Dort glühen sie prächtig und sind noch schwieriger mit dem Netz zu erhaschen als die Cicindelen, da sie bei der leisesten Annäherung davonfliegen. Bei uns sind sie selten, und sie verschwinden bald ganz, wenn wir uns polarwärts bewegen; in Norwegen sah ich auf Weidengebüsch eine letzte, winzige Art, die sich wie der Funke eines fernen Brandes dorthin verirrt hatte.

Sonnenanbeter sind die Buprestiden gewiß; es gibt wenig Geschöpfe, die der Glut mit solcher Inbrunst standhalten. Aber »Cicindela« bezeichnet besser das wirbelnde Hin und Her behender Jäger als das ruhige Verharren des Vegetariers, der sich von Holz, Rinde oder Blütenstaub nährt und schlecht zu Fuß ist, wenngleich er die Gabe des jähen, pfeilschnellen Auffliegens besitzt. Das befähigt ihn zur Flucht, während die Bewegung der Cicindela auf den Angriff gerichtet ist. Im Gegensatz zum Typhoeus und all den massigen Pflanzenfressern lernte ich hier einen der kühnsten Räuber kennen, einen schnittigen Flieger, der für seinen Beruf auf das trefflichste ausgerüstet ist.

88

Damals, als ich in der Sandgrube den Jäger mit Erfolg gejagt hatte und ihn zu Haus in Ruhe betrachten konnte, erschien er mir einfach schön, ohne daß ich weitere Erwägungen daran knüpfte. Warum er nun schön war — dafür fielen mir, als ich mich immer wieder und manchmal für Wochen mit ihm beschäftigte, stets neue Gründe ein. Aber erklärt man eine Harmonie, indem man die Instrumente zergliedert, die sie sich schuf? Die Einzelheit kann höchstens zu ihrem Lobe beitragen. Hier gilt, was ein chinesischer Dichter von den Vögeln sagte: »Sie wissen selbst von ihrer Schönheit; von den Menschen erst werden sie benannt und zu Hühnern gemacht.«

Jedes Kind kennt die großen, glänzenden Caraben, die in den Gärten den Schnecken nachstellen. Sie sind vor allem Nachtjäger. Obwohl sie »Läufer« genannt werden, sind sie nicht schnell genug, um sich mit ihrer glänzenden Rüstung ans Licht zu wagen; sie ziehen die Dunkelheit oder die Dämmerung vor. Einmal, als ich zu sehr früher Stunde mit dem Rad zur Schule fuhr, sah ich die Landstraße von ihnen bevölkert; jeder trug einen Regenwurm zwischen den Kiefern und schleppte ihn vor Sonnenaufgang seinem Schlupfwinkel zu.

Dieses Dasein des Bodenbewohners hat sich nach verschiedenen Richtungen hin aufgefächert, wobei die räuberische Lebensweise bewahrt wurde. Wir finden in den Höhlen bleiche, augenlose Arten mit zarten Tasthaaren und in den Gewässern breite, kahnförmige Schwimmer, deren Beine wie Ruder oder Flossen gebildet sind. Die Kleider wechseln, der Charakter bleibt.

Die Cicindelen haben sich das Licht- und Luftreich ausgewählt. Mit ihren langen, schmalen Beinen sind sie vielmals schneller als die Caraben; sie stehen zu ihnen etwa im Verhältnis des Geparden zu den übrigen Raubkatzen. Zudem sind sie im Fluge selbst den geflügelten Läufern so unvergleichlich überlegen wie die Schwalben den Sperlingen. Sie sind daher auf eine vorzügliche Optik angewiesen; die Augen machen die Hälfte des Kopfes aus. Vor ihnen droht das furchtbare Gebiß. »Tiger-beetles« werden die Tiere von den Engländern genannt. Während die scheren- oder höchstens sichelförmigen Kiefer der Caraben genügen, die weiche Beute anzuschneiden, sind die der Cicindelen wie malaiische Krise flammenartig ausgezackt: panzerbrechende Werkzeuge. Dabei sind sie zierlicher.

Überhaupt kann man die Sandläufer als Luxusausführung der Caraben betrachten — weit eleganter, leichter, wendiger. Das zeichnet sich bis in die feinsten Strukturen ab, bis in die seidige Riefung des Chitins. Die Unterseite spielt in lebhaftem Metallglanz; der Feuerstoff will überall hervordringen: aus den Nähten, den Gelenken, den Poren des sanguinisch-solarischen Geschöpfs. Die Decken sind auf die Eigenart der Reviere gestimmt, meist scheckig getarnt. Die hellen Flecken, Binden und Halbmonde können sich, besonders auf Salzböden, verbinden und ausbreiten. Ich besitze fast weiße Stücke aus der Wüste Gobi und der Umgebung von Samarkand.

Auch hier fehlt es an Sonderlingen nicht. Warum mag gerade im Sonnenland Ägypten eine Gattung zum nächtlichen Raub zurückgekehrt sein? Dafür kann sie sich den Luxus leisten, weit korpulenter und durchaus metallfarben zu sein. In den Dünen Südafrikas jagt die herkulische Mantichora, die einer schwarzen Riesenspinne ähnlich sieht. In den Bergwäldern oberhalb von Rio überraschte mich der Anblick einer schmalen, langbeinigen Spezies, eines leptosomen Tänzers, der aber, auf Gebüschen sein Wesen treibend, sich leicht ergreifen ließ. Hatte sich hier das Prinzip überspannt? Ich sandte das Tier an Doktor Horn, den Lieblingsschüler des alten Kraatz, der sich seit einem Menschenalter in die weltweite Verzweigung der Familie vertieft hatte, und erfuhr von ihm, daß ich es in seinem typischen Revier ertappt hatte.

Auf Madagaskar, der an absonderlichen Geschöpfen reichen Insel, treibt eine der Gattungen Jagd auf flüchtige Insekten, indem sie blitzschnell Baumstämme umkreist. Selbst bis ins Feuerland, wo man die Familie am letzten vermuten möchte, hat sich eins ihrer Glieder vorgewagt. Freilich haben auch andere Sonnentiere, wie die Kolibris, dorthin Pioniere entsandt. Die feuerländische Cicindele ist auf den ersten Blick als solche nicht zu erkennen; sie weicht von allen anderen durch gekerbte Flügeldecken ab. Chevrolat, der sie vor hundert Jahren beschrieb, hat sie daher »fallaciosa«, die trügerische, genannt. Solche Tiere sind Augenprüfer; sie lehren das Sein vom Schein zu sondern, unter dem es sich verbirgt.

Die Fallaciosa zählt zu den größten Seltenheiten; wer fährt schon eines Käfers wegen nach Kap Horn? Immerhin hielt Carl August Dohrn im Jahr 1874, wie er schreibt, einen Abstecher nach München »für strategisch-entomologisch vollkommen gerechtfertigt«, weil er erfahren hatte, daß dort ein Sammler »über einige Exemplare zu disponieren« habe.

Die Cicindelen bilden zwar nur ein Inselchen, eher noch ein Atoll im großen Barriereriff des Lebens, das aus der Tiefe aufstieg, und es gibt auf der Welt kaum zwei Dutzend Geister, die sich con amore mit ihnen beschäftigen; aber man findet dort nicht weniger Behagen als bei den Tauben, den Tulpen und den Rosen, denen seit langem die Neigung großer Gemeinden gilt. All diesen Wesen ist gemeinsam, daß sie sowohl mit Strenge in der Gestalt verharren als auch mit Freiheit die Erscheinung abwandeln. Damit erfüllen sie zwei Voraussetzungen des irdischen Behagens, das im Begrenzten sich des Mannigfaltigen erfreut.

In der Sandgrube hatte ich die Gestalt entdeckt. Ich ahnte nicht, wie sie durch die Geschlechter und Arten wandelt, von denen über fünfzehnhundert beschrieben worden sind. Wie viele ich davon kennenlernen sollte, nicht nur in der Heimat und in fernen Ländern, sondern auch in Bildwerken und Museen — es war immer ein Wiederfinden, eine Erinnerung.

Warum scheint mir der Bergfink schöner als der Buchfink, obwohl sich das Urteil kaum begründen läßt? Wahrscheinlich nur deshalb, weil er mir seltener vor Augen kommt. Allzu leicht halten wir das Besondere, das, was sich rar macht, auch für das Schönere. Aus diesem Grunde zogen mich wohl innerhalb der buntgescheckten Familie der Cicindelen eine Zeitlang die einfarbigen Arten besonders an, so die rotkupfrige Maura des östlichen Mittelmeers. Ich sah sie im Frühjahr 1938 am flachen Sandstrand von Rhodos zu Myriaden; jeder Schritt scheuchte Wolken von ihr hoch. Die Jagd auf sie war eine gute Übung zwischen dem Meeres- und dem Sonnenbad. Der Jäger nimmt dabei etwas vom Wesen seiner Beute an, im Wechsel von Verharren, Spähen und eiliger

Verfolgung im Licht. Als ich nach einem Vierteljahrhundert, im Frühjahr 1965, mich wieder nach der Maura umsah, war sie verschwunden, obwohl ich den Strand vom türkischen Friedhof bis zur Moschee nach ihr absuchte. Es gab da nun eine Autostraße, ein großes Hotel, Strandkörbe.

Durchaus veränderlich ist dagegen der Grüne Jäger unserer Heidewege und Waldränder. An manchem Fundort gleicht, wie bei den Orientteppichen, kaum ein Stück dem anderen. Dabei bejagt er von Sibirien bis nach Marokko ein Riesenareal. Man findet ihn überall wieder, da er keineswegs selten ist. Wenn man nun, wie in seinem Falle, auf ein Naturspiel eingeht, kann es nicht ausbleiben, daß die Phantasie mitzuspielen beginnt. Sie fing an zu arbeiten, als ich gelesen hatte, daß Carlo Giuseppe Gené, Direktor des Turiner Zoologischen Museums, 1836 auf dem Eiland San Pietro eine einfarbige Rasse des Grünen Jägers entdeckt und sie »saphyrina« getauft hatte. Ein Name tut viel — zwar kannte ich blaue Varianten des Tieres, doch waren sie gefleckt und konnten, wie ich mir einbildete, nur schwache Vorstufen zu Genés Prachtstück sein.

Ich will nicht behaupten, daß die Saphyrina die Schuld an meinen häufigen Besuchen dieses Inselchens trägt. Ganz abgesehen davon, daß es, als ich es vor zehn Jahren kennenlernte, noch zu den fast unberührten Perlen des Mittelmeers gehörte, zu der es mich um ihrer selbst willen immer wieder gezogen hat, gab es da noch manche andere Magneten: heitere, einfache Menschen, Gärten und Weinland, einsame Täler und Felsbuchten, nicht zu vergessen die Thunfischfänge bei der Isola Piana, die Bäder im Meer, Pietros Langusten und Fischsuppen. Dann die späten Gänge am Hafen und in den erleuchteten Gassen von Carloforte; kaum jemals später hatte ich so das Gefühl, in ein Bild oder ein Schauspiel eingefügt zu sein. Da war noch zu spüren, wie ein Kunstwerk ohne Absicht gelingt. Wie die Familien bei offenen Türen am Tisch beisammensaßen, wie immer neue, wohlkomponierte Prospekte sich eröffneten — das hätte kein Ende zu nehmen brauchen, denn es war mehr als Endliches darin. Überall war bewegtes Leben vor sicherem Hintergrund.

Freilich erfuhr ich auch hier die rapide Veränderung: Pietros Aufstieg vom Albergatore zum Hotelier, die luxuriöse Zurüstung der Bucht von Spalmatore, eines noch vor kurzem weltfernen Strandstückes. Schwärme von Vespen und Lambretten machten Wege unsicher, auf denen mir einmal sogar der »karru«, der Wagen mit den benagelten Scheibenrädern, begegnet war. Da hatte ich ein wahrhaft archaisches Vehikel, das schon zu römischen Zeiten als »plaustrum« für ehrwürdig galt, nicht nur gesehen, sondern auch gehört. Der weithin knarrende Ton seiner Achse hat sich in einem der Verse Vergils erhalten:

Montisque per altos
Contenta cervice trahunt stridentia plaustra.

Inzwischen wird der von Ochsen »mit gestrafftem Nacken« gezogene karru wohl selbst aus dem Bergland von Nuoro verschwunden sein. Dort hörte man sein Knarren gern, da man glaubte, daß es die bösen Geister vertrieb. Es zählte auch zu den Aufmerksamkeiten, die man sich unter Liebenden erweist: Mit knarrender Achse fuhr der junge Sarde in der Frühe am Haus der Erwählten vorbei, »stridens« oder

»pyrriando«, wie es im Nuorischen heißt. So hält er es heute mit der Lambretta — die Werbung bleibt; die Formen ändern sich.

Wie oft ich auch das Inselchen, diese Handvoll Erde, auf steinigen Pfaden durchstreift habe, es blieb kein Gang ohne neue Entdeckungen. In den langen Wintern studierte ich mit Ungeduld sein Meßtischblatt, Folio 232 della Carta d'Italia, das in meinem Zimmer hängt; da gab es neben den bekannten noch so viele unbekannte »Punte« und Flurnamen. War ich schon im Bosco Polpo gewesen, im Paradiso, in der Mandria? An der Punta del Capidolio mußte einmal ein Wal, an der Punta del Morto ein Leichnam gestrandet sein. Der Name findet sich auf vielen Seekarten.

Von der Punta del Morto, hart am Stadtrand mit seinen kleinen Werften, führt ein schwierig zu begehender Pfad in nördlicher Richtung nach La Punta, wo die Tonnaren gestellt werden. Dort pflegte ich zuweilen zu baden, häufiger noch an der Punta Grossa, die auf dem halben Wege liegt. Hier vereinten sich mancherlei Vorzüge: ein winziger Sandstrand, eine muschelartige Ausbuchtung des Felsufers für das Sonnenbad, der Ausblick auf den Meeresarm, den die Erzgebirge der Hauptinsel abschlossen.

Wo der Weg die Macchia streifte, hatte ich ein Revier des Grünen Jägers ausgemacht. Dort traf ich ihn täglich und nie ohne Hoffnung, in seinem Schwarm die strahlende Saphyrina zu erblicken — eine Hoffnung, die stets enttäuscht wurde. So ging es mir auch an anderen Stellen auf San Pietro; Gené hatte offenbar ein Unikum beschrieben, nicht eine Inselrasse, wie er geglaubt hatte.

Zuweilen begegne ich der Meinung, daß die Passion, mit

der man sich auf ein solches Detail einläßt, den Genuß der Landschaft beeinträchtige. Das kann ich nicht zugeben, selbst nicht einem Gregorovius gegenüber, der sich in seinen »Wanderjahren in Italien« über einen französischen Gelehrten belustigt, in dessen Gesellschaft er den Monte Somma bestieg. Dieser habe auf dem Gipfel die Betrachtung des herrlichen Panoramas durch den seltsamen Ruf: »Voilà la Cléopâtre!« unterbrochen, mit dem er hinter einem Falter hergesprungen sei. »Dieser liebenswürdige Greis von dem heitersten Temperament und unermüdlicher Kraft, würdigte weder den Vesuv, noch die Landschaft eines Blickes; er hatte nur Augen für den kleinen Schmetterling.«

Dem hat schon Vater Dohrn widersprochen: »Natura maxima miranda in minimis.« Im Auge eines Falterflügels ist nichts Geringeres verborgen als im Golf von Neapel oder in der Bucht von Rio, von denen wir auch nicht mehr als die Oberfläche sehen. Es fragt sich, was wir herausholen. Das kann nur aus der eigenen Tiefe geschehen; dort ruht das Gegengewicht.

In meiner Erinnerung runden sich die Landschaftsbilder gerade um Augenblicke, während deren ich einen ihrer winzigen Punkte gespannt betrachtete. Da wurde ein Kontakt geschlossen, der ein besonderes Licht erzeugt. So war es mit der Saphyrina, die unerreichbar blieb. Wie oft ich auch den Grünen Jäger beschlich, er behielt sein gewöhnliches Kleid. Doch ich sah auch den Pfad, auf dem er jagte, und zu beiden Seiten die Zistrosensträucher, die ihn wie Waldränder einfaßten. Die dunkelgrünen, harzigen Blätter, die Polster von weißen Blüten, zwischen denen die behaarten Kapseln schon Samen ausstreuten. Am Grunde hin und wieder die rote

Schuppenwurz oder eine stengellose Distel, als hätte sich dort der Sand kristallisiert. Gegen La Punta die dürren Aloeschäfte, nach der maurischen Warte hin ansteigend die Frucht- und Weingärten, zur Rechten das Meer mit den Klippen und Inseln bis zur ehernen Felsküste Sardiniens. Das tritt so klar hervor, als ob es in einer gläsernen Kugel verwahrt würde, und dazu, was an Duft und Klängen sich einprägte.

Das eben verbirgt sich hinter einer dem Anschein nach abstrusen Tätigkeit. Das Geheimnis liegt in einer besonderen Optik, nicht in den Objekten, die vielmehr den Vorwand für eine uralte Lebensform bilden: die des Wildbeuters. Da findet sich für Augenblicke die alte Gleichung des Bewußtseins mit der Welt. Sie ist unkopernikanisch; die Welt ist Kugel, das Auge Mittelpunkt.

Im übrigen bot die Insel, wenn mir auch die Saphyrina versagt blieb, ein gutes Revier. Reicher Ausbeute war ich immer sicher, wenn ich den Vormittag an meinem anderen Lieblingsplatz zubrachte. Er lag südlich des Städtchens, jenseits der Salzgärten, ungefähr in Höhe des Friedhofes, auf dem ein Totengräber namens Oreste seines Amtes waltete. Es ist eine heiße Ecke, wie sie der Anlage von Salinen günstig ist. Das einströmende Meerwasser wird dort aus einem Bassin in das andere geleitet, während Sonne und Wind an ihm arbeiten. Endlich ist es so stark verdickt, daß das Salz mit Rechen herausgezogen und an den Rändern zu blendenden Hügeln gehäuft werden kann. Ein heller, steriler Glanz liegt über diesen Gärten; ich muß noch in der Erinnerung die Augen schließen, wenn ich an die Mittagsgänge denke, die auf ihren Dämmen entlangführten. Seevögel, zerbrochene Schiffe, Geruch von Tang, Teer, Fischen, silberne Berge und überall Fluten von Licht.

Gegen Abend wurden die Farben milder, eine außerordentliche Palette fächerte sich aus. Während Pietro das Nachtmahl vorbereitete, stieg ich gern hinter der Stadt zu den Felshängen empor, um dort am Abschied teilzunehmen, den die Sonne feierte. Die letzten Strahlen brachen sich in den Feldern der Saline wie in den Fenstern eines Treibhauses. Nicht nur spielte dann jedes Becken vom tiefsten Violett bis zu den hellsten Schimmern in anderen Lichtern, sondern die weite Fläche zwischen Strand und Gebirge verglühte langsam wie ein riesiger Opal.

Wie mochte ein solches Spiel gelingen? Doch wohl nur dank der Vielfalt der Facetten, also der einzelnen Bassins. In jedem war die Lösung von allen anderen unterschieden, und damit auch die lichtbrechende Kraft. Die Zeit, die Wanderung des Lichtes kam hinzu. So schien es, als ob ein kosmisches Juwel sich wendete. Weiter, näher heran kann selbst der Gesang nicht führen — nicht weiter als bis zu der bestürzenden Erwartung: »Jetzt wird gleich die Verwandlung stattfinden.« Aber wozu auch die Sinne gegeneinander ausspielen? Der Blinde, den wir in uns bergen, weiß mehr als der Sehende. Wenn die Nacht kommt, wird er heraustreten.

Ja, bei den Salinen war eine heiße Ecke, schon ein Stück Morgenland. Über die Friedhofsmauer ragten Kuppeln und Palmen auf. Die Toten ruhten dort meist über der Erde in getünchten Bauten, in die ihre Särge hineingeschoben wurden wie Brote in den Backofen. Das Fußende schloß eine Platte, in die Namen und Daten eingegraben waren und die meist auch das Lichtbild des Verstorbenen trug. Alte Seeleute, Soldaten, Bräute im Schleier, Kinder in großer Zahl, meist auf dem Totenbett aufgenommen — alle auf kleinen Ovalen aus Porzellan.

Die Armen begrub Oreste im heißen Sande, dazu die Schiffbrüchigen. Der Sand war durchaus weiß, feinkörnig und mit kleinen Muscheln durchsetzt, meist Herzmuscheln, die nicht größer als eine Fingerkuppe waren — vielleicht würden die Toten sie als Ausweis, zum Zeichen vollendeter Pilgerschaft, vorweisen. Ich unterhielt mich oft mit Oreste, der nicht nur für eine Zigarette, sondern auch für ein Gespräch, bei dem er sich auf seinen Spaten stützte, stets empfänglich war. Er hatte fast alle seiner Wartung Befohlenen im Leben gekannt. Wie viele Totengräber hatte er etwas Hintergründiges, die schwer zu fassende Ironie des Vorzimmerpersonals von großen Machthabern. Man weiß da nichts Bestimmtes, hat aber allerhand läuten gehört.

Einmal war ich auch bei Mondschein draußen, um das Areal nach einem nächtlichen Scarabäen zu sondieren, der nur auf Korsika und auf Sardinien gefunden wird. Ich war nicht aufs Geratewohl gegangen, denn ich hatte am Mittag nach dem Bade eins der Tiere als Mumie im Sand entdeckt.

Die Stunde war gut getroffen, ich kam zur Hochzeitsnacht. Nahe dem Eingang stand Jalapa, die Wunderblume, in vollem Flor. Sie machte ihrem Namen Ehre: bella di notte nannte sie Oreste, im Gegensatz zur bella del giorno, worunter er die blaue Kaiserwinde verstand. Die bunten Farben der Blüten waren nur zu ahnen, und ebenso der summende Schwarm der Trabanten, der die Krone umkreiste wie ein dunkles Muttergestirn. Die sichtbaren Dinge hatten Struktur und Farbe abgegeben; dafür zeugten Duft und Klänge für sie heimlicher und doch eindringlicher als am lichten Tag. Dazu die hellen Wege und die weißen Mauern der Grabmäler.

Ich streckte die Hand aus, gleich hatten sich vier, fünf der Schwärmer im Tuch des Ärmels eingekrallt und zogen mit der vertrauten Bewegung die Schwingen ein, indem sie sie in den Gelenken falteten und unter die Decken zogen, bis der letzte Zipfel verschwunden war.

Spät in Pietros Camera betrachtete ich die Beute bei Licht. Die Gattung stimmte: Rhizotrogus — eine Sippe nächtlicher, meist strohfarbiger Wesen mit großen schwarzen Augen; man sieht sie auch bei uns während der Brachzeit in Massen aus der Erde aufsteigen. Einmal, auf Sylt, kam ich zu ihrer Stunde und hatte den Eindruck, daß sich rings umher der Boden zu bewegen begann. Über die Art konnte ich mir erst zu Haus in der Bibliothek Gewißheit verschaffen; ich hatte sie schon vermutet, als ich die Mumie sah. Es war Rugifrons, die Rauhgestirnte — so 1855 von Hermann Burmeister benannt, einem der besten Artenkenner seiner Zeit.

Das Gefühl, das einen solchen Treffer begleitet, ist schwer zu vermitteln, obwohl unter dem Anschein des Speziellen Allmende betreten wird, unaufgeteilter Grund. Ohne Zweifel ist es ein Glücksgefühl. In einer Rose des südlichen Frankreich sah ich eine Cetonide — die Tiere werden dort schon sehr schön. Ich bat den Besitzer des Gartens, der hemdsärmlig die Sträucher beschnitt, sie abnehmen zu dürfen — er betrachtete mich erstaunt. Dann begann er zu lächeln und sagte: »Si cela peut faire votre bonheur.«

Ja, was macht das Glück aus bei solchen Bildjagden? Zuweilen begann ich mit mir zu hadern: wozu die Aneignung von hunderttausend Ideogrammen, dazu zahlloser Runen, deren Fülle selbst ein Argus nicht gewachsen ist? Freilich bedeutet das einen Genuß, den vielleicht nur ein alter Chinese im letzten zu würdigen weiß. Es ist nicht die Schönheit, denn viele Tiere sind unscheinbar; es ist auch nicht der Nutzen, der sich mit dem Wissen verbindet, denn die schädliche Art ist nicht minder willkommen als die nützliche; und es ist nicht die Freude, Dinge zu sehen und zu wissen, die kaum ein anderer sieht und weiß.

All das wird vergessen in Augenblicken, in denen die Harmonie aufleuchtet. Es ist ein Geheimnis dabei, das sich hinter der, gleichviel wie gearteten, Mannigfaltigkeit verbirgt. So besteht der Text eines großen Autors aus Buchstaben, Zeichen, Sätzen und Abschnitten, und mancher liest ihn, ohne daß er die Komposition begreift. Aber auch die Komposition will an ganz anderes heranführen. Hat sich dem Leser dies eröffnet, so wird er die Lektüre unterbrechen und sich dem Glück eines wortlosen Einverständnisses hingeben. Wir haben Lesen und Schreiben gelernt, dazu mancherlei Fächer, die dem Verständnis von Gedanken und Ideen dienen — das alles wird vergessen und darf vergessen werden wie die auf einen Vorhang gedruckten Muster, wenn die Dinge aus dem Namenlosen antworten.

Zu nächtlicher Stunde, von »angerauchtem Papier« umgeben, sich in ein Stückchen geformter Materie zu vertiefen, das heißt anklopfen. Es heißt auch, die Zeit vergessen, nicht nur die unsere, sondern die Zeit als solche, die so viel Widriges birgt.

Daß die Wunderblume im glühenden Sande so üppig gedieh, war erstaunlich, denn ihr Habitus ist der eines Gewächses, das die Feuchtigkeit liebt. Sie stammt aus Brasilien. Sie hatte wohl während des Winters Zeit gefunden, sich tief zu verwurzeln, und sog nun aus dem Grundwasser. Oreste betrachtete sie als Unkraut und rottete sie aus. Man sah die Hügel, die er zusammenscharrte, in Stunden dahinschwinden. Die schwarzen Samen waren wie Kaninchenlosung im Sand verstreut. Ich nahm eine Handvoll davon mit und brachte das Kraut in meinem Garten am Rande der Rauhen Alb zum Blühen; freilich erreichte es dort längst nicht den mannshohen Wuchs wie auf dem Friedhof des südlichen Eilandes.

Wenn ich vor diesen Büschen stand, hatte ich den Eindruck gezügelter Mannigfaltigkeit. Die Differenzen waren stark, doch großflächig — papageienhaft. Das unterscheidet die Mirabilis von anderen Pflanzen, die, wie die Gaukler- oder auch die Pantoffelblume, ebenfalls eine reiche Palette ausbreiten. Dort ertrinken die Individualitäten im Detail.

Durch dieses Gleichgewicht konstanter und veränderlicher Zeichen schien die Jalapa zu Kreuzungs- und Vererbungsversuchen prädestiniert. Mir genügte der reine Anblick, besonders wenn in der Abendsonne die roten und gelben Töne stärker aufglommen. Wenn dann die Augen bald von der einen, bald von der anderen Blüte angezogen wurden, schien es, als ob die Wunderblume langsam im Licht zu kreisen begänne; ich fühlte von Herzen, daß sie ihren Namen verdient hatte.

Außerdem hielten sich auf den heißen Wegen nur zwei Gewächse, die offenbar verwildert waren: eine große Calla als typische Friedhofsblume und eine blaßrote Trichterlilie, die in Büscheln hart an den Säumen der Grabmäler wucherte. Jenseits der Mauer in den Dünen wuchs die weiße Stammform, die in der Dämmerung von rotgeflammten Sphingiden bestäubt wurde. Ihr Duft war in der Nacht narkotisch; Pietro warnte mich vor der »Meeresnarzisse«, als ich einmal einen Strauß in die Camera mitbrachte.

Vom Friedhof zum Strandplatz führte der Weg an einem Orangenhain vorbei. Ich pflegte mich eng an seine Hecke zu halten, um exotischen Coccinelliden nachzustellen, die sich überall am Mittelmeer eingebürgert haben, wo Zitrusfrüchte kultiviert werden. Hier waren rot und schwarz gefleckte Marienkäfer als Parkwächter gegen winzige Schädlinge eingeführt. Sie mußten dort in Massen ihres Amtes walten, denn ich brauchte nicht den Garten zu betreten, um ihrer nach Belieben habhaft zu werden; sie tummelten sich auf den Hecken und den Schilfgräsern, die ihn einfaßten.

Diese Art, das Revier zu säubern, ist intelligenter als die massive Vergiftung weiter Flächen; sie ist gezielt und wahrt das Gleichgewicht. Zudem bereichert sie die Fauna, anstatt sie zu veröden, wie es die Gifte tun.

Sardinien ist eine Insel der Winde; das verrät bereits der Wuchs der Bäume, die auf freiem Felde stehn. Sie weisen mit langen Schöpfen in die Hauptwindrichtung. Ich hatte mir daher für das Sonnenbad eine enge Mulde in den Dünen ausgesucht. Die Brise strich, ohne den Körper zu berühren, darüber hin. Ein Kranz von Binsen umhegte den Ort wie ein Nest.

Meine Abneigung gegen den Wind war nicht mehr so stark wie in der Kindheit, wo Windstille eine der Voraussetzungen des vollkommenen Behagens war. Ein leichter Westwind mochte noch erträglich sein; sonst durfte sich kein Hauch rühren.

Zu den Büchern, an denen ich lesen gelernt habe, gehört Armands »Im wilden Westen«, ein Dokument der großen Jagden auf den Prärien und ihr Halali zugleich. An diese Lektüre schlossen sich lebhafte Wachträume an, die sich durch Monate und vielleicht Jahre fortspannen. Ich sah mich zu Pferde und mit der Büchse quer über dem Sattel inmitten der grenzenlosen Fläche, aus der Waldinseln hervorragten. Merkwürdig war dabei, daß ich kein Wild erlegte, ja auch keins zu Gesicht bekam, und daß ich mich nicht bewegte, sondern vom Sattel aus in die Weite hineinspähte. Das war wie ein Denkmal, in das ich die wünschende Kraft einströmen ließ. Es kam dabei weniger auf das Erlebnis als auf die Möglichkeit des Erlebnisses an. Die Erfüllung mußte verhüllt bleiben.

Wichtig war auch, daß kein Wind sein durfte, darauf war ich mit Eifer bedacht. Um unbewegte Stille zu genießen, hatte ich großen Aufwand getrieben, indem ich die Prärie durch ein Glasdach sicherte. So konnte auch kein Regen einfallen. Ich entsinne mich nicht mehr, ob diese Decke schwebte oder wie im Mailänder Bahnhof durch ein System von Pfeilern getragen wurde — jedenfalls war sie, obwohl äußerst kostspielig, in technischer Hinsicht glaubwürdig. In den Träumen ist jeder Luxus erlaubt.

Hier auf San Pietro kam ich mit bescheideneren Mitteln aus, ganz abgesehen davon, daß die Empfindlichkeit sich inzwischen auf das übliche Maß beschränkt hatte. Sie hatte wohl auch damals weniger auf wirklichem Unbehagen als auf der Ahnung eines vollkommenen Gleichgewichts beruht.

Gegen Mittag, nach dem vorletzten Bade, wurde es windstill; dann kam die Stunde der Cicindelenjagd. Das Strandnest war einige Schritt von einem flachen und fast wasserlosen Bachbett, dem Canale dei Muggini, entfernt. Im Hintergrund lag eine Hausruine, wie man sie auf der Insel häufig findet, mit einem verwilderten Garten, in dem Granatapfelbüsche wucherten. Der Weg dorthin führte durch einen Sandgrund, der mit Binsen, Stranddisteln und vereinzelten Tamarisken schütter bewachsen war. Oft scheuchte ich eine dunkle Natter auf, die dort ihr Revier hatte. Das Tier floh schnell und, wie es schien, in regelmäßiger, müheloser Windung — doch wenn ich seine Spur verfolgte, fand ich sie nicht als »Schlangenlinie«, sondern stemmbogenartig als unzusammenhängende Folge von Halbmonden in den Sand geprägt. Das deutete eher auf eine schnellende als eine gleitende Bewegung und berührte einen meiner alten Händel mit dem Demiurgen: die physiologischen und anatomischen Komplikationen entfernen eher vom Urbild, als daß sie es ausdrückten. In dieser Hinsicht erweist sich der Demiurg als Autor — er umkreist, ohne es zu erreichen, das Unaussprechliche. Wer nicht auf sein Schweigen hindurchhört, wird auch über die Furcht nicht hinwegkommen. Die Schlange ruht unter der Schwelle zur heilen, friedlichen Welt. Sie gehört zu den Teststücken. »Und wie stehts mit der Schlange?«, muß man fragen, wenn einer kommt und vorgibt, daß er eine der großen Aversionen überwunden hat.

Den Jagdplatz, dem ich in der Mittagshitze zustrebte,

begrenzte ein mit Brackwasser gefülltes Becken, das durch den Canale dei Muggini gespeist und bei hohem Seegang vom Meer überschwemmt wurde. Es lag inmitten eines von Salz und Algen inkrustierten graugrünen Sandes, der, glatt wie eine Tenne, einen vortrefflichen Landeplatz für Cicindelen bildete. Zwei Arten tummelten sich hier: die größere Lunulata, die ich nach der ersten Begegnung in Dalmatien an vielen Küsten des Mittelmeeres wiedergetroffen hatte, und die flache, kleinere Sardoa, eine, wie der Name sagt, für Sardinien typische Form, die sich durch ihren besonders reichen Hieroglyphenschmuck auszeichnet.

Die Stunde, die ich hier verbrachte und die sich durch Jahre wiederholte, ist mir in durchaus angenehmer Erinnerung. Sie umschloß zwei Möglichkeiten, die ich nach Belieben wechselte: Konzentration und den »vollkommenen Genuß der eigenen Empfindung« — dieses schöne Wort stammt von Wieland, der behauptet, daß eine so in seinem Garten verbrachte Stunde allen Ruhm der Geschichte aufwiege.

Zu diesem Genuß der eigenen Empfindung gehört das Zurücktreten oder die Neutralität aller äußeren Einflüsse. Die Natur muß schweigen; es muß windstill und es darf weder zu kühl noch zu warm, weder zu feucht noch zu trocken sein. Ich vermute auch, daß Wieland in der Dämmerung saß, während er diese Stimmung genoß. Was die Luft mit ihrer Temperatur, ihrer Feuchte, ihrem Druck und ihrer Ladung nebst anderen uns unbekannten Eigenschaften angeht, so ist es höchst selten, daß ihre Natur mit der unseren zu absoluter Übereinstimmung kommt. Aber nur dann wird der Körper der Angleichung enthoben; der unsichtbare Steuermann, dem sie obliegt, kann abtreten.

Ich entsinne mich nur weniger Stunden, während deren ich mit der Luft auf diese Weise harmonierte und fast identisch wurde, so am Madrakihafen von Rhodos, und auch des Behagens, das mit dieser Wahrnehmung oder vielmehr Nichtwahrnehmung verbunden war. Geschöpfen, die im Wasser leben, muß es häufiger zuteil werden oder auch dauernd beschieden sein. Das läßt sich schon aus der Art, in der sie sich bewegen oder auch nicht bewegen, schließen; viele kehren, wie wir zu Kinderträumen, zum Stand der Pflanze zurück. Übrigens entspringt, wie so mancher Fortschritt, auch unsere Warmblütigkeit zunächst einem Mangel und der damit verbundenen Notdurft; die Große Mutter trat einen Teil ihrer Sorge an uns ab. Starke Veränderungen der Atmosphäre müssen dem vorangegangen sein, verbunden mit dem Absterben von Stämmen und der Ermattung oder der beginnenden Heimatlosigkeit anderer. Das bezeugen der Winterschlaf, der Vogelzug und ähnliche Wanderungen, wie auch die Sehnsucht nach den Küsten südlicher Meere, die uns Menschen periodisch ergreift.

Hier am Stagno war es, wenn nicht vollkommen, so doch durchaus angenehm. Man konnte mit wolkenlosem Himmel rechnen; nicht umsonst liegt am Stadtrand von Carloforte eine Warte zur Sonnen- und Polhöhenbeobachtung. Vielleicht war es etwas zu heiß; der Eindruck verlor sich jedoch beim Hin- und Herschlendern teils auf der Sandbank, teils im flachen Wasser, dessen Wärme sich kaum von der der Luft unterschied. Jedenfalls wurde bald die Hauptbedingung des Genusses der eigenen Empfindung erreicht — nämlich jene, daß sich der Geist vom Andrang der Gedanken absolviert fühlte, dem rastlosen Training, bei dem er ihren Myrmidonenschwärmen standzuhalten und sie zu ordnen hat. Ein eidechsenhaftes Behagen zog statt dessen ein.

Diese Entspannung ist der Konzentration nicht abträglich. Sie ist vielmehr deren Voraussetzung, wie jeder Jäger aus Erfahrung weiß. Das gilt auch für die subtile Jagd. Einer ihrer Reize verbirgt sich im jähen Wechsel vom vegetativen zum animalischen Lebensgefühl, von passiver Lässigkeit zu äußerst bestimmten Bewegungen. Dazu kommt die Zentrierung des Objekts, seine Einordnung in ein System von Daten, die in Jahrzehnten gehortet worden sind.

Beim Schlendern durch Sand und Wasser entging es mir nicht, wenn eine Cicindela sich in der Nähe niederließ. Meist gelang es mir, sie entweder am Boden oder im Abflug mit dem Gazenetz zu erhaschen, das ich, wie seinerzeit das Gewehr in den Träumen, unter dem Arme trug. War es eine Sardoa, so konnte ich sie gleich wieder entlassen — ich fand in ganz Sardinien kein Exemplar, das sich merklich vom Typus unterschied. Die Lunulata dagegen war genau zu studieren — sie zeichnet sich durch ein »Vierbindensystem« von Flecken und Halbmonden aus, die sich auf mannigfache Weise vereinigen oder trennen, zuweilen auch ganz ausfallen. Da gab es Überraschungen.

Wie gesagt, denke ich gern an diese Gänge zurück. Auch in ihrer Wiederholung nach nordischen Wintern lag ein großer Reiz. Die Wiederholung ist ja nicht nur die Mutter der Studien, sondern der Einprägung überhaupt. Da macht der Genuß keine Ausnahme.

Die Stunde ließ nur das eine zu wünschen übrig: daß sie zu bald verstrich. Ich trug verschossene Shorts; die Bauern und Hirten dort sind nicht gewohnt, daß man nackt badet.

Außerdem brauchte ich die Taschen zur Aufbewahrung meines Teesiebs und der Flasche für jene Tiere, denen das Schicksal, in die Sammlung aufgenommen zu werden, zuteil wurde. Indem sie diese Camera di morte passierten, gewannen sie Nachruhm und sogar relative Unsterblichkeit, von der absoluten, die ihnen als character indelebilis zukommt, ganz abgesehen. Vermutlich wußten sie das ebenso wenig zu schätzen wie unsereiner, wenn er unter ähnlichen Umständen die Individualität verlieren soll.

Das Teesieb diente zu einer weiteren Zerstreuung, nämlich als Fischnetz für Lebewesen, die das Wasser des Stagnos bevölkerten. Sie gehörten den beiden mächtigen Familien der Dytisciden und der Hydrophiliden an, zwar nicht in deren riesigen Vertretern, sondern in winzigen Arten — doch das ist nur für die Uneingeweihten ein Unterschied. Die Dytisciden sind die bereits erwähnten, den Läufern verwandten Geschöpfe, die ins Wasser zurückgewandert sind, während die Hydrophiliden den Scarabäen nahestehen. Auch in diesen beiden Stämmen zeichnen sich unverkennbar Fleisch- und Pflanzenfresser voneinander ab.

Das Brackwasser verspricht wie alle Grenzgebiete besondere Funde, nicht nur für den Entomologen, sondern auch für den Ornithologen und andere Liebhaber. Nun gar der Brackwassertümpel eines Inselchens, das vor den Rändern Europas liegt! Da potenziert die Überraschung sich. Dazu kam, daß ich mir von einem vorzüglichen Kenner gerade dieser Fauna seit Jahren Rat holte. Er würde sich mitfreuen.

So verfloß die Stunde im Traum. Ihr Zauber lag in der pulsierenden Bewegung zwischen zwei Extremen: dem reinen

Genuß des Lichtes und der Elemente und dazwischen immer wieder dem Zugriff auf bewegte Punkte und ihre Ordnung in ein System, das scharfsinnige Beobachter in drei Jahrhunderten konstruiert haben. Nicht zufällig hatten sie sich gerade diesem Zweig der Schöpfung zugewandt. Hier mußte ein besonderes Modell gelungen sein, da es in so zahllosen Varianten wiederholt wurde. Gewisse Feinheiten vermochte ich erst nach Jahrzehnten zu erkennen — das war nicht verschwendete, es war wohlverwendete Zeit.

Drüben auf Sant' Antioco begann Calasetta in der Sonne zu flimmern; sie und der Hunger mahnten zum Mittagsbad. Ich watete lange, bis das Wasser die Brust erreichte, dann färbte es sich dunkel und wurde erfrischend; jäh fiel der Grund in die Fahrrinne ab.

Nun kam der Rückweg an der Friedhofsmauer, den heißen Salzgärten, der astronomischen Warte und dem Hafenbecken entlang bis zum Albergo, dessen Tür zum Meer hin geöffnet war. Zitronen, Parmesan und Vino nero standen schon bereit. Beim Gang durch die Lagunen hatte mich der Gedanke beschäftigt, ob ich eine Karaffe leeren sollte oder deren zwei. Schließlich wars Medizin; Rotwein, Zitrone und Knoblauch sind erprobte Mittel gegen jede Infektion. Beim letzten Bade hatte ich draußen Meerwasser getrunken; auch das ist eines der ältesten und besten Heilmittel.

Wochentags war es im Albergo friedlich; an den kleinen Tischen saßen zwei oder drei der Astronomen von der Warte, die Lehrerin, ein durchreisender Gast und, wenn serviert war, Signor Pietro mit seiner Familie. An den Sonntagen waren die Tische zur langen Tafel zusammengestellt. Mit den kleinen Küstenschiffen kamen Schulen oder Vereine aus Cagliari, und Pietro hielt Massen von Langusten, Fischen und Muscheln bereit. Alles war denkbar frisch; die Fischer kamen barfuß mit ihren Körben am Frühstückstisch vorbei.

Die Jahre, in denen Pietro dem Albergo vorstand, waren besonders angenehm. Er wechselte mit seinem Bruder Francesco ab. Umschichtig führten sie die Bar oder das Albergo; in beiden gab es viel Arbeit und wenig Schlaf, doch gute und wachsende Einnahmen.

Francesco war ein Stier und besser als Regent der Bar geeignet; dort mußten große Mengen von Eis, Süßigkeiten, warmen und kalten Getränken an einen stets wechselnden Strom von Gästen verteilt werden. Dazu die Bedienung auf dem Platz. Wenn Francesco die Wirtschaft führte, erkundigte er sich in jovialer Haltung nach meinen Wünschen, die er mit mächtiger Stimme zur Küche rief. Man war da gut bedient, denn er verstand sich auch auf die Kochkunst, doch fand man nicht das Behagen, das Pietro verbreitete. Der war ein Fuchs, kam leise und mit den Augen zwinkernd, als ob er angenehme Dinge zu berichten hätte und Mitwisser geheimer Wünsche sei.

Francesco hatte etwas vom Großen Ajax, Pietro dagegen von Odysseus, auch eine Stimme, wie man sie gern an Wirten und Köchen hört, mit Wendungen von mittelmeerischer Vokalität. Sie kehrten auf angenehme Weise wieder wie das melodische »occhi«, »heute«, das eine besondere Platte oder einen über Nacht geglückten Fischfang ankündigte. Manche Fische, wie die Sardinen, kamen mit bestimmten Winden, andere stiegen nur bei Mondwechsel aus der Tiefe empor; das mußte man wahrnehmen. Im Frühling gab es Thun, und zwar den roten; der weiße, der mit der Angel gefangen wurde, erschien ebenso selten wie der Schwertfisch auf dem Tisch.

Wenn wir uns geeinigt hatten, kam Pietros »e poi, e poi?«, »und dann, und dann?« bis zu den Früchten und dem Espresso am Schluß. Die Früchte waren im September am besten; von Trauben, Feigen und Melonen kamen mehrere Sorten aus den überall auf der Insel verstreuten Landgärten, und eben daher auch das Gemüse, schwere, violette Auberginen, Zucchini, die noch die gelbe Blüte trugen, tropfenförmige Tomaten, aus denen Pietro auch vorzügliche Saucen zu bereiten wußte, wenn er sie nicht als contorno mit Essig und Öl servierte, und endlich der Römische Salat. An Käsesorten führte er den milden dolce sardo oder den schärferen Parmigiano, der in körnigen Brocken aus einem Riesenlaib wie aus einem Mühlstein herausgebrochen wurde und den die zweite Karaffe begleitete.

So ließe sich lange fortfahren; ich will mich jedoch darauf beschränken, noch die beiden Kabinettstücke zu nennen, die das Eiland zu bieten hat: erstens das Felsenhuhn, das man, ähnlich wie die Bekassine als Doppelschnepfe, als Doppelrebhuhn bezeichnen könnte, sowohl was die Färbung als auch was das Gewicht und den Geschmack betrifft. Es bewohnt die Macchia; ich sah es während der Cicindelenjagd oft vor mir herlaufen und dann niedrigen Fluges abschwirren. Mit Hilfe eines guten Hundes ist es leicht zu erlegen; die Jäger kehrten mit Gürteln zurück, die schwer mit Felsenhühnern und Wildkaninchen bestückt waren.

Dann die Langusten; ihretwegen ist San Pietro nicht minder als Helgoland wegen seiner Hummer berühmt. Beide Inseln haben dieselben roten Klippen — allerdings sind die

Helgoländer aus Sandstein und die des südlichen Eilandes aus Trachyt. Die Formation setzt sich unter dem Meeresspiegel fort; sie ist reich an Rissen und Spalten und damit an Schlupfwinkeln für die großen Krebse und ihre Brut. Überall vor den Häusern sieht man die Fangreusen aufgehängt, und im Hafen schwimmen durchlochte Käfige, in denen man die »Aragoste« zu Tausenden für den Versand nach den Gaststätten der Riviera munter erhält. Dort erst sollen sie sich in die »Kardinäle des Meeres« verwandeln, wie sie ein Autor nannte, der ihnen offenbar nur nach ihrer Auferstehung aus dem Kochtopf begegnet war.

Mit Pietro ließ sich über diese Dinge reden und auch noch über viele andere, wie über die harten Jahre, die er als Tagelöhner verbracht hatte. Er besaß mehr Phantasie als Francesco, der als Koch nicht weniger leistete. Doch spendet auch hier die Phantasie neun Zehntel des Genusses, denn sie gibt mehr als reine Gegenwart. Wie bald sind wir gesättigt, und wie lange denken wir an solche Stunden zurück, an den Umgang mit einfachen Menschen, an die Bewirtung mit Dingen, die aus ihrem Boden hervorwuchsen. Lieber bei Vergil als bei Lucull zu Gaste und lieber bei Pietro als bei Escoffier.

RÜCKBLICK

Ich beendete das vorige Kapitel am 26. Juni 1965 bei hohem Sonnenstand und guter Laune an Bord eines Schiffes auf der Fahrt von Gibraltar nach Genua. Wenn ich vom Manuskript aufblickte, sah ich durch das Kabinenfenster die Felsküste von Mallorca vorübergleiten, vom abgesprengten

Inselchen Dragonera bis zum Kap Formentor. Kurz davor erkannte ich, ohne das Glas zu benutzen, die in den Stein gehauene Straße, die auf der anderen Seite nach Puerto Pollensa hinunterführt.

Es sind nun fünfunddreißig Jahre, also genau die Hälfte meines bisherigen Lebens, vergangen, seitdem ich mit Perpetua und Ernstel hier einige seiner schönsten Wochen verbracht habe. Als ob die klare Luft nicht nur den räumlichen Abstand schwinden ließe, rückten jene Tage ganz nah heran. Nun kam auch die Bank hart über dem Wasser, auf der ich Ernstel das Fischen lehrte; halb hatte er nicht glauben wollen, daß ich die Kunst verstünde, und halb vertraute er mir. Das Glück war mir günstig; kaum war der Köder im Wasser, als ich schon einen Lippfisch ans Licht beförderte, ein malachitgrünes, mit roten Punkten geziertes Tier. So ging es weiter, doch blieb es bei dieser Sorte, die sich an den Riffen wohl fühlt; bald hatten wir unseren Korb gefüllt. Der Koch, dem wir ihn brachten, verschmähte unsere Beute, bezeichnete sie sogar als giftig; wir mußten sie fortwerfen. Doch der Fang war geglückt.

Indem ich diese Zeilen überfliege, frage ich mich, ob ich schreiben durfte, daß die Küste, und nicht das Schiff, »vorüberglitt«. Ich denke, ja, denn es gilt, geistig einen Fixpunkt zu gewinnen, an dem wir ruhen, während die Erscheinung defiliert. Das ist nicht möglich ohne unser Zutun — ganz ähnlich wie in einem Bahnhof, in dem wir zu fahren wähnen, wenn sich der Zug auf einem Nebengleis bewegt. Dort müssen wir vom fremden Bewegtsein abstrahieren, wie hier vom eigenen.

Auch Rekapitulationen haben ihren Reiz. Aber dringender

als die Erinnerung daran, wie die Tage verbracht wurden, ist die Frage, was damit über den bloßen Zeitvertreib hinaus gefördert wurde, ist die Rechenschaft über scheinbar verlorene oder gar vergeudete Zeit. Dabei ist zu bedenken, daß die Neigung und, ich darf wohl sagen: die Liebe zur Natura naturata nur eine unter anderen darstellt, die auch ihre Zeit und ihren Spielraum forderten. Da sind etwa die Bücher, und um dieses Pensum zu bewältigen, mußten nicht nur die Nächte zu Hilfe genommen werden, sondern auch die Reisen, die Schul- und Dienststunden, die Feldzüge. Es gibt nichts Rücksichtsloseres als einen enragierten Leser — der unterbricht zu diesem Passe-temps sogar die Schäferstunde, wie mein Freund Léautaud.

Wie soll man das unter einen Hut bringen? Wie nicht auf der Strecke bleiben, sondern doch noch zum Ziel kommen? Von der Ansicht meiner Lehrer, daß ich es am nötigen Fleiß, und von der meiner Vorgesetzten, daß ich es am nötigen Diensteifer fehlen ließe, war ich lange selbst überzeugt. Post festum urteile ich darüber nachsichtiger. Der Arbeit bin ich in keinem Alter ausgewichen, nur das Placet behielt ich mir vor. Allerdings habe ich das Pferd meist von hinten aufgezäumt, wie ich auch hier die Einleitung mitten im Buch anfange. Aber wenn es zum Reiten kam, war ich dabei.

Einmal, um ein Beispiel zu nennen, ich glaube in Quarta, bekam ich das schlechteste Zeugnis, das wohl je im Lyzeum II zu Hannover erteilt worden ist. Fünfen durchaus, einschließlich des Betragens und selbstverständlich des Fleißes — nur in meinem wirklich erbärmlichsten Fache, dem Singen, eine Vier, vermutlich dank einem acte de pitié des Gesanglehrers.

115

»Versetzung vollkommen ausgeschlossen« stand unter diesem Dokument.

»Ne sait ni lire, ni écrire« — dieses Urteil findet sich in meinem Soldbuch aus der Fremdenlegion. Wahrscheinlich entsprach das dem Eindruck der vollkommenen geistigen Abwesenheit, den ich auch dort gemacht haben muß. Dabei las ich selbst damals nicht wenig, ja während der zehn Tage, die ich im Loch saß, konstruierte ich mir eine Lampe dazu, wie ich es aus Casanovas Memoiren gelernt hatte. Auch machte ich in jenen Wochen die Entdeckung, daß man Buprestiden in heißen und trockenen Ländern unter Steinen findet, und zwar an Hand einer Sphenoptera, von der sich ein Belegstück noch in meiner Kollektion erhalten hat.

Mit dem Zeugnis hatte es seine eigene Bewandtnis, auch abgesehen davon, daß ich dem Ordinarius, einem vortrefflichen Humanisten, aber schlechten Pädagogen, nicht nur meiner Leistungen wegen, sondern a priori unsympathisch war, wobei Hannoversche Interna mitspielten. Das hätte ich wettmachen können, aber ein Zwölfjähriger, der bis drei Uhr morgens in Hackländers Romanen, oder ein Sechzehnjähriger, der bis um dieselbe Stunde im Byron liest, entbehrt vormittags der nötigen Frische, vor allem wenn er am Stoff noch weiterspinnt. Er lebt in einer anderen Welt.

Dieser Hackländer, ein guter, aber schon damals antiquierter Erzähler, hatte ein vertracktes, von Dickens übernommenes System, indem er die Handlung in zwei, drei Stränge verflocht und dazu noch in Kapitel verschachtelte. Ein Roman wie »Eugen Stillfried« glich einem Hause, in dem bald in der Mansarde, bald in der Beletage, dann wieder im Keller etwas vor sich ging, aber leider nur stückweise.

Wenn die Spannung den höchsten Grad erreicht hatte, schloß das Kapitel auf wohlberechnete Weise, und ich mußte ein weiteres zugeben.

Die Spannung lag darin, daß die Welt einfacher und übersichtlicher wurde, indem Ereignisse, die ich bis dahin für zufällig gehalten hatte wie etwa die Tatsache, daß die Eltern eine Gesellschaft gaben, eine Norm bekamen, sich in einen Rahmen einfügten. Das war überraschend und veränderte unmerklich, doch auf die angenehmste Weise den Standort, von dem aus ich die Vorgänge beurteilte. Ich nahm das mit Passion auf, und in dieser Hinsicht erfüllte Hackländer an mir gründlich eine der dem Romancier obliegenden Aufgaben. Ich lernte bei ihm mehr als das Episodische und viel mehr als in den Schulstunden.

Schwierig war die Beleuchtungsfrage, denn wir hatten in der Boedeckerstraße noch kein elektrisches Licht. Ich mußte also warten, bis die Eltern zur Ruhe gegangen waren, bevor ich mich in das Wohnzimmer schlich und dort den Kronleuchter anzündete. Sie müssen damals sehr solide gelebt haben, denn es war ein Wunder, daß diese Ausflüge nie bemerkt wurden. Im Wohnzimmer stand der Hackländer, elegant gebunden, auch war da ein Sofa und ein Service mit einer Arrak- und einer Rumflasche. Das Fest konnte beginnen; wenn ich müde wurde, frischte ich mich durch eine Stärkung auf. Der Rum war zu herb; ich milderte ihn, indem ich einen Schuß auf einen mit Zucker gefüllten Eßlöffel goß. Ein Gefühl, daß das Lesen eine Untat, ein Raub an der Gesellschaft ist, bin ich seitdem nie wieder ganz losgeworden, obwohl es die Passion nicht beeinträchtigte. Ich las auch im Dobschützwald, 1917, während der Pausen, die die Englän-

117

der beim Angriff einlegten. Allerdings hatte ich Posten aufgestellt.

In Braunschweig hatte ich die Chance, daß eine Straßenlaterne dicht vor meinem Fenster stand. Beim Byron war schon elektrisches Licht im Schlafzimmer. Meine Leidenschaft für Inseln wurde durch ihn zum mindesten angeregt, und zwar durch die phantastische Stelle im »Don Juan«, wo der Held an einem felsigen Eiland scheitert und die Tochter des Leuchtturmwärters verführt. Sie steht, glaube ich, im Zweiten Gesang. Da gab es nur im Ariost Vergleichbares.

Daß ich dabei überhaupt den Anschluß, wenn auch nicht halten, so doch wiederfinden konnte, erscheint mir im Rückblick wunderlich. Es gibt da verschiedene Möglichkeiten wie etwa die, daß man sich mit den anderen, die das Pferd von vorn aufzäumten, beim Sattel trifft. Auch könnte hin und wieder ein genereller Vorsprung im Speziellen sichtbar werden: man hat am Hauptschlüssel gefeilt. Dann darf man auch die Gönner nicht vergessen, den Typ, der »einen Narren an einem frißt«.

Jedenfalls gab es Reprisen, durch die ich plötzlich aufholte. Dann fügten die verlorenen Maschen sich glücklich wieder an, und zwar durch eine Wendung, die sich zu oft wiederholte, als daß ich sie dem Zufall zuschreiben möchte, denn Muster bildet der Zufall nicht.

Ein Beispiel für viele steht mir vor Augen aus der Zeit in Braunschweig, wohin ich nach meinem hannöverschen Schiffbruch auf eine Presse geschickt wurde. Auch da bestellte ich wenig, hatte schlechten Umgang, erste Aufklärer, dazu noch schlechtere Lektüre, Detektivgeschichten in Serien, das Heft zu zwanzig Pfennig, vor allem Nick Carter und Sherlock Holmes. Der Amerikaner behagte mir wenig; der Kerl kam mir viereckig vor. Desto besser gefiel mir der asketische Held von Baker Street. Die Schmöker waren streng verboten; wir tauschten sie in der Schule aus. Zu Haus versteckte ich sie im Kamin. Daneben las ich Zschokke, dessen Novellen mir während einer Krankheit auf legale Art in die Hände fielen, und ein wenig Platen; seine »Verhängnisvolle Gabel«, eine Parodie auf die Schicksalstragödie, verschlang ich, ohne daß mir die Ironie bewußt wurde. Zum Glück wurde die Laterne gegen elf Uhr gelöscht. Sie brannte vor einem Hause am Amalienplatz, das wahrscheinlich inzwischen auch in die Luft gegangen ist. Ich las dort im Stehen, während ich das Buch aus dem Fenster hielt.

Wie kam es nun, daß ich über Nacht bei den Lehrern enfant gâté wurde? Sie gingen um mich herum, als wären sie nicht in einer Braunschweiger Presse, sondern in einem Philanthropin des ausgehenden 18. Jahrhunderts angestellt. Wenn ich eine Antwort schuldig blieb, hörte ich vom Ordinarius: »Merkwürdig, daß hier auch meine Besten versagen« und ähnliches. Tatsächlich sprang daraufhin, gewissermaßen als Nebenprodukt, ein gutes Zeugnis heraus. Ich nahm das hin wie besseres Wetter, dachte nicht weiter darüber nach.

Viel später, eigentlich erst in diesen Jahren, kombinierte ich folgendes: Ich hatte damals eine große Kladde, in die ich die einzelnen Hefte zwischen zwei Pappdeckeln bündelte. Das war insofern praktisch, als man dann keins vergaß. In eines dieser Hefte trug ich eigene Notizen und rohe Skizzen ein, darunter die eines Kampfes zwischen Flugzeugen, die es damals noch nicht gab. Allerdings kommt bereits in »Tausendundeiner Nacht«, ich glaube, in den Geschichten der Zehn

Einäugigen, die ziemlich genaue Beschreibung eines solchen Apparates vor. Ich stellte die Maschinen durch einen waagerechten, die Piloten durch einen schrägen Strich dar und spielte auch selbst Schicksal, indem ich mit dem Lineal Geschoßbahnen als perforierte Linien durch das Getümmel zog. Unter den Notizen war die Geschichte einer Kaffeekanne, die eine Reihe von Familien durchlief und allmählich herunterkam, bis sie auf einem Schuttplatz endete. Vor allem enthielt das Heft eine kurze Charakteristik sowohl meiner Mitschüler als auch der Lehrer; der Tenor war wohlwollend.

Ich vermute nun stark, daß diese Kladde bei irgendeiner Gelegenheit einem meiner Pädagogen in die Hände fiel und ihm zu denken gab. Hätte ich das mit machiavellistischer Absicht ins Werk gesetzt, so könnte kein Schachzug besser gewesen sein. Nichts hätte mir ferner gelegen als gerade das.

Die Nacht war mein Reich; am Morgen erwachte ich mit ängstlichem Unbehagen — der Tag schien mir lang wie eine Treibjagd, bei der man die Rolle des Hasen spielt und sich möglichst gut verstecken muß. Würde ich aufgerufen, so würde meine völlige Unfähigkeit zum allgemeinen Ergötzen entdeckt werden. Vielleicht konnte man überhaupt den Faden verlieren, durch den man mit all dem so dürftig zusammenhing. Gehörte ich denn noch dazu? Und wie kam ich hier herein?

Ich wohnte allein im zweiten Stock des Hauses, der von meinem Pensionsvater, einem Lehrer mit Rübezahlbart, den wir mit »Onkel« anreden mußten, für seine Zöglinge vorgesehen war. Das Geschäft ging damals nicht besonders; später teilte der Bolzenkopf, Sohn eines Bürgermeisters, das riesige Schlafzimmer mit mir. Ein guter Junge, der phantastische Geschichten wußte oder auch frei erfinden konnte; wir plauderten oft halbe Nächte lang. Den Spitznamen verdankte er dem Umstand, daß er einen Wasserkopf hatte; er vertrat neben den Faulen die zweite Kategorie, von der die Presse lebte, die der Beschränkten, und war für die Pädagogen, die weder Mühe noch Hiebe an ihm sparten, ein hoffnungsloser Fall.

Später wurde die Pension von einer dritten, älteren Kategorie bevölkert, den Unverschämten, die anderswo hinausgeflogen waren und die zwar das Geschäft belebten, aber auch in Gefahr brachten, verwegenen Geistern, denen nichts heilig war. Sie machten nachts unter einer Decke Schleichpatrouillen in Onkels und Tantes Schlafzimmer und brachten von dort haarsträubende Geschichten mit. Sie kannten alle zweideutigen Stellen der Bibel und hatten auch für die anderen ihre besondere Textkritik. So verdanke ich ihnen die Auslegung, daß Moses und Aaron, als sie hinter den Berg gingen, sich dort das Goldene Kalb teilten. Außerdem kamen hochintelligente Jungen aus Rußland, erste Emigranten der beginnenden Völkerwanderung. Sie wollten hier in zwei, drei Jahren ein großes Pensum nachholen. Alles in allem ein mixtum compositum, ein Gärboden für frühreife Schößlinge.

Das war gegen Ende der Braunschweiger Zeit, kurz bevor die Eltern, wohl zum Glück für mich, aufs Land zogen. Als ich das riesige Schlafzimmer noch allein bewohnte, in das ich hinaufstieg, nachdem ich Onkel und Tante Gute Nacht gewünscht hatte, und in dem ich dann am Fenster die Schmöker las, hing über meinem Bett ein großes Bild, eine Alpenlandschaft mit viel Detail. Schneeberge und Gletscher im Hinter-

grund, Vorland mit Bäumen, ein Teich, Häuser mit stein-
beschwerten Dächern, eine Wassermühle, Viehherden und
anderes mehr. Wenn ich am Morgen bänglich mit der Aussicht auf einen nicht zu bewältigenden Tag erwacht war,
nahm ich einen Bleistift aus meinem Federkasten und setzte
einen winzigen Punkt in dieses Labyrinth, etwa auf eine der
Speichen des Mühlrades. Der Gedanke dabei war: »Wenn
ich den am Abend wiederfinde – dann ist es geglückt.«

Was sollte denn nun geglückt sein dabei? War es der
wiedergewonnene Anschluß an das Alleinsein, an die ver-
botene Lektüre, an die tröstliche, köstliche Nacht? War
dieser Punkt, an den ich tagsüber voll Heimweh dachte, ein
Fixstern der bedrohten Identität? Fühlte ich, daß sie einen
anderen aus mir machen wollten und daß hier einer gegen
alle stand? Jedenfalls blieb das Bewußtsein, daß ich mit dem
Ganzen nichts oder wenig zu tun hatte. Vielleicht sollte ich
hier besser geschrieben haben: »Mit dem allem«, denn das
Ganze war eben nicht vorhanden oder nur prisenweis wie
das Salz im Gericht. Das ist übrigens einer der Gründe, aus
denen die Institutionen stets auf der Suche nach dem Origi-
nalen sind, um es, selbst unter Mißbehagen, zu konsumieren,
besonders wo es in persona erscheint. In memoriam Wein-
heber.

In Braunschweig war ich nicht lange, gerade lange genug,
um mit einem ungewöhnlich guten Zeugnis versetzt zu werden, aber länger als Stendhal, der dort eine seiner kristallo-
graphischen Figuren absolvierte, die er in »De l'Amour«
beschrieben hat. Die Eltern zogen also aufs Land, und wir
wurden nach Wunstorf zur Schule geschickt. Als er mit mir
dort wieder Pech hatte, bedauerte der Vater, mich zurückge-

holt zu haben, denn er meinte, in Braunschweig sei ich vor der rechten Schmiede gewesen; ich hätte dort besonders tüchtige Pädagogen gehabt.

Die neuen Lehrer waren aber auch nicht schlechter als die Braunschweiger und mir sympathischer. Die Schüler, Bauernjungen aus der Umgebung und Söhne kleinstädtischer Honoratioren, machten kaum Schwierigkeiten und ließen sich mit lässiger Hand führen. Der Direktor war mir gewogen; was ich bei ihm im Latein versiebte, holte ich in den Aufsätzen ein. Er ließ die Lateinstunde auch meist ausfallen; sie kollidierte mit dem Frühschoppen. Als kleine Gedichte von mir im »Wandervogel« gedruckt wurden, erhöhte sich seine Aufmerksamkeit, und auch sein Wohlwollen.

Ähnlich war es beim neuen Ordinarius; bei ihm stand ich mit der Mathematik in der Kreide, dagegen mit den Naturwissenschaften, vor allem mit den beschreibenden, auf der Plusseite. In seinen Geometriestunden erreichte meine Indolenz oder, wie man heute sagen würde, mein Nonkonformismus den Höhepunkt, mit Ausnahme der Passagen, an denen der Vortrag sich in Abschweifungen verlor. Sie waren häufig, denn der Ordinarius hatte auch philosophische Neigungen. Er hatte sich mit der Idealität der Zeit beschäftigt, an der er tüftelte. Da war es günstig, daß ich zu Hause über den Schopenhauer geraten war, der in einer dreibändigen Ausgabe in der Bibliothek meines Vaters stand. Der hatte ihn, als er »Schiller, Goethe und Heine« erwarb, aus Versehen mitgekauft und auch einmal hineingeschaut. Als Positivist bis auf die Knochen hielt er das, was er da gelesen hatte, für abstruses Zeug. Einmal, als wir im Garten frühstückten, kam er darauf zu sprechen:

»Der Kerl scheint ja zu glauben, daß alles, was wir hier sehen, gar nicht existiert.«

»Dann sollte er mal mit dem Kopf hier an die Eiche rennen, damit er wieder vernünftig wird.«

Das war der Kommentar, den die Mutter dazu gab. Ich war anderer Meinung, aber hielt in solchen Fällen lieber den Mund.

Wenn der Ordinarius einen schweren Kopf hatte, was häufig vorkam, wirkte er schemenhaft. Er war schwach auf der Lunge und hüstelte. Die Experimente mit dem Fuchsschwanz und dem Kautschukstab mißglückten; es war wieder einmal »zu feucht«. Die Mitschüler lachten; für solche Finessen hatten sie Sinn.

Einmal kam er besonders bleich in die erste Stunde, »vertütterte sich« in den Formeln so hoffnungslos, wie ich es später nur noch einmal beim seligen Driesch in der Logikvorlesung erlebt habe. Da muß man abbrechen. Er sah uns an wie seine ihm vom Schicksal bestellten Peiniger, dann wurde er wieder munter und begann ein Gedicht von Lenau zu zitieren —: »Drei Zigeuner fand ich einmal . . .«

> Dreifach haben sie mir gezeigt,
> Wenn das Leben uns nachtet,
> Wie mans verraucht, verschläft, vergeigt
> Und es dreimal verachtet.

»Ob wohl einer unter Euch ist, der das mal von sich sagen kann?«

Ein Raunen folgte; das hatten sie wieder erfaßt. Offenbar hatte er nicht nur gefühlt, daß mir der Auftritt peinlich

124

gewesen war — ich konnte da nicht mitlachen — sondern auch eine genuine Verwandtschaft erkannt: die Prädestiniertheit zur verkrachten Existenz. Er konnte sich auch nicht lange halten; später traf man ihn in Bahnhofswirtschaften, noch stärker hustend, heruntergekommen, die ehemaligen Schüler mußten »einen ausgeben«.

Wozu die Erinnerungen an längst vom Feuer verzehrte Schulklassen, Erinnerungen, die meist wenig heiter sind? Aber man lernt in jeder und kommt nicht zu Ende, denn in einer seiner Perspektiven ist der Kosmos pädagogisch geordnet: wir durchlaufen bis zum Abschluß eine Reihe von Prüfungen.

Auch zur verkrachten Existenz gehört Zustimmung. Stand »Exzesse« über dem Klassenzimmer, so wurde es dort bald ebenso trist wie in den anderen. In dieser Hinsicht hatte der Ordinarius nicht scharf genug prognostiziert. Was am Exzeß zu lernen ist, und das ist nicht wenig, soll man wahrnehmen. Aber es ist ein Unterschied, ob man reitet oder ob man geritten wird. Auf den abseitigen Inseln wartet der Alte vom Meer, um uns zu besteigen und zu reiten wie Sindbad den Seefahrer. Das gilt für die Drogen und vieles andere; im weiteren Sinn für die Gewöhnung überhaupt. »Ne jamais profiter d'élan acquis«, damit hat Gide etwas Gutes gesagt. Die Klassiker haben es vor ihm gewußt: »Werd ich zum Augenblicke sagen . . .«

Zeit haben ist wichtiger als Raum haben. Raum, Macht und Geld sind Fesseln, soweit sie nicht Zeit geben. Die Freiheit ruht in der Zeit; hier hat der Einzelne gewaltige Macht— er kann sie sogar aufheben. Der Kampf, den er mit der Gesellschaft um Souveränität führt, geht daher im Kern um die Verfügung über die Zeit und ist reich an Tragödien, Opfern, Unterwerfungen, Triumphen, Kriegslisten. Mit jeder neuen Uhr wächst die Umstellung, wird das heile Entkommen schwieriger. Doch wird es nie aussichtslos. Für alle wirklich großen Fragen gibt es keine Lösung, nur Lösungen.

Letzten Endes hat sich der Einzelne Rechenschaft zu geben, wie er die Zeit verwendete. Sie ist sein Eigentum.

Einige Male wurde die Divergenz zwischen dem, was gefordert wurde, und dem, was ich zu bieten hatte, so absolut wie damals, als »Versetzung vollkommen ausgeschlossen« war. Daß die Floskel mich beunruhigte und mir bis weit über die Schulzeit nachging, lag nicht daran, daß sie der Feder eines hypochondrischen Oberlehrers entflossen war. In solchen Typen verbergen sich die Figuren der Tempelwächter, die man vor den Pagoden sieht. Entweder bleibt man draußen oder man geht durch sie hindurch. Sie sind oft wichtiger als die Guten für unseren Weg. Die Art, in der wir sie überwinden, erlaubt prognostische Aussagen.

Stark mit Nebendingen muß ich als Korporal im Herbst 1915 beschäftigt gewesen sein. Vor mir liegt ein Büchlein »Fauna Douchyensis«, das sich aus jenen Tagen erhalten hat. Es zählt die Tiere auf, die in die Lauf- und Schützengräben fielen und die ich während der Wachen und Ablösungen beobachtete. Die Leistung des Verzeichnisses liegt darin, daß mir die Literatur fehlte und daß es im wesentlichen durch Kombinationen zu bestreiten war. Es war ein Tagebuch unter anderen. In dieser Hinsicht kannte ich keine Müdigkeit.

An Büchern war sonst kein Mangel; wir bekamen sie mit der Feldpost und tauschten sie untereinander aus. Immer noch sind mir Gespräche mit den jungen, zum Teil schon außerordentlich belesenen Freiwilligen und ihre Urteile in Erinnerung, nächtliche Unterhaltungen während der Wachen mit den Steinforths, den Lemières, mit Hambrock und Clement, mit den Malern Tebbe und Gipkens — sie alle fielen bis auf Weniger, der als Artillerist in den Graben kam und erst vor kurzem als Professor in Göttingen starb.

Damals war Leritzky hinter mir her; ich konnte ihm nichts recht machen. Anlaß zur Kritik bot ich ihm freilich genug. Ein Anpfiff, den er mir, als ich wieder einmal zu spät kam, vor der Bataillonsfront verpaßte, war so gewaltig, daß sich die Letzten der »Löwen von Perthes« noch heute daran erinnern, obwohl inzwischen mehr als fünfzig Jahre darüber hingegangen sind. Leritzky gehörte zu den Preußen, die aus dem Osten kamen; er verkörperte den untersetzten, kurzhalsigen, sanguinisch - geschäftigen Typ. Während die Theoretiker, wie Moltke, mehr aus dem Norden stammten, waren diese Transelbier von unheimlicher Energie erfüllte Praktiker. Ein Musterbeispiel war Marwitz, genannt »der Selbstkocher«, weil er sich während seiner Kritiken in immer höhere Erregung steigerte, ein faszinierendes Schauspiel für die Unbeteiligten.

Ich erwähne das weniger im Zusammenhang mit den Nebendingen, derentwegen ich wieder einmal als Niete entlarvt wurde, als des episodischen Charakters wegen, der solchen Zusammenstößen innewohnt. Wir lebten in Douchy noch halb im Frieden; der Ort war uns über ein Jahr lang Garnison. Ich konnte dort die subtile Jagd fortsetzen und Leritzky seinen Exerzierwahn befriedigen. Die Somme und Flandern standen erst bevor.

Bei Guillemont begegnete ich meinem Plagegeist wieder; er sauste, von zwei Meldern begleitet, durch die höllische Nacht. Als ich ihm meldete, sah ich im Schein der Explosionen seine weit aufgerissenen Augen, sein krebsrotes, schlagflüssiges Gesicht. Alle rannten ums Leben; auch er, der zur Generation der Väter gehörte — es war kein Ort mehr für ihn. Bei Saint-Privat konnte man das als Stabsoffizier noch zu Pferd abmachen.

Wiederum einige Jahre später traf ich ihn nachts am Kurfürstendamm. Ich arbeitete damals in der Vorschriftenkommission, er war inzwischen Witwer geworden, war pensioniert und hatte wieder geheiratet. Seine junge Frau wollte den Abend ausdehnen; sie wurde im gleichen Maße munterer, in dem er müde wurde, aber er machte gute Miene dazu. Wie man sich zusammennimmt — das hatte man bei den Preußen gelernt. Ich sah ihn also unter verschiedenen Perspektiven; das ist das Übliche bei jedem länger währenden Umgang unter Menschen und ist wohl auch notwendig, damit sich ein die Mühlen treibendes Gefälle entwickeln kann. Wie das weiße Licht durch ein Prisma zerlegt wird, so die Person durch den funktionalen Zusammenhang, durch die jeweilige Aufgabe.

Letzthin führt das Sinnen über die Art, in der wir die Zeit bestellten, auf Holzwege. Es ist ein Alterszeichen und beschäftigt uns um so mehr, je weiter wir uns von der Lebensmitte, dem »mezzo del cammin di nostra vita«, entfernt haben. Das Feld ist zu weit; es wird auf der Linken durch Stirners »Einzigen«, auf der Rechten durch den kategorischen Imperativ begrenzt. Je entschiedener man sich auf eine Position festlegt, desto weniger wird sie zu halten sein.

Hier muß viel Instinkt walten, und so ist es in der Tat. Zu bedenken ist ferner, daß wir uns auf einer gleitenden Skala bewegen, in der über Nacht die Haupt- zur Nebensache, das Wichtige unwichtig werden kann und umgekehrt. Jede Ordnung bleibt nur ein leeres Gerüst, wenn wir sie nicht ausfüllen.

SAMMLER UND SYSTEMATIKER

Die liebevolle Beschäftigung mit den Insekten ist kaum mehr als zweihundert Jahre alt. Zuvor waren diese Tiere auch für den, den sie ansprachen, nicht als Kategorie, nicht in der Ordnung, sondern nur als Individuen zugänglich. Nie hat es zudem an Leuten gefehlt, die sie als Erfindung des Teufels oder als belebte Maschinen betrachteten, als überflüssig, lästig, schädlich, als störende Zugabe. Vielfach kommt eine unüberwindliche Allergie dazu; in der Verwendung der Konsonantengruppen »kr« und »br« verrät sich die Abneigung.

Im Barock erwacht ein besonderer Sinn für die geprägte, entwickelte Form. Was vorher an Linien gezogen wurde, wird nun zum Netz, in dem die Fülle, oft auch die Überfülle, eingefangen wird. Damit gewinnen sowohl die Person als auch der Gegenstand andere Umrisse, neue Typen setzen sich voneinander ab.

Auch die Natur beginnt auf eine neue Art zu sprechen; sie gewinnt große und autonome Kraft. Nicht nur die Formen werden neu gesehen, sondern mit und in ihnen das Wunder, zu dessen Kennzeichen die unbegrenzte Vervielfältigung gehört. Das ist wie ein Zauberstab für unerhörte Verwandlungen. Eines Tages entzückt ein goldener Fisch von Spannenlänge das Auge, und eine neue Kapelle ist gestiftet; dem folgt jahrhundertelanger und über Gebühr belohnter Dienst.

Der Typus des Sammlers beginnt sich zu wandeln; die Einzelformen und auch die Kuriositäten befriedigen ihn nicht mehr. Die Vorliebe richtet sich auf Dinge, die variieren, obwohl sie die Form halten, auf Schneckenhäuser, Muscheln, Tulpen; Reisende werden deswegen bis nach Konstantinopel, Persien, Amboina und Surinam entsandt. Das ist die große Zeit der Stilleben, der Kabinette, die sich von denen der Medici unterscheiden, der Nürnberger und Augsburger Kupferstecher und Koloristen, der Rösel von Rosenhof und Sibylle Merian, der Miniatur- und Porzellanmaler. Swammerdam und andere beginnen in Holland seltsame Dinge zu sehen. In solchem Klima dürfen auch die Ideen variieren — in dieser Hinsicht bildet Holland zu Genf das Gegenstück, auch als Refugium und Stätte subtiler Handwerkskunst. Deus sive natura, Deus et natura, Natura sine Deo; wer einmal a gesagt hat, wird auch b sagen.

Linné gibt uns ein Musterbeispiel dessen, was der Geist vermag. Er ist der Zermalmer aller Ordnungsversuche, die vor ihm sich gegen das Chaos der andrängenden Natura naturans wandten, von Aristoteles bis zum älteren Plinius, von Albertus Magnus bis zu Geßner und Swammerdam. Bis dahin glichen auch die besten Übersichten einer Art von Gärtnerkatalog. Von nun an werden die Namen sowohl dem Belieben anheimgestellt als auch, sowie das Wort gefallen ist, ihm entzogen; die Fülle wird souverän beherrscht. Hier muß man Tieferes sehen als einen Titanen nur der

Wissenschaft. In ihm ist Priesterliches in sehr altem Sinne, Dienst an der Erde; er wandelt durch die Macht des Wortes die geschmeidige Schlange zum Aaronstab.

Linné gehört jedoch zugleich zu denen, die noch wissen, was oben und unten ist. Für ihn gilt: Deus supra naturam; alles trägt dessen Prägstempel – die absolute, doch aufgeklärte Monarchie, die fest umrissene Person, das kleinste, unscheinbarste Wesen im Natursystem. Damit erlischt auch die Bedeutung der Raritäten, zu der seit jeher das Befremden ein gut Teil beigetragen hat. Das Namenlose wird bedeutsam, soweit das Auge reicht und das Wort es begrenzt. Die Natur wird auf eine neue Weise wohnlich und heimatlich. Ein vom Geist geschaffener Trophäensaal reiht sich an den anderen.

Eine Vorstellung davon gibt erst das Detail, etwa die systematische Ordnung des Insektenreiches, nicht nur durch die von Amts wegen Berufenen, sondern vor allem durch die Freiwilligen, und nicht nur in den europäischen Großstädten, sondern auch an vielen, über die Welt verstreuten Brennpunkten.

Der Glaube an die Konstanz der Arten gehört dazu. Mit dem Auftreten von Darwin ändert sich das Bild. Hinter den neuen Gedanken, hinter dem Vorhang des Gewußten verbirgt sich ein theologischer Fortschritt, der überall zu wirken beginnt, nicht nur durch Strauß, Renan, Feuerbach, Bruno Bauer und all die anderen, nicht nur im politischen und sozialen, sondern auch im Natursystem. Im Mittelpunkt des Kosmos steht nicht mehr eine souveräne, sondern eine anonyme Macht. Die schöpferische Potenz ist weithin delegiert. Das hat unter anderem zur Folge, daß die Namen weniger wichtig werden; die Bewunderung richtet sich nicht so sehr auf

Form und Umriß der Geschöpfe als auf eine geheimnisvolle, ihnen innewohnende Potenz.

Darwin ist hundert Jahre später geboren als Linné, der eine im Zeichen des Wassermannes, der andere in dem der Zwillinge. Linnés Betrachtung hält ein vollkommenes Gleichgewicht zwischen der wirkenden und der geprägten Natur. Sein Charakter ist der des Gärtners, während Darwin eher den Jägern zuzurechnen ist. Der Unterschied tritt auch im Verhältnis zum Reisen hervor. Darwin ist Weltumsegler, Linné eher ein Wanderer.

Durch die neuen Theorien wird die Natur vergeistigt, dynamisch, anonym. Das hat sich seit langem vorbereitet und wird nicht minder begeistert begrüßt als leidenschaftlich verneint. Der theologische Fundus tritt weniger in der Lehre als in den Konsequenzen hervor. In Preußen verschwindet die Biologie aus dem Stundenplan. Der alte Haeckel wird aus seinem Jenenser Laboratorium verbannt. Daß die Beteiligten nicht wissen, nicht einmal ahnen, was vor sich geht und bei welchen Vor- oder Nachhuten sie marschieren, läßt sich schon aus der Erregtheit schließen, mit der die Händel geführt werden.

Bei Darwin wird man die Geschmacklosigkeiten nicht finden, die bei Büchner, Ostwald, auch bei Alfred Brehm und dem alten Haeckel in Menge vorkommen. Ein Geist von solchem Range läßt sich auf Pfaffengezänk nicht ein. Die Versuchung, mit ungenügendem Rüstzeug auf transzendentale Spekulationen einzugehen, hat zwei entgegengesetzte Anlässe. Die einen erliegen ihr, weil sie die Materie nicht beherrschen und so aufs Glatteis kommen, die anderen, weil sie zu gründlich Bescheid wissen. Sie übertragen dann ihre

Sicherheit im Gewußten auf das Nichtzuwissende und die Erfahrung auf Räume, in denen das Experiment versagt. Dieser Antagonismus führt zu absurden Unterhaltungen, an denen Shakespeare seine Freude gehabt hätte.

Um Händel zwischen Wissen und Glauben zu vermeiden, verfügt der Gelehrte über das Mittel der Theorie. So wurde Galilei von den Inquisitoren vorgeschlagen, seine Entdeckung als Theorie zu deklarieren — hätte er es getan, so wäre das nicht nur ein Akt weiser Beschränkung gewesen, sondern er hätte sich auch die Folter erspart. Beispiele aus späterer Zeit bieten die Streitigkeiten, die um die Echtheit der Ossianischen Gesänge oder der »Uralinda-Chronik« geführt wurden.

Darwins Theorie mußte schon deshalb durchschlagen, weil in ihr ein energetischer Imperativ vorwaltet. Sie ist eine der großen Arbeitshypothesen, vorgetragen mit der pragmatischen Unbefangenheit, die den Engländer sowohl beschränkt wie auszeichnet und in der Welt voranbringt. Da ist die lückenlose Kette von Ursache und Wirkung, ein in sich geschlossenes Nacheinander, kein aus der Zeit herausgehobenes Nebeneinander wie bei Lamarck, keine den Schöpfungsakt wiederholende Periodik wie bei Cuvier, kein zeitloses Modell wie in Goethes Urpflanze. Eher könnte man sagen, daß die Rechnung zu glatt aufgeht, zu sehr befriedigt, zu stark erklärt. Die Zeit begründet die Verwandlung, aber was begründet die Zeit? Wie jede Bewegung Ruhe, so setzt auch jede Verwandlung ein sich Wandelndes voraus.

Struggle for life und natürliche Zuchtwahl — ihre Verwandtschaft zu den beiden großen Prinzipien der liberalen Geschäftswelt, der Konkurrenz und der Propaganda, ist oft bemerkt worden. Goethe konnte sich nicht mehr mit der

133

Deszendenztheorie beschäftigen; Schopenhauer hat es in einigen knappen Ausführungen getan. Kant hatte diese Möglichkeit nicht nur erwogen, sondern auch überboten mit dem genialen Seitenblick, der in der »Kritik der Urteilskraft« die Geschichte der organischen Entwicklung streift. Dort wird der Mensch als Glied einer Kette gesehen, die über die »niedrigsten, uns merklichen Stufen« der Tiere und Pflanzen bis zur »rohen Materie« und ihren mechanischen Gesetzen reicht. »Hier steht es nun dem *Archäologen der Natur* frei, aus den übriggebliebenen Spuren ihrer ältesten Revolutionen jene große Familie von Geschöpfen ... entspringen zu lassen.« Kant spricht dort schon 1790 vom Mutterschoß der Erde, die gleichsam als ein großes Tier aus dem chaotischen Zustand mit ungeheurer Bildungskraft hervorging, bis endlich diese Gebärmutter erstarrte und ihre Geburten auf bestimmte, fernerhin nicht ausartende Spezies einschränkte.

Hieran ließen sich gegen Ende des Zweiten Jahrtausends wichtige Fragen knüpfen, denn es scheint, daß, ähnlich wie Vulkane erstarren und wieder ausbrechen, auch die alte Gaea sich von neuem zu regen beginnt.

Was mit dem Tier gemeint ist, seinen Schöpfungsgedanken, werden wir nicht erraten, auch wenn wir Milliarden von Jahren durchspähen. Das bleibt »im Innern der Natur«.

Wenn man das weiß, wenn man mit diesem Vorbehalt in Darwins Werk einsteigt, wird man durch die Fülle dessen, was es zu geben hat, reich belohnt werden. Immer findet man beim Meister mehr als bei den Schülern, bei Kant mehr als bei den Kantianern, bei Darwin mehr als bei den Darwinisten, bei Marx mehr als bei den Marxisten und so fort.

Vor allem ist Darwin ein unübertrefflicher Beobachter.

Wohin er auch den Blick auf das Naturreich richtet, auf Orchideen, Schlingpflanzen, Korallen, Finken, Tauben, Vulkane, überall springen bedeutende Antworten heraus. Man darf ihn zu den Geistern zählen, die eine neue Art zu sehen und das Gesehene zu verknüpfen begründeten. Daß seine Aufmerksamkeit sich weniger, wie bei Linné, auf die festumrissenen Gestalten als auf die Übergänge richtet, beruht auf seinem Grundverhältnis zur Zeit. Für ihn liegt die Schöpfung innerhalb, für Linné außerhalb der Zeit. Auch Linné hat natürlich beobachtet, jedoch mehr konstatierend als verknüpfend; er fischt eher mit der Angel als mit dem Netz.

Das eigentliche Vergnügen der Entomologen wird zunächst wenig beeinträchtigt. Im 19. Jahrhundert erweitert sich vielmehr ihre Tätigkeit in den Museen und im Feld. Neben den Vögeln gelten die Insekten als Musterbeispiele der Variabilität. Der Planet ist überschaubar geworden; mit dem Dampfschiff werden entfernte Küsten, einsame Inseln weit schneller und sicherer als noch vor kurzem erreicht. Auch sind die Objekte weniger gefährdet als in den Jahren, während deren Chamisso auf der »Rurik« die Welt umsegelte und Alexander von Humboldt und Bonpland einen Teil ihrer Herbarien durch Schiffbruch einbüßten. Die beiden großen Schüler Darwins, Bates und Wallace, bringen vom Amazonas, aus Indonesien und Neuguinea gewaltige Ausbeuten mit. Diese Reisen, auch die von Händlern, setzen sich fort in denen von Fruhstorfer, Ribbe, dem Ehepaar Korb, den Bodemeyers und all den anderen. Daß der Jagdeifer sich zur Manie steigert, ist nicht etwa die Ausnahme. Er scheint auch nicht auszusterben; noch in unseren Tagen bereist Evelyn Cheesman für das

Britische Museum als gewaltige Sammlerin die pazifische Inselwelt. Das anströmende Material wird in den Museen und von Liebhabern mit großer Sorgfalt geordnet und bearbeitet. Der Eifer der Myrmidonen, auch ihre Streitigkeiten, treiben das große Werk voran. Es wachsen die Faunen, die Monographien, die Kataloge; es reihen sich die Jahrgänge der Zeitschriften. Die Titel des bis zum Jahr 1863 Erschienenen gibt Hagens »Bibliotheca Entomologica«, eine dickleibige Bibliographie.

Mit den Jahrzehnten fühlt sich der Liebhaber auch auf diesem Gebiet durch das Eindringen mechanischer Methoden bedroht, als ob die Verholzung oder Vererzung eines organischen Bestandes zunähme. Das ist an den Zeitschriften gut abzulesen, nicht nur den entomologischen, sondern auch den ornithologischen. Das hier erwachsende Unbehagen ist nur eines der Symptome innerhalb einer Zeitwende, eine Wahrnehmung auf einem kleinen, entlegenen Gebiet, auf dem der verehrende Geist Erholung genoß.

Dieser Anstieg, diese Befruchtung, der ein Absinken, ein Schwund des Eros, ein Sich-Verirren auf Holzwegen folgt, ist übrigens nicht nur hinsichtlich der Anatomie und Morphologie der Tiere zu beobachten. Auch ihr Verhalten wird mit schärferem und zugleich kälterem Auge verfolgt, und immer mit messenden, quantifizierenden, statistischen Absichten. Das ist ein Symptom ganz allgemeiner Schwächung, wachsender Impotenz, die sich ebenso fruchtlos mit jedem Verhalten, auch dem des Menschen, beschäftigt, mit seinem »behaviour«. Wie aber nach Aristoteles ein Haus mehr ist als Lehm, Holz und Ziegel, der Körper des Menschen mehr als Blut, Muskeln, Knochen, so ist auch sein Grundverhalten

136

— Ethos — mehr als ein Bündel von Reaktionen, die aus einem Fragebogen abzulesen sind.

Was bedeuten all diese Kurven und Tabellen gegenüber der Liebe, mit der ein Wallace das Spiel der Paradiesvögel in den Baumwipfeln der Urwälder Neuguineas oder ein Fabre Aufstieg und Untergang eines Scarabäus in der Provence belauscht? Das kann nicht durch Maschinen ersetzt werden. Da ist noch innerste Teilnahme, etwas vom großen Erstaunen des »Das bist Du«, eines menschlichen, zeitlosen Grundgefühls, das im Barock eine besondere Prägung erfuhr.

Auch diese Männer haben manches besser und schärfer gesehen, aber sie sahen es auf die alte, dem Menschen anstehende Art. Die Entfernung vom Gegenstand klingt bereits im berühmten Gespräch zwischen Goethe und Schiller über die Urpflanze an, wenngleich Schillers »Idee« etwas unendlich Höheres aus der Materie heraushebt als die bloße Registrierung eines Effekts. Zwischen Vergeistigung und Mechanisierung besteht immerhin ein Unterschied. Wenn ich einer Glucke ein hölzernes Küken unterschiebe und ihr Verhalten beobachte, erfahre ich weniger über die Mutter, als wenn ich ein Kind betrachte, das mit seiner Puppe spielt. Auch Alexander von Humboldt oder noch Sven Hedin bereisen den Orinoko und asiatische Gebirge mit einer guten Ausrüstung von Apparaten, doch ohne den Rundblick aus der eigenen Mitte zu verlieren; man hat den Eindruck, daß sie der Erde den Puls fühlen.

Schon Darwins Blick wird durch den Begriff des Nutzens bestimmt, der die Geschöpfe und ihr Verhalten sowohl begrenzt wie verarmt. Freilich darf man sagen, daß sich bei ihm dieser Nutzen, dieser kleine, doch sich gewaltig summierende Vorteil der zweckmäßigen Ausrüstung noch mit dem überlegenen Prinzip des Spieles die Waage hält. Linné dagegen sieht noch wie einer der alten Psalmisten die Welt als »Gottes Spielzeug« an.

Der Nutzen entfärbt auch die beiden Grundmotive von Darwins Theorie: die Liebe und den Krieg. Die scharfsinnige Untersuchung der Ausrüstung für die Begegnung der Geschlechter und den »struggle for life« bringt eine große, den Fortschritt beschleunigende Vereinfachung, als zöge man einem Organismus künstliche Sehnen ein. Wäre die Welt nun wirklich so einfach gegründet, so müßten wir in ihr nach dem Vorbild der Industrielandschaft wenige, höchst brauchbare Typen wahrnehmen. Allerdings richtet sich eine der Tendenzen innerhalb unserer Zeitwende gerade auf die Schaffung solcher Landschaften. Hierher gehört der Artenschwund. Der Katalog der Tiere, die unsere Väter noch mit Augen sahen und die wir nur noch aus Beschreibungen oder Abbildungen kennen, wächst beängstigend. Der alte Leunis pflegte in seiner »Synopsis« die ausgestorbenen Arten durch einen Totenkopf zu markieren; da gäbe es jetzt alljährlich Nachträge. Um diesem Albdruck zu entrinnen, muß man sowohl in der Erdgeschichte als auch in der Metaphysik Trost suchen. Das Schauspiel wiederholt sich in großen Umschwüngen, und es bleibt auf die Erscheinung beschränkt. Hinter dem biologischen kündet sich ein Gestaltwandel an.

Um bei der Entomologie zu bleiben: auch in diese liebenswerte Wissenschaft ist die ökonomische Verödung eingedrungen, und die auf sie gerichteten Methoden erfahren von den Staaten besondere Förderung. So kommt es zur Figur des Forschers, der auf immer schärfere Gifte und auf deren Aus-

138

breitung über immer größere Flächen sinnt. Auch das gehört zum Zeitbild, und es ist kein Zufall, daß mir die Methodik während des ersten Gasangriffes, den ich erlebte, zum Bewußtsein kam. Wir waren durch die Masken ziemlich geschützt, aber die Gräben waren von sterbenden Tieren, besonders von solchen mit empfindlicher Epidermis, erfüllt. Erst vor wenigen Tagen wurde ich daran erinnert, als ich auf Luzon kleine Flugzeuge ihre Giftwolken auf unübersehbare Ananasfelder aussprühen sah. Da war es auch mit der subtilen Jagd vorbei.

Die Durchforstung der von Spezialisten kontrollierten Welt wird noch zunehmen. Immer weniger findet man darunter Leute, mit denen man verkehren kann. Daß Marx ihnen die jämmerliche Rolle von vorläufig schwer zu entbehrenden Türhütern zugedacht hatte, ist ein sympathischer Zug. Nur möchte man sich das als kategorische Entscheidung wünschen, als Entmachtung der auf ihr Wissen beschränkten Geister ein für alle Mal. Wo über Ganzes gesonnen wird, muß der Spezialist konsultiert werden. Damit ist seine Aufgabe erfüllt; alles Weitere ist technokratische Anmaßung. Im Grunde verlaufen die Dinge auch so. Ein alter Textiler wie Truman hält es für an der Zeit, daß eine besonders rasante Bombe konstruiert wird, und die Physiker, obwohl mit mehr oder weniger moralischen Hemmungen, gehen ans Werk. Obwohl diese Politiker nun auch keine besondere Achtung verdienen, zeigt ein solcher Vorgang doch, daß die Staatskunst der Mitte nähersteht als die Technik; darüber hat schon Machiavell noch heute Gültiges gesagt.

Doch zurück zur Cicindela. Daß das Thema nicht wie im 18. und 19. Jahrhundert angefaßt werden kann, also nicht auf den Spuren von Fabricius und Fabre, dürfte hinreichend deutlich geworden sein. Zu diesem Behagen, auch wenn man daran in der Erinnerung teilnimmt, kehrt man nicht zurück. Weit dringender ist das Problem, wie der Einzelne im 20. Jahrhundert als Mensch noch auf seine Kosten kommt.

Ich bin immer noch an Bord, augenblicklich im Indischen Ozean auf der Fahrt von Ceylon nach Dschibuti, bei angenehmer, leicht bewegter See. Leider sind die Landgänge stets zu kurz bemessen und reichen eher zur Rekognoszierung von Gebüschen und Sandstreifen als zu gründlicher Exploration. Das ist schade, wenn ich bedenke, daß eine meiner Lieblingsgattungen, Sternocera, auf Ceylon mit ihren orientalischen Arten die Süd- und bei Dschibuti mit den afrikanischen Formen die Nordgrenze erreicht. Haeckel hatte kaum den Fuß vor Colombo gesetzt, als ihm gleich zwei der schönsten Spezies auffielen. Vergeblich hatte ich ein ähnliches Finderglück erhofft.

Wenn ich auch, sowohl an Land wie auf See, in der Hauptsache mit anderen Dingen beschäftigt war, so erspähte ich doch, gewissermaßen mit Seitenblicken, einige neue Cicindelen, teils in ihren Revieren, teils in den Sammlungen. Dort bereichert man Besitz und Kenntnis auf leichtere, wenn auch nicht so passionierende Weise wie in der Natur. Auf Reisen lernt der Entomologe nicht nur Insekten, Entoma, kennen, sondern auch Kollegen — es gibt da ein feines, weitgesponnenes Netz.

In Singapur besuchte ich D. H. Murphy, den Entomologen der Universität. Er pflegt in den Wäldern Asiens, Afrikas und Europas den Collembolen nachzustellen, kleinen, mit bloßem Auge eben sichtbaren Urinsekten, war auch vor kurzem in einer deutschen Kleinstadt, um Arten zu revidieren, die einer seiner Vorgänger im vorigen Jahrhundert dort gefunden hat. Dabei begegnete ihm das Pech, daß der Wald, in dem die Tiere lebten, verschwunden war. Es war in Thüringen.

Wir hatten uns zu einer Exkursion verabredet. Es war aber noch ungewiß, ob wir die Insel verlassen könnten, da es während der Nacht unruhig gewesen war. Infiltration aus Indonesien. Auch mußte ich die Beendigung eines Experiments abwarten, mit dem der Professor in seinem Laboratorium beschäftigt war. Er bediente mit der Rechten ein kompliziertes Mikroskop und mit der Linken eine Stoppuhr, trug zwischendurch auch Ziffern in eine Tabelle ein. Da wehte trotz der tropischen Hitze eine kühlere Luft als beim Monsignore oder den Systematikern des Tutzinger Museums, deren Arbeitsplätze inmitten Tausender von Arten und Bergen von Büchern immer noch an Faustens Kabinett erinnerten.

Ich will damit nicht sagen, daß diese Meßkünste nicht ihren Sinn hätten. Sie können sogar weit hinausführen. Wir können etwa die Herzschläge eines winzigen Krebses zählen und feststellen, daß bis zu seinem normalen Ende, sagen wir, eine Million Kontraktionen stattfinden. Wir können ferner den Herzschlag beschleunigen, indem wir dem Wasser Stimulantien zuführen, und so zu einer Statistik kommen, die Herzschlag und Alter in ein meßbares Verhältnis bringt. Das liefert Daten für manches andere Gebiet. Hypertonie, Lebenserwartung, Assekuranzgeschäfte, Zigarettenindustrie.

Freilich kein Novum, nichts, was Ethiker und gute Ärzte, was Konfuzius und Hufeland nicht schon von jeher gewußt hätten. Neu ist der Zeitstil, die Quantifizierbarkeit und damit der quantitative Effekt, etwa hinsichtlich der Weltbevölkerung. D'accord, nur auf der Wildbahn begegnet man ungern solchen Kunststücken. Der Weise war von jeher zu hohem Alter prädestiniert.

Nachdem Mister Murphy sein Experiment beendet hatte, kamen wir unter anderem auch auf die Cicindelen, und er holte einen schon ziemlich verstaubten Kasten mit »tigerbeetles« hervor. Der Name ist gut gewählt, da er mit einem Wort die räuberische Lebensweise, die bunte Bänderung und die mächtigen Fangzähne umreißt. »Tiger, tiger, burning bright.« Ich durfte mir auch eine Reihe von Arten aussuchen und wählte extreme Stücke, so eine himmelblaue Collyris mit rotem Schild. Das sind Projektionen ins Unbekannte, Stützpunkte für künftige Erfahrungen. Auch diese kam mir bald darauf zugut.

Nachdem wir uns mit Netzen und Flaschen ausgerüstet hatten, brachen wir in die Bergwälder von Johore auf. Da kam ich wohl gerade noch zur Zeit, denn unterwegs fuhren wir an einer fast geschlossenen Kette von Lastwagen vorüber, von denen jeder einen riesigen Stamm abschleppte. Ein Leichenkondukt; oben mußten Heere von Holzfällern termitenhaft tätig sein.

»Mister Murphy, wenn ich wiederkomme, wirds mir gehen wie Ihnen in Thüringen.«

»Ich fürchte auch. Aber wir wollen den Tag ausschöpfen. Am frisch gefällten Holz sind gute Fangplätze.«

Leider sollten wir Pech haben, denn gerade als wir am

Ziel waren, brach ein Tropengewitter los, das uns in den Wagen bannte; wir saßen wie in einem Glaskasten auf dem Meeresgrund. Die lange Anfahrt war umsonst gewesen; wir mußten vor den Wassermassen flüchten, doch auf dem Rückweg heiterte sich das Wetter auf. Wir konnten einige Male aussteigen und von den blühenden Büschen am Waldrand Cetoniden ablesen: moosgrüne, sammetbraune und auch eine goldene, die der Professor für mich erbeutete. Er taute dort auf und war viel heiterer als in seinem Laboratorium, vor allem als er in einem hohlen Baumstamm eine ungewöhnliche Mantis entdeckt hatte, eine Verwandte unserer Gottesanbeterin, doch nicht grasgrün wie diese, sondern mit schönen roten Flecken auf schwarzblauer Grundfarbe. Die freudige Überraschung meines Waidgenossen wurde übrigens vor allem dadurch hervorgerufen, daß er einige Collembolen entdeckt hatte, die sich an den Panzer des Tieres klammerten.

»In jedem Manne ist ein Kind verborgen, und das will spielen.« Der Satz trifft für die Angelsachsen zu, und im besonderen für ihre Akademiker. Ich fand ihn fast ohne Ausnahme bestätigt, wo ich mit ihnen in Berührung kam. Das ist sehr angenehm. Der wissenschaftliche Betrieb verliert an Wichtigkeit. Wir hielten denn auch, bevor er uns ans Schiff brachte, mit dem Professor noch ein ausgedehntes Symposion im Drachen-Phoenix-Restaurant, einer rotlackierten Höhle in der Nähe des Bootshafens. Dort sprachen wir in Gesellschaft seiner chinesischen Freundin, einer Bakteriologin, bei heißem Reiswein den schwarzen Eiern und anderen Raritäten zu, bis wir uns endlich mit dem Gruß »All entomologists are brothers« verabschiedeten.

Bei der Gelegenheit sei erwähnt, daß die großen Erwartungen, mit denen ich wie so mancher andere in der Jugend dem Artenreichtum der Tropen entgegengesehen hatte, immer wieder enttäuscht wurden. Das nimmt sich in den Reisebeschreibungen oder beim Gang durch die Museen weit üppiger aus. Wie oft stand ich mitten im saftigsten Grün eines Waldrandes, in dem die Tafel aufs beste gerüstet schien, und fand es doch nur von einigen Ameisen und Wespen belebt, wie sie selbst in der Wüste noch ausharren. Demgegenüber ist ein mediterraner Berghang oder eine bayrische Alm im Frühling eine Fundgrube.

Auch in den Tropen muß man lange und gründlich rekognoszieren, wenn man große und schöne Tiere »wie in den Träumen« finden will. Am besten hält man sich zu günstiger Jahreszeit fernab der Städte in einer Pflanzung auf. Auch dort wird man ohne Mithilfe der Eingeborenen schwer auskommen. Sie kennen von der kleinen Schöpfung nur Tiere mit Namen, die ihnen entweder durch ihre Gestalt oder durch ihre »Tugenden« auffallen, aber man erfährt von ihnen immerhin mehr als in Europa unter ähnlichen Umständen. So konnten sie mir, als ich ihnen auf Quitila die Abbildung einer Sternocera vorwies, die dort vorkommen mußte, sowohl den Namen nennen, mit dem sie das Tier bezeichnen, als auch den Baum zeigen, auf dem es zu finden war.

Der Urwald ist schwer zu durchforschen; man hört zwar die Stimmen der großen und kleinen Tiere, die ihn bewohnen, doch bekommt man sie nur selten zu Gesicht. Wie oft habe ich vergeblich eine Zikade, deren Schrillen das Ohr betäubte, auch zu sehen versucht. Die Laubmassen verbergen auf vexierbildhafte Weise Detail und Gliederung der Vegetation. Die Form des einzelnen Baumes wird durch Geniste von Parasiten, das bleiche Geäder der Schlingpflanzen und ihre herabhängenden Girlanden aufgelöst. Das steile Licht, das durch die Kronen auf Kraut und Büsche sickert, zerstückt mehr, als daß es individuiert.

Die Töne kommen im Fortissimo nicht auf. Mit dem Urwald ist es wie mit den starken Medizinen, die erst im Aufguß oder in der Verdünnung ihre Kraft erweisen — erst an den Rändern wird sein Reichtum offenbar: am Strand des Meeres und der großen Flüsse, den breiten Straßen, den bebauten Rodungen.

ORTUNGEN

Nach Max Weber ist die Aufgabe der Wissenschaft »die Entzauberung der Welt«. Damit berührt er eine der Ursachen des Schwundes und des Leides, das aus ihm entspringt. Nicht die tiefste Ursache freilich, denn der Schwund gehört zu den Voraussetzungen des Gestaltwandels. Er ist notwendig wie die Tätigkeit der Gerichte während eines Besitzwechsels.

Den intelligenten Einzelnen, der sich durch Ziffern nicht verblüffen läßt, beschäftigt die Frage, wie er, falls er sich ihrer Herrschaft nicht entzieht, ihr doch einen anderen Sinn geben kann. Immerhin trägt auch der Zeitstil zum Genuß einige Spezifika bei. Selbst hinter einem scheinbar so mechanischen Unterfangen wie der Datenverarbeitung verbirgt sich noch etwas anderes. So erstaunt mich seit langem ein eigentümliches Behagen, das mich während der Beschäftigung mit meiner Kartei befällt.

Notizen über Gegenstände können verschiedenen Sinn haben. Sie können differenzieren: um einen Täter aus einer Million Menschen auszusondern, genügt ein Fingerabdruck, ein Wollfaden. Sie können auch harmonisieren und zusammenfassen; dann wird der Gegenstand zur Glocke, an die das Ganze anklingt, zum winzigen Kristall, in dem es sichtbar wird. Das Auge ist sein Modell. Als in Cabuta die Neger die halbe Nacht getrommelt und getanzt hatten, ging ich auf die Veranda, um auszuruhen. Die Wand war grell beleuchtet; ein dunkler Gecko haftete an ihr. Ich betrachtete ihn in seiner scheinbaren Ruhe, und er wiederum war tief versunken in die Betrachtung eines Schwärmers, der über ihm am Sims ausruhte. Als Beute war er für ihn viel zu groß. War es Bewunderung, magisches Ergötzen, Mordlust, die in Verehrung umschlug, mit der die Echse die runden Augen nach oben richtete? Ein frohes Wissen, eine mächtige Strahlung ging vom Regungslosen aus. Die Nacht war schwül, gefährlich, Gewitter kündeten sich an. Da war ich tiefer im dunklen Erdteil als bei den Tänzern, die nun ihre Trommeln am Feuer stimmten und ausruhten.

Das Behagen an der Datensammlung darf man deshalb spezifisch nennen, weil es überall mit leichter Mühe in unserer Welt zu finden ist – in Büros, Redaktionen, Banken, Laboratorien, Gerichten, Polizeistuben, überall dort, wo Auskunft gesucht oder gegeben wird. Da sitzt die Spinne im Netz.

Warum soll sich der musische Mensch des Vergnügens berauben, das sich hinter dem Aufbau solcher Systeme ver-

146

birgt? Er wird dem Sinn der Sache sogar näher kommen, da
er sie zwecklos, das heißt als Künstler betreibt. Dadurch
wird ihr eigentlicher, ihr Spielcharakter reiner hervortreten.
Nun dient ihm sein Unterfangen weniger zur Ordnung von
Tatsachen als zur eigenen Ausbildung. Der Zen-Bogen ist
weder Jagd- noch Kriegsbogen; er ist Symbol der Lebenskraft schlechthin.

Einen Punkt im Ausgedehnten zu vermuten und finden
zu können, etwa auf einer Karte, in einer Bibliothek oder
im Universum schlechthin — darin liegt mehr als ein geglück-
ter Griff. Nicht auf den Wert des Fundes kommt es an,
sondern auf die Bewegung im System. Beherrsche ich diese,
so kann ich Dinge von beliebigem Wert finden. Dann wird
auch der Wert, den ich ihnen zubillige, beliebig für mich.
»Als ich des Suchens müde ward, erlernte ich das Finden.«
Nun kommt es darauf an, auch des Findens müde zu werden, sich von den Phantomen zu befreien, an denen die
Übung stattfindet. Das, was gemeint ist, hat weder Wert
noch Ausdehnung.

Unter den Inseln des Mittelmeeres hat Korsika den Vorzug, daß es noch reich bewaldet ist. Während rings an der
Küste Hotels und Feriendörfer anwachsen, wird es im Inneren einsamer. Die jungen Korsen wandern in Industrie-
gebiete ab. Die Häuser zerfallen, die Gärten verwildern; die
Kastanie wird nicht mehr als Brotfrucht gebaut. Die alten
Maultierpfade, auf denen die Hirten durch Fels und Macchia
zogen, sind kaum noch begangen, seit der dritte Napoleon die
Insel durch ein Netz von Fahrstraßen erschließen ließ.

Einer dieser überwucherten Pfade führt aus dem Tal des

Portoflusses nach Ota hinauf. Von der steinernen Brücke, die ehemals benutzt wurde, stehen nur noch die Pfeiler; ein Steg überquert den Fluß bei einer Mühle mit eingestürztem Dach. Von dort klomm ich auf einer Treppe durch die Terrassengärten nach Ota empor. Die Stufen waren durch vorjährige Oliven geschwärzt. Hier hatten nicht nur die Hände zum Beschneiden der Bäume, sondern auch zum Ernten gefehlt. Hohes Kraut stand auf den Flächen; dazwischen blühten Aron und Stendelwurz. Die dürren Olivenzweige waren ineinander verhäkelt, verfilzt mit Brombeer- und Efeuranken, die von den Mauern emporwuchsen. Solche Stätten sind Eldoraden für seltene Holztiere. Ich konnte mich daher, obwohl es dämmern wollte, nicht enthalten, hin und wieder über eine Mauer zu steigen und am toten Gezweig zu pochen, um zu sehen, ob etwas für mich abfiele. Da fehlte es nicht an gescheckten Gästen, an Xylophagen, die hier Tafel hielten und die alle, obwohl aus ganz verschiedenen Geschlechtern, durch das Holz auf denselben Schlüssel gestimmt waren. Sie trugen seine Maserung, seine Farben und auch die Muster, mit denen Schimmel und Flechten sich auf ihm ausbreiten. Ein Anthribid war darunter, der mich auf den ersten Blick stutzig machte, denn die Familie ist klein und hat nur einige größere Arten, die sich dem Gedächtnis leicht einprägen. Auch hatte ich mich kurz zuvor mit der Monographie beschäftigt, die Adolphe Hoffmann ihr in der »Faune de France« gewidmet hat. Dieser hier, dessen abgeflachter Kopf an den eines Schnabeltieres erinnerte, war hochverdächtig, der »Korsische Spatenrüßler« zu sein. Das war allerdings eine Vermutung, der ich nicht Raum zu geben wagte, doch die zu Haus die Prüfung bestätigte.

Es war kein Rarissimum, sondern ein Unicum, das mir im Zwielicht des verlassenen Gartens in die Hand gefallen war. Freilich verlor es diesen Rang im Augenblick, in dem ich es bestimmt hatte. Bis dahin war es nur in einem Stück bekannt gewesen, in seinem Typus, der im Juni 1900 im Wald von Vizzanova gefunden worden war.

Nun kannte ich Namen und Geschichte dieses Wesens, doch reichten beide an seinen Zauber nicht heran. Der wurde mir bewußt, als ich es zwischen Splittern von morschem Holz und Fasern von Moos entzifferte. Da hob es sich, als ob Verfall und Dämmerung Form gewännen, beglückend aus dem Wesenden hervor.

»Si cela peut faire votre bonheur«, sagte der Provençale in seinem Garten — sein Glück lag in der Rose, das meine in der Cetonia in ihrem Kelch. Und Alexander konnte ohne Indien nicht glücklich sein.

Die Entdeckung eines unbekannten Tieres von dieser Größe auf dem gewissermaßen Zoll für Zoll durchsiebten Boden Mitteleuropas ist für den kleinen Kreis von Kennern nicht minder überraschend als die Nachricht vom Auftauchen eines neuen Kometen für die Sternkundigen. Beide Erscheinungen stellen sich dem Auge in ähnlicher Größenordnung dar, und der Vergleich wird die Erregung des Doktor Kraatz und seiner Freunde verständlich machen, als sie von einem Fang erfuhren, den ein subtiler Jäger namens Ludy im Juli 1867 bei Arnstadt in Thüringen gemacht hatte. Dort war ihm ein unter Eichenrinde verborgenes Wesen mit gefächerten Fühlhörnern in die Hand gefallen, das sich Kraatzens kundigem Blick nicht nur als eine für Europa neue, sondern überhaupt unbeschriebene Art auswies.

Erstaunlicher noch als dieser Glücksfund war, daß auch die sorgfältigsten Nachforschungen kein zweites Stück des Fächerhörnchens zutage förderten. Entweder war es ein von weither eingeschlepptes Tier gewesen, oder es führte ein geheimnisvolles Dasein, das es der Nachstellung entzog. Ähnlich wie im Fall meines Spatenrüßlers dauerte es über sechzig Jahre, bis an einem Waldrand in Tirol unter Kiefernrinde ein zweites Exemplar entdeckt wurde.

Nahe Verwandte des Fächerhörnchens waren seit langem bekannt. Einige waren hin und wieder in den Nestern von Wespen und Mauerbienen aufgespürt worden, andere an Bord von Schiffen, und von diesen war zu vermuten, daß ihre Brut sich im Körper von anderen Schiffsgästen entwickelte. Den Kreislauf solcher Entwicklungen hat Fabre in seiner berühmten Studie über den Maiwurm umrissen, der auch in die Verwandtschaft gehört.

Es hat mich übrigens, als ich auf ähnliche Lebensläufe aufmerksam wurde, zunächst verwundert, ein Tier, etwa eine Ichneumonide, einem anderen entschlüpfen zu sehen, dem es an Gewicht und Umfang um ein Mehrfaches überlegen war. Darin zeigt sich die raffiniertere Technik des Parasiten gegenüber der des Räubers; er zehrt nicht nur vom Leben, sondern von der Lebenskraft. Daher braucht er auch nicht nach Art des Adlers oder des Löwen täglich nach neuen Opfern auszuspähen; ein kleines Beutetier genügt. Der Becher ist winzig, doch wird er immer neu gefüllt. Vom Wirt ist endlich nur die Haut geblieben, und der glänzende Gast fliegt davon.

Ein Parasit muß entweder durch enorme Fruchtbarkeit oder durch unerhörte Listen dafür sorgen, daß seine Nachkommenschaft ihr Recht findet. Die einen tragen wie der Maiwurm mächtige Ovarien, die anderen führen eine komplizierte Ausrüstung mit. Daher sind diese Tiere auch gern mit kamm- und fächerförmigen Antennen ausgestattet, mit deren Hilfe sie wie mit einem System von Radarschirmen winzige Ziele in nächtlichen Wäldern ansteuern.

So auch das Fächerhörnchen; es gab nun einige Daten für die systematische Nachstellung: Fundorte, Aufenthalt unter Rinden, Lebensart nahe verwandter Spezies. Ein Fang in Finnland führte zu weiterer Einkreisung. Sie veranlaßte einen Schweizer Entomologen, Besuchet, Waldschaben in großer Menge einzutragen und zu züchten, und wirklich erschien nach einer Reihe von fehlgeschlagenen Versuchen das Fächerhörnchen eines Tages in den Zuchtgläsern. Von dort aus hielt es, immer noch als Rarissimum, seinen Einzug in die Sammlungen.

Das Ziel ist unbedeutend, doch höchst bedeutsam ist die Eigenart der Nachstellung. Ohne sie wäre Amerika, wären die Pole nicht entdeckt worden. Aber was ist Amerika, was ist der Mond? Selbst im Subtilen muß der große Zug der Jagd gewahrt bleiben. Das Ziel ist vordergründig; die Jagd führt durch den Gegenstand hindurch. Wer an ihm haftet, verfällt der Ziffer oder verliert sich im Kuriosen; sein Blick bleibt an den Facetten haften, er dringt nicht in die Tiefe des Steines ein.

Die Zunahme des Kuriosen und seiner Beachtung ist ein schlechtes Zeichen; es bedeutet, daß das Numinose schwächer wird und sich entfernt. Wo das Wunderbare schwindet, rückt das Merkwürdige in den Vordergrund, zuweilen auf komische oder auch auf widrige Art. Mit der Schwächung des

Eros wächst das Interesse am sexual behaviour. Der Stoff schwillt an, anstatt sich zu verdichten; die Qualitäten bleiben unsichtbar. Die Spielarten vermehren sich auf Kosten des Spieles; Form und Bewegung werden Objekt der statistischen Auszählung. Das ist der Unterschied unserer Olympiaden zu den griechischen.

Im Episodischen muß die Geschichte, im Faktum das Ganze durchleuchten. Das erinnert mich an einen meiner Gänge in der Kirchhorster Flur gegen Ende des Zweiten Weltkrieges. Als Volkssturmführer war ich wieder einmal auf verlorenem Posten, alle anderen hatten sich abgesetzt. Da wird es still, wird friedlich, wird feierlich sogar. Es gab noch schöne alte Eichen, nicht nur innerhalb der Hofmauern, sondern auch in der Gemarkung, beim Rittergut Lohne, in der Fillekuhle, im Lannewehrsbusch. Es dämmerte; ich hatte mich am Lohner Waldrand auf einen der alten Baumstümpfe gesetzt. Ich war gekommen, um hier in Ruhe nachzudenken, aber wie oft in solchen Fällen, in denen wir die Gedanken Revue passieren lassen, zieht auch noch anderes Wild vorüber, als wir vermuteten. So eine braune Cantharide, die aus dem Dickicht anflog und auf dem Baumstumpf hin und her eilte. Was mochte sie um diese Stunde hier noch zu tun haben? Wahrscheinlich Liebe oder Beute suchen — der Anflug war direkt gewesen; sein Ziel mußte ganz in der Nähe sein. Nun begann das Tierchen zu verharren und zu zittern; ich mußte die Augen anstrengen, um zu erkennen, was es trieb. Vielleicht wollte es Eier in die Risse zwischen den Jahresringen ablegen? Doch nein — es war ein Männchen, das hier sein Weibchen gewittert hatte und mit ihm das Liebesspiel trieb. Freilich war der Zusammenhang schwer zu entziffern, denn die Partnerin blieb bis auf ein winziges Leibesende unsichtbar. Nur ein letztes Segment ragte aus dem massiven Holz hervor.

Das Weibchen hatte sich in diesem Stumpf entwickelt wie in der Kemenate einer Waldburg, die es wohl nie verließ. Es wurde auch zur Hochzeit kaum gezeigt. Dies war die Stunde oder auch nur die Minute der Liebesfeier; Venus und Merkur mußten günstig sein. Aus großer Entfernung kam der Freier angeflogen — hatte ihn ein Vibrieren, ein Duft, ein Glanz gelockt?

Ein kleines Beispiel für die Anlage der Welt nach dem System von Schloß und Schlüssel, für ihre webende Harmonie. Da ist das Reich der Gürtel, Schleier, Vorhänge, der Haremsgitter und Balkone, doch auch des kühnen Freiers, den Schloß und Riegel nicht aufhalten. Da ist Casanovas Abenteuer mit der schönen Griechin in der Quarantäne und Maimons Schilderung der orthodoxen Brautnacht, in der das Paar sich durch die Hemdschlitze erkennt. Schild und Lanze des Ares, seine Rüstung, Fahrten und Feldzüge, die ruhende Sicherheit der Liebesgöttin im Zentrum des Rades, die Geißel des Spermatozoons, die Mikropyle des Eies, seine Kugelgestalt. Dann die Durchflutung des Universums mit strahlenden Kräften, mit Zeichen von Leuchtfeuern, die großen Versprechungen. Der verlorene Handschuh, das Licht in Heros Fenster, das Kreuzfeuer der Blicke auf dem Korso, die Form aller Türen und Torbogen, eine Welt der Wallfahrten und Kreuzwege, in der die Erwartung durch die Erfüllung, die Hoffnung durch ihre Ziele hindurchschreitet — all das die Spiegelungen einer Wirklichkeit, die, in sich unerschöpflich, sich in jedem Faktum, jeder Begegnung verbirgt. Da ist das

Salz, das die vergänglichen Gerichte schmackhaft und unsere Irrfahrt des Kunstwerks würdig macht. Da bleiben die Sorgen zurück.

KHARTUM

Mit der Cicindela erging es mir häufig wie bei der ersten Begegnung in der Rehburger Sandkuhle. Ich sah das Tier wohl fliegen, konnte seiner jedoch nicht habhaft werden, weil mir das Netz fehlte. Das ist, abgesehen von den speziellen Jagdgängen, fast immer der Fall. Am Meeresstrand gibt es ein Hilfsmittel, das an den Schrotschuß auf der Hühnerjagd erinnert: eine Handvoll nassen Sandes, die über den aufstäubenden Schwarm geschleudert wird. Da kommt es vor, daß einer der Flieger getroffen wird und die Balance verliert. Dann heißt es zuspringen.

In der Nähe von Lindos verfolgte ich ein Gebirgstier von der Farbe und Zeichnung des Grünen Jägers; es war jedoch größer und plumper und mußte etwas Besonderes sein. Ich sah es in der Mittagssonne immer wieder, sobald ich mich genähert hatte, vom weißen Kalkstein abfliegen, aus dem auch die Säulen des Tempels geschnitten sind. Diese Form der Jagd endet fast immer mit einer ironischen Wendung des Wildes, das plötzlich von seiner Gewohnheit, gegen den Wind zu fliegen, abweicht und sich ihm anvertraut. Durch eine kühne Kurve entschwindet es im Augenblick.

In Khartum war ich in schlechter Kondition. Am Vormittag hatte ich das Museum von Omdurman besucht, das an das widrige Massaker erinnert, und war dann von einem nubischen Stabsarzt gegen Gelbfieber geimpft worden. Ich lag im Bett, doch ahnte ich schon die künftigen Gewissensbisse, als ich am Mittag den weißen Sandstrand der Insel Tuthi herüberblenden sah. Nilabwärts schien er sich zu verbreitern; der Eindruck entstand indessen dadurch, daß, wie ich mit dem Glas erkannte, sich eine ungeheure Menge von Ibissen am Ufer gütlich tat.

Baker hat auf Tuthi vor hundert Jahren noch Flußpferde gejagt, die nächtlich die Melonengärten der Eingeborenen verwüsteten. Das hat längst aufgehört; dem einzigen Flußpferd dort begegnete ich im Zoologischen Garten von Khartum. Zum Eigentümlichen unserer Reisen gehört, daß man auf immer größerer Fläche immer weniger sieht. Zu einer Cicindela würde es aber noch ausreichen. Das ist auch eines der Motive, die zur subtilen Jagd führen: durch die Verkleinerung oder besser Verfeinerung der Maßstäbe vergrößert sich die Welt und mehrt sich die Mannigfaltigkeit.

Übrigens sahen Reisende wie Baker oder vor ihm Fürst Pückler nicht nur mehr von der Natur und ihrem Leben, sondern sie bewegten sich in ihr auch auf bequemere Art als wir, trotz unseren schnellen Schiffen, Bahnen und Flugzeugen. Baker, von seiner Frau, einer schönen Sächsin, und zahlreicher Dienerschaft begleitet, rühmt die Freiheit und Bequemlichkeit, die er während der Reise zum Blauen Nil genoß. »Da man überall Wasser findet, kann man mit völliger Muße an jedem anziehenden Punkt bleiben, wo es Wild im Überfluß gibt oder wo die Naturzüge des Landes zur Erforschung einladen.« Damals gab es schon vortreffliche Gewehre und noch urtümliche Jagdgründe. Ein solches Zusammentreffen, wie es auch Armand im Wilden Westen zuteil wurde, kann immer nur kurze Zeit währen.

Warum mag der Anblick von Inseln, selbst innerhalb eines Stromsystems, so starke Anziehung ausüben? Es gibt unter vielen Erklärungen auch jene, daß die Insel als in sich abgeschlossenes Ganzes den Kosmos repräsentiert. Sie wirkt als plastisches Modell des Raumes im bewegten Strom der Zeit. So liegt die Ahnung nahe, daß sich dort auch das Sein in größerer Dichte erhalten hat. Da winkt die Entdeckung und hinter ihr das Glück.

Das Grün der Insel tat den Augen, die sich an das Rot und Gelb der Wüste und an das bleiche Gestein der Tempel und Totenstädte gewöhnt hatten, besonders wohl. Als seine Silberfassung lockte der weiße Sandstreifen. Diesmal vergaß ich das Netz nicht; ich faltete es zusammen, steckte es in die Tasche und machte mich des Fiebers ungeachtet auf den Weg.

Den Nil zu überqueren, ist eine Kleinigkeit, wenn man erst einmal glücklich über die breite Uferstraße gekommen ist, auf der sich die Automobile ebenso lückenlos und dazu noch ungestümer bewegen als bei uns zu den Hauptstoßzeiten. Immerhin sah ich auf dem kurzen Wege noch einiges, das sich erhalten hatte — so aus dem vorigen Jahrhundert die Treppe, auf der Gordon Pascha ermordet wurde, und auf der anderen Seite als Reminiszenz an Pharaonenzeiten ein hölzernes Wasserrad, das durch ein Ochsengespann im Göpelgang gedreht wurde und ächzend ein endloses Band von Tonkrügen kreisen ließ.

Auf der Insel muß eine Siedlung liegen, denn zwischen ihr und der Stadt pendelt ein Fährboot in kurzen Abständen. Ich fand es dicht von Nubiern besetzt, hochgewachsenen, heiteren Menschen, deren Frauen durch Stammesnarben gezeichnet waren, die von den äußeren Augenwinkeln bis zum

Kinn die Wangen spalteten. Andere badeten an den Nil-
ufern; die gertenschlanken Körper mit den langen, lebhaft
bewegten Gliedern bildeten Figuren und Figurenreihen, die
an die Silhouetten der Tänzer und Bogenschützen in den
Vorzeithöhlen erinnerten.

Der Sand war heiß und blendend; es war unmöglich, ihn
barfuß zu begehen. Auf den Schlammbänken hatten sich
früher die Krokodile gesonnt. Nun hielten die Ibisse hier
Konvent. Sie sind nicht nur geduldet, sondern eher gehegt.
Zuweilen sah ich sie fast zwischen den Beinen des Pflügers
den Boden sondieren, um zu erhaschen, was aus der Scholle
zum Vorschein kam.

Es ist merkwürdig, wie scharf sich Nil und Wüste scheiden,
falls das Wasser nicht künstlich gehoben wird. Oft ist nur
ein handtuchbreiter Streifen bepflanzt, der immer wieder
begossen werden muß. Im Fluge sieht man das dunkle Band
des Stromes inmitten der leuchtenden Einöde. Wäre dem
anders, so käme das Wasser aus den großen Seen wohl kaum
bis zum Delta hinab.

Hier deuteten sich schon neue Klimate an. Der Sandstreifen war nur einige Schritt breit, ihn begrenzte hinter einer
roten Lehmbank ein üppig bewachsenes Plateau. Schon nach
den ersten Schritten sah ich, daß ich das Netz nicht umsonst
mitführte. Das Jagdgelände war ein Wassertümpel, an dessen
Rand Bewegung mehr zu ahnen als zu erkennen war. Doch
hatte sie ihren Rhythmus: Strich-Punkt, Strich-Punkt — das
mußten von Ruhepausen unterbrochene Flugstrecken sein.
Der Cicindelenrhythmus — auf diese Weise bewegt sich kein
anderes Ufertier. Grazile Geschöpfe, die im grellen Licht
verschwanden, nur ihre Schatten zeichneten sich auf dem

weißen Boden ab. Dazu das Fieber — ich durfte von Glück sagen, als ich endlich zwei der zarten, bronzefarbenen Flieger im Netz hatte. Sie waren eher Zufalls- als gezielte Beute; fast wunderte es mich, daß das Ganze kein leeres Schattenspiel gewesen war, kein Kreisen von Löchern in der Luft. Vielleicht würde es gut sein, sich erst ein wenig auf der Insel umzusehen.

Der Bewuchs wurde durch Anpflanzungen von Asklepiasbüschen gebildet, aus denen braune Wildtauben aufflatterten. Außer ihnen scheuchte ich mit jedem Schritt eine Sorte von kleinen wollhaarigen Ratten auf. Wo mochten die Schlangen sein, die dazu gehörten? — wahrscheinlich kamen sie erst zur Nacht hervor. Der Milchsaft der Asklepias ist so gefährlich, daß selbst ein Spritzer den Augen verderblich werden kann. Ich pochte daher mit Vorsicht an die Büsche; nur eine riesige Mantis fiel herab. Sie war grasgrün wie unsere Südeuropäerin, nur die Fanghaken waren blutrot gespitzt. Als ich zum Landungsplatz zurückkam, waren die Cicindelen verschwunden; die Sonne stand schon tief.

Erst im nächsten Winter kam ich dazu, mich während einer Mitternachtsstunde mit der Beute zu beschäftigen. Die Stimmung wird dann besonders friedlich und wie bei einer Beschwörung erwartungsvoll. In großer Entfernung von den Zeitgeschäften werden Bücher, Tabellen, Aufzeichnungen befragt und wird ein Gremium längst verstorbener Beobachter zitiert.

Die Trennung der Spezies wäre weniger schwierig, wenn nicht die Zeichnung verwirrende Elemente hinzutrüge. So hat der Spürsinn des Betrachters wie auf einem Maskenball zunächst die Muster phänotypischer Ähnlichkeiten zu durchdringen, bevor er die Art erkennt. Immerhin gelang es mir ziemlich bald, zu ermitteln, was mir auf Tuthi ins Garn gegangen war: zwei elegant geschnittene, einander ähnliche, doch nicht artgleiche Afrikaner; der eine von ihnen war sogar nur aus Khartum bekannt.

Das war ein Treffer, obwohl er über die Heimat des Tieres nicht viel aussagte. Die Stadt ist End- und Knotenpunkt vieler Reisen; früher, als es noch Entdeckungen großen Stils zu machen galt, wurden hier die Karawanen zusammengestellt. Baker rastete in Khartum vor und nach seinen Expeditionen zur Erforschung der Nilquellen, ebenso Schweinfurth und Alfred Brehm, dessen Bruder im Nil ertrank. Hier starb auch Melly, ein gewaltiger Sammler, der zu Zeiten von Klug und Erichson das Berliner Museum mit Goliathiden versah.

Wo ein tüchtiger Entomolog sein Zelt aufschlägt, taucht auch gleich eine Fülle von Insekten auf. Das ist die Anziehung des Bezüglichen. Daher gehört Khartum zu den klassischen Fundorten. Arten, die dort gefangen und dann beschrieben wurden, können bis tief in den Kontinent, bis zu den großen Seen häufig sein. Nur gab es dort nicht so viel Muße, sich nach ihnen umzusehen.

MANGROVEN

Noch kleiner und zarter als die beiden Tiere vom Nilufer war die Cicindela, die ich bei Port Swettenham aufstöberte. Dieser malaiische Hafen, in dem Holz und Zinn verladen werden, ist insofern für Ausflüge günstig, als nur eine bescheidene Siedlung zu ihm gehört. Die Küste wird von unübersehbaren Mangrovewäldern gesäumt, deren stumpfes, graugrünes Laub sich über die Sümpfe erhebt. Ich fuhr mit dem Boot an den schlammigen Ufern entlang und auch in die trägen Gewässer hinein, die das Dickicht ädern, fand es jedoch unmöglich, den Fuß an Land zu setzen; es konnte von Land auch kaum die Rede sein. Um hier Grund zu fassen, hätte man schon Stelzen haben müssen wie die Mangroven oder wie die Hütten des Malaiendorfes, in dem der Bursche wohnte, der mich ruderte.

Auch von Tieren war weniger zu erblicken, als ich gehofft hatte. Ein großer Adler schwebte über dem Revier, goldbraun und weißköpfig. Wenn ich den Ruderer recht verstanden habe, überwacht der Vogel die den Sumpf bevölkernden Reptilien. An Schlangen, Schildkröten, Krokodilen sollte kein Mangel sein. Das konnte stimmen, denn ich hatte davon absonderliche Proben sowohl lebend als auch im Anschnitt auf den Fischmärkten gesehen. Die Krokodile, meinte der Malaie, wären nur in den Vollmondnächten zu beobachten. Ich möchte eher annehmen, daß sie das Geräusch der Ruder schon von weitem hören und leise verschwinden, bevor man sie erblickt.

Es ging mir hier wie manches Mal auf solchen Fahrten: die Wälder, verlockend aus der Ferne, erwiesen sich als unbetretbar und, wenigstens beim ersten Einblick, als unbelebt. Daß sich dort aber auch für den subtilen Jäger allerhand verbergen mußte, sah ich nachts an den Schiffslichtern, die Wolken von Sumpftieren anlockten.

Am nächsten Morgen entdeckte ich in der Nähe des Hafens einen gangbaren Pfad, der, wenn auch nur für eine kurze Strecke, in das Dickicht hineinführte. Hier herrschte ein Treiben wie auf beflaggten Campingplätzen, die man aus der Ferne, von Bord eines Schiffes oder eines Flugzeugs, erblickt. Wie Wimpel, die auf- und eingezogen werden, bewegten sich die Scheren der Winkerkrabben in grellen Leuchtfarben. Dazwischen eilten im Quergang Taschenkrebse, und Eremiten schleiften ihre Schneckenhäuser nach. Nicht nur die Gräben und Wasserlachen wimmelten von Geschöpfen, sondern auch die Untergründe mußten ein reiches Leben bergen — überall quoll der Schlamm in dunklen Schnüren hervor, häuften sich feuchte Kegel, spritzte das Wasser in kleinen Fontänen auf.

Daß inmitten dieses »Stirb und Werde« Fliegen und Wespen in Fülle schwelgten, versteht sich; das Geschwärm war so dicht und behend, daß selbst der kundige Blick kaum die Ordnungen erkennen konnte, geschweige denn die Familien. Doch wie man aus einer Menge von Zitaten den Rhythmus eines Dichters erkennt, so war dort im Gewimmel der Flugbahnen eine, deren Sätze und Absätze eine besondere und wohlbekannte Interpunktion trennte. Das konnte nur eine Cicindela sein.

Diesmal trug ich ein Netz bei mir, das ich zum Fang von Wassertieren mitgenommen hatte; es mochte aber ausreichen. Schwierig war nur, in der Gaze die erhoffte Beute vom Beifang zu sondern, doch die Diagnose war richtig gewesen, und bald hatte ich ein Dutzend der zierlichsten Sandläufer eingebracht. Sie waren kaum so groß wie eine Stubenfliege, bronzefarben, mit schmalen, fast verwischten Ideogrammen und der wie mit chinesischer Tusche aufgesetzten Zentralmakel. Hier konnte »etwas Neues« sein, das zeigte schon der

Streifblick, und vielleicht würde der Eindruck sich bestätigen, wenn ich mich zu Haus mit dem Tier beschäftigte.

Zu den Genüssen einer solchen Begehung gehört das Wiederfinden von Namen und Begriffen in der gegenwärtigen Anschauung, ihre Bestätigung durch die plastische Realität. Von allem, was ich hier sah, hatte ich schon in Berichten und botanischen Werken gelesen, in Kollegs und Vorträgen gehört. Nun wurden in dieses Gerüst die Dinge gestellt; es war, als ob eine Zeichnung illuminiert würde.

Da waren sie also — die zahllosen Krabben, große und kleine; sie huschten bei der leisesten Störung in ihre Schlupflöcher. Sie wimmelten über die Schlickbank, Geschöpfe aus Porzellan, und grellten die roten und blauen Winker empor. Da waren die aufgestelzten Büsche und Bäume mit den harten, stumpfgrünen Blättern; zahlreiche und sehr verschiedene Arten verbargen sich unter ihrer Gleichtönung. Das Wasser tropfte wie Regen von ihnen herab. Da waren auch ihre Früchte, schon ausgereifte Embryonen, schlanke, grüne Torpedos mit Wimpernkränzen, die den lotrechten Fall gewährleisten. Ich konnte sie in die Hand nehmen. In der Tat: sie mußten tief einschlagen und rasch wurzeln, um den ständigen Wechsel von Flut und Ebbe zu überstehen. Da waren endlich auch die Fische, die mit ihren Flossen auf die Stelzwurzeln klettern, Schlammspringer mit Glotzaugen. Wenn ich am Ufer entlangging, ließen sie sich wie Frösche ins Wasser fallen und glitten auf seinem Spiegel davon.

Es war eine schwüle Halb- oder Doppelwelt, ein Reich amphibischer Wesen wie nach einer Sintflut oder im uralten Steinkohlenwald. Schlamm war ihr Medium. Manche ihrer

162

Geschöpfe hatten sich aus dem Wasser erhoben, andere wollten dahin zurückkehren. Ein Weltalter schien sich zu raffen, ja zeitlos zu werden in seiner immensen Geschäftigkeit: in den aufsteigenden Dünsten, die sich mit dem Tropfenfall mischten, im Wallen und Sieden der Gewässer, im Aufsteigen der Krater aus dem Moder, in tausend Anzeichen einer verborgenen und von den Sinnen kaum angeschürften Wirksamkeit.

Und doch war es wiederum still. Das muß erreicht werden. Das detaillierte Wissen ist eher abträglich. Ein Liebender, ein Dichter, ein wahrer Denker muß zugleich mehr und weniger, muß mit anderen Augen sehen. Bereits der Maler, der ein Bild des Sumpfes geben will, muß das Detail vermeiden oder, falls er es bringt, ihm eine generelle Bedeutung geben, es also nicht auf seine bloße Realität festlegen. Das Geheimnis, sowohl seines Werkes als auch seiner Absicht, muß immer gewahrt bleiben.

CICINDELA UND KEIN ENDE

In den Tropen tritt die geheime Kraft, die Potenz sonnenfreudiger Gattungen am lebendigsten hervor. Das gilt besonders für die Cicindelen; kaum wird man Wesen finden, in denen sich die sanguinisch-solarischen Charaktere so sichtbar ausprägen. Dazu gehört die Vitalität in den heißesten Mittagsstunden, bei höchstem Sonnenstand. Sie lieben das steile, grelle, durch Wolken, Wasser, Winde ungetrübte Licht. Die Wüste wäre für sie wie geschaffen, wären sie nicht auf Beute angewiesen, die sich vom Grünen nährt. Daher sind sie vor allem dort zu treffen, wo Wüste ans Fruchtland grenzt: am Rande der Oasen wie Deserticola, am trockenen Strandsaum wie Litoralis, auf den Sandwegen der Kiefernwälder wie Silvicola.

Der Strand von Penang, einer Insel vor der Westküste von Malakka, schien besonders günstig zu sein. Es war der erste Tag in Südasien mit einer gewaltigen Bilderfülle; trotzdem hoffte ich, daß Zeit und Gelegenheit für einige Seitenblicke in die mikrokosmische Welt blieben. Vor der Reise hatte ich mich unter anderem auch über die Cicindelen unterrichtet, die mir dort begegnen konnten, falls ich Glück hatte, und mir als Leitbild die Chinensis eingeprägt, eine türkisgrüne, reich geschmückte Art. Das herrliche Tier ist weit verbreitet; die Schabracke der chinesischen Rasse ist lebhafter als die der japanischen gefärbt. Am schönsten wird es in Korea; von dort beschrieb Horn die Flammifera, eine feuerrote Varietät. Einem solchen Wesen in seiner Natur zu begegnen, gehört zu den Träumen des Liebhabers. Meist bleibt er leider auf sie beschränkt.

Ein reiner Sandstrand an den Küsten von Malakka und überhaupt im Zuge der alten »Straight Settlements« ist selten; meist wechseln von Fluß- und Meeresarmen geäderte Mangrovesümpfe, in denen noch vor kurzem Seeräuber ihre Zuflucht fanden, und Steilufer einander ab. Der Lone Pine Beach von Penang zählt zu den Ausnahmen und wird daher auch von den Malaien, Europäern und Chinesen, die auf der Insel wohnen, als Badeplatz gerühmt. Sie fahren aus der Stadt oder von ihren Bungalows zu einem chinesischen Restaurant, das im Schatten der Kiefern liegt. Während des Frühstücks kann man das Spiel der grünen Agamen verfolgen, die an den Stämmen emporhuschen, oder die bunten Drosseln füttern, die zwischen den Tischen umherhüpfen. Die Kellner bringen grünen Tee und zur Erfrischung bald kalte, bald heiße Handtücher. Der Ort ist angenehm.

Noch dichter als die Kiefern säumen Kokospalmen das Ufer, auch rücken sie näher heran. Ich schwamm in dem hellgrünen Wasser, das selbst ein Neapolitaner als zu warm empfunden hätte, und sah zu den zarten Silhouetten empor, die fernhin den Sandstrand der tropischen Meere ankünden. Die eleganten Kronen waren dem Ufer zugeneigt. Wenn man einen Baum als pelagisch bezeichnen darf, so diesen — er gleicht darin den seefahrenden Malaien, die bis in die pazifische Ferne hinein Küsten und Inseln besiedelten. Wie ihnen die leichten hölzernen Boote, so dient der Kokosfrucht ein aus Bast gewobener Mantel, der sie über Monate schwimmend erhält. Vielleicht erreicht unter Tausenden eine ein Atoll, das kaum die Seefahrer kennen, und schlägt dort Wurzel im Korallensand. Bald stößt der Keimling in Form eines Elefantenzahns hervor. Legionen von Nüssen treiben so in den warmen Meeren; man kann das auch daraus schließen, daß sie um Inseln, die sich neu aus dem Meer erheben, bald ihre Gürtel ziehen. So haben sie wenige Jahre nach der Katastrophe, die alles Leben vernichtete, den Krakatau wieder begrünt. In solcher Erfahrung liegt etwas Tröstliches.

Wo der Malaie den Baum kultiviert, streut er eine Handvoll Salz in die Pflanzgrube. Wie gut auch die Palme mit seinem Lebensbereich harmoniert, so darf man sie doch nur mit Vorbehalt als dessen Ureinwohnerin ansprechen. Dank ihrer Beweglichkeit im freien Meer reicht die Geschichte ihrer

Wanderungen viel weiter zurück als die jener Gewächse, die sich durch menschliche Kultur verbreiteten. Die Küsten der Alten und der Neuen Welt zwischen den Wendekreisen waren längst von Kokospalmen gesäumt, bevor es dort Menschen und Schiffe gab.

Immerhin deuten Hinweise auf das Malaiische Archipel als auf das Ursprungsland des Baumes — darunter die Tatsache, daß auch ein seltsamer Krebs, der Palmendieb, dort seine Heimat hat. Er haust in Erdhöhlen, die er mit Kokosfasern ausfüttert, und steigt zur Nacht, auf unbewohnten Inseln auch bei Tage, zu den Palmen empor, von deren Früchten er lebt. Schon Darwin hielt es kaum für möglich, daß das Tier die harten und noch vom Bast verhüllten Früchte öffnen könnte, doch hörte er von Augenzeugen, daß es dazu auf höchst geschickte Weise fähig ist, indem es seine Scheren nicht nur zum Schneiden, sondern auch zum Klettern, Hämmern, Bohren und Meißeln benutzt. Dieser Krebs fehlt in der Neuen Welt. Das läßt sich dahin deuten, daß er die Reise nicht überstanden hat.

Der Entomologe fände hier vermutlich weitere Entsprechungen. So gibt es in den Tropen die Palmbohrer, riesige Verwandte des kleinen Rüßlers, der bei uns als »Kornwurm« gefürchtet ist. Die plumpe Sippe mit ihren schwarzen und grauen, aber auch mit gescheckten und buntgefärbten Arten zerstört das Mark der Palmen, und es wäre der Heimat jener Spezies nachzuforschen, die sich den Kokosbaum zum Wirt auswählten. Viele Insekten sind hinsichtlich ihres Speisezettels nicht nur konservativ, sondern auch exklusiv und beschränken sich auf ein einziges Gericht. Oft sind sie so verwöhnt, daß sie sogar eine Rasse ihrer Lieblingspflanze ablehnen. Botaniker konnten auf Grund solcher Beobachtungen schon ihr System berichtigen.

So könnte man es noch weiter treiben bis zu Murphys Collembolen und in die unbelebte Natur hinein. Das springt an wie Feilspäne an den Magneten, und man muß sich in der Tiefe des Wesens ändern, bevor es die Anziehung verliert. Casanova sagt einmal, auf sein Leben zurückblickend, er habe dessen eine Hälfte damit, sich krank zu machen, und die andere damit, sich zu kurieren, verbracht. Ähnlich ist es mit der Anhäufung von Kenntnissen auf den verschiedensten Gebieten und dem Versuch, sie durch Synthese zu bewältigen. Aber auch wenn wir den zerbrochenen Krug aus seinen Splittern zusammenfügen, ist es der alte nicht mehr. Etwas ganz anderes müßte hinzukommen in diese Welt der Risse, der Splitter und Spaltungen, ein Strahl des unvergänglichen Lichtes, nicht etwa blendend, sondern mit ruhigem, immer wachsendem Glanz. Zuweilen scheint es, als ob die Dinge von sich aus sprechen möchten — eindringlicher, einfacher als durch die Antworten, die wir ihnen durch unsere Fragen abzwingen. Die Kronen der schlanken Palmen im Winde, die Woge, die den Körper senkt und hebt. Schön ist es, die Dinge zu benennen, und schöner noch, wenn man die Namen vergißt.

Üppiges Grünland schloß sich dem Palmengürtel an. Wie überall auf der Welt an solchen Plätzen hatte sich auch hier ein Saum von Bungalows ankristallisiert, gottlob in solcher Streuung, daß zwischen den Parzellen noch Raum geblieben war. Dort wucherte Lantana, das Wandelröschen, eine Verwandte unserer Verbenen, die sich zwischen den Wendekreisen gern auf Ödland ansiedelt und das ganze Jahr über blüht. Ihr Name soll andeuten, daß die Kronblätter die Farbe wechseln — sie durchlaufen Skalen von zartgelben und elfenbeinweißen bis zu purpurnen und violetten Tönungen. Ein bunter Sammet glüht in sanften Polstern auf. Das Auge ruht auf ihnen aus. Stärker als unsere muß das die Facettenaugen locken, denn es ist immer Leben um diese Büsche — Leben von Faltern, die oft in Wolken über den Kronen stehen. Hier tauchten grau wattierte Schwärmer die Rüssel in die gelben und blauen Tiegel ein. Ein weiches Flügelspiel, über dem die scharfen Bahnen metallischer Flieger blitzten — das mußten große Cetoniden sein. Sie werden in Ostasien besonders prächtig, doch wollte ich mich in dieses Abenteuer stürzen, so würde die Zeit mir unter den Händen fortgleiten.

Es war wohl besser, wenn ich mich zum Ufer zurückwandte. Sonst würde ich gewiß bereuen, ohne Beute aus dem Bereich der Königscicindelen zurückgekehrt zu sein. Ich schritt also drei Mal mit aller Sorgfalt und mit dem Netz bewaffnet den langen Strand ab, vom »Lone Pine Restaurant« bis zu der Felsgruppe, die ihn beschließt. Auch hier fehlte es nicht an Tieren, doch das gesuchte war nicht dabei.

Manchmal suchen wir, ohne zu finden; und dann wieder finden wir unvermutet — das sollte sich auch diesmal wieder erweisen, und zwar einige Tage später während eines Ausfluges durch Malakka. Wir rasteten während der Mittagspause am Aufgang zu den Batu-Caves, einer Tropfsteinhöhle, in die ein Hindutempel eingebaut ist und zu der dreihundert in den Fels gehauene Stufen hinaufführen. Unten hatten Händler ihre Stände aufgeschlagen, um Früchte, Andenken und Opfergaben zu verkaufen; weißbärtige, turbantragende Bettler sammelten auf Messingplatten Almosen ein.

Die Sonne stand fast im Zenit; es war noch heißer als in Penang — wir wollten nachmittags in den Regenwald aufsteigen. Ich gedachte mir daher die Stufen zu ersparen und lieber, am Waldsaum hin- und herschlendernd, mich nach Pflanzen und Tieren umzuschauen. Von einem der Händler hatte ich mir eine grüne Kokosnuß anschneiden und ihre Milch mit Eis versetzen lassen, das freilich im Nu geschmolzen war. Indem ich mich hin und wieder durch einen Strohhalm am Getränk erfrischte, ging ich langsam und zuweilen rastend an der Lisiere auf und ab. Die Bilder reihten sich einander an.

Das freudige Erstaunen, das uns die Formen in ihrer Mannigfaltigkeit bereiten, verfeinert und mildert sich durch die Erfahrung; das gilt für jede Kennerschaft. Zunächst wird das Auge durch große und schöne Tiere gefesselt, deren weit bescheidenere Verwandte es aus der Heimat kennt. Das erinnert an das Studium von Maler- oder Handwerkerschulen: silberne Schüsseln zierten seit jeher die Tafel, aber wenn es die Augsburger nicht gäbe, würden wir nicht ahnen, was der Meister vermag. Zuweilen scheint auch das Mögliche noch überboten zu werden — wer bis Rubens mitging, wird durch Jordaens verstimmt. Das ist ein Gefühl, das dem Bios gegenüber noch lebhafter befremdet und zuweilen zum Schrecken sich steigern kann.

Überraschender als neue, glänzende Formen sind neue Prinzipien. Wären es Schachfiguren, so würde man sie an ihren Platz zurückstellen. Sie machten einen unerlaubten Zug. Hier aber muß man umlernen. So etwa angesichts dieses kleinen Coprophagen: ein solches Wesen gehört nicht auf ein Hibiskusblatt, sondern auf Schaf- und Kuhweiden. Wahrscheinlich hat es sich verflogen — doch nein, hier sind noch mehrere von der Sorte, und jetzt sehe ich auch, wovon sie sich ernähren: vom Vogelkot, der ihnen wie Manna vom Himmel fällt. Das ist wieder eine der unerwarteten Wandlungen.

Inzwischen ist der indische Fahrer gekommen; er hat mein Treiben beobachtet und möchte auch etwas beitragen, indem er mir eine winzige Fledermaus überreicht. Wir gehen zusammen zum Wagen zurück. Die Sonne brennt auf den nackten Armen, als zöge sie Brandblasen.

An den Aufgang zum Tempel grenzt ein kleiner Teich, eher eine von Algen begrünte Pfütze, die ein gelber Sandstreifen umfaßt. Wie im Traum glaube ich dort blaugrüne Schatten huschen zu sehen und denke sofort an die Chinensis, doch es wird nur ein Flimmern gewesen sein. Ich schließe die Augen, um den Grund schärfer zu prüfen, und jetzt fasse ich die Schatten deutlich: es sind drei, vier prunkvolle Cicindelen, die sich langsamer bewegen, als ich es von den Tieren gewohnt bin — wie Sultane im Seidengewand.

Das Netz liegt im Wagen und ist gleich zuhanden — damit wäre die Beute sicher, wenn nicht, eben wie in den Träumen, ein unerwartetes Hindernis einträte. Kaum nämlich haben die Kinder der Bettler und Händler das Netz erblickt, als sie in Scharen herbeispringen, um zu erspähen, was es da zu ergattern gibt. Im Nu wimmelt der Sand von nackten, dunklen Füßen, die ihre Siegel in ihn eindrücken.

Da hilft kein Bitten und kein Schelten, sondern nur eine Kriegslist: ich setze mich, als ob ich ausruhen wollte, auf

170

eine Böschung, von der aus ich sowohl den Sand wie die Kinder beobachten kann, und warte, bis sie sich zerstreut haben. Die Sandläufer sind konservativ; sie kehren wie alle Jäger, solange gutes Licht ist, immer wieder in ihr Revier zurück. So auch hier; ich sehe bald den ersten blaugrünen Vorposten über den gelben Sand huschen. Nach vorsichtigem Anpirschen gegen die schon schräger stehende Sonne bringt ihn ein Schlag ins Netz. Ich habe eben noch Zeit zu sichern, ob er »wirklich drin ist«, und ihn aus der Gaze zu wickeln, bevor die Neugierigen mit frischem Eifer zur Stelle sind. Das war Maßarbeit.

Am Abend gab es noch eine Überraschung, als ich die Beute in der Kabine betrachtete. Wohl war die königsblaue Montur mit ihren goldenen Nähten und Säumen die der Chinensis, doch war sie reicher geschmückt als mit den üblichen Mondsicheln. Wie Ideogramme auf dem Seidenrock eines Mandarins waren in zwei Reihen vier gelbe Voll- und vier Halbmonde auf ihr verteilt. Es war die Aurulenta, die mir ins Garn gegangen war — die »Goldfarbene«.

Damit schien der Bann gebrochen; ich begegnete den fernöstlichen Arten noch einige Male, doch nie, wie ich gedacht hatte, auf den grellen Quarzflächen der Meeresküsten, sondern in der Nähe von kleinen Binnengewässern auf gelben oder roten Lehmböden, so auf einem schmalen Pfad im Botanischen Garten von Singapur. Der Ort war günstig, weil die Tiere oft die Bahn verfehlten und auf dem Grassaum landeten. Dort ließen sie sich mit der Hand greifen.

Eine herrliche Rasse, vermutlich Japonica, blieb tabu. Ich sah sie in Kyoto auf einem gelben Sandplatz spielen, ausgerechnet am Rand des berühmten Steingartens, vor dem auch der Tenno zuweilen meditiert. Da mußte ich mich wie jener Gecko mit einem liebevollen Blick begnügen; es war kein Ort für die Jagd.

Soll ich noch einmal nach Afrika zurückkehren — etwa auf die Ilha von Luanda, die vor der Stadt wie eine Sensenklinge im Meere glänzt? Die Weißen, Braunen und Schwarzen laben sich dort an Garnelen, die in rotem Pfeffer gewälzt sind und einen fast unlöschbaren Durst hervorrufen. Zerbeulte Wagen am Lido bezeugen es. Während der Mittagspause am Strand sah ich die Melancholica vorbeigleiten, eines der beiden zierlichen Tiere, die mir von Tuthi her bekannt waren. Wieder fehlte das Netz, doch fand ich eine Palmrippe, die den Arm verlängerte. Dagegen hatten wir auf dem roten Bergweg bei Quilumbo, den ich täglich mit dem Stierlein abging, zwei Netze, um den sechs Arten nachzustellen, die sich dort tummelten, darunter einer, die wahrscheinlich die Saphyrina an Leuchtkraft noch übertraf.

Im Grunde vermag die Fülle der Erinnerung nicht mehr als ihre Tiefe zu bestätigen. Stets wiederholte sich kaleidoskopisch die erste Begegnung in der Rehburger Sandgrube. Doch präzisierte sich in der Wiederkehr, was zunächst als Zauberwerk erschien — eine Art, eine Gattung gewinnt Umriß in ihren feinsten Zügen wie eine meisterhaft gestochene Denkmünze. Immer aber bleibt ein Unteilbares in der Begegnung — der Reichtum, der sich aus dem Ungesonderten erhebt, kann nicht größer sein als der in unserem Eigenen, dem Inneren. Der Jäger und sein Wild sind Eines, sie treffen sich in Einem — das wußten schon die Ganz-Alten in ihren Tänzen, ihren Umgängen.

172

Hat sich nun eine Vorstellung in uns gefestigt wie die der Cicindela, so weichen wir ungern davon ab. Auch in unserer Anschauung gibt es eine Konstanz der Arten, ein Verlangen nach Trennschärfe.

Das erinnert mich an einen meiner Gänge durch den schönsten Soldatenfriedhof, den ich kenne, den amerikanischen von Manila, von dem aus man weithin den Schauplatz der Kämpfe überblickt. Das zentrale Heroon liegt auf der Kuppe eines Berges im Mittelpunkt eines weißen Sternes, der sich aus tausend und abertausend Marmorstelen zusammenfügt. Sie tragen entweder einen Namen oder die Inschrift:

HERE RESTS
IN HONORED GLORY
A COMRADE IN ARMS
KNOWN BUT TO GOD·

Der Marmorstern ist in den Umkreis einer gepflegten Rasenfläche eingebettet und leuchtet als ein für die Bewohner anderer Welten errichtetes Signal. Ich weilte dort einige Male, um Namen und Daten zu entziffern, auch um mich über die Operationen zu unterrichten, deren Anfang, Krisis und Beendung von Pearl Harbour bis Hiroshima im Zentralbau zu studieren ist. Dort schimmern auf großen Mosaiken die Flotten als goldene Splitter in einem Pazifik aus Lapislazuli. Das liest sich wie ein Kapitel des Herodot. Draußen ruht dann der Blick auf einem veränderten Meer. Der Ort ist zeitlos; die Einsamkeit trägt dazu bei.

Ich beschloß die Besuche durch einen Rundgang um die Peripherie, der Stunden dauerte. Es gab stets Neues dabei zu sehen; der Rasen war mit Inseln von tropischen Bäumen und Sträuchern bepflanzt. Sie waren namentlich bezeichnet; ein guter Botaniker mußte hier am Werke sein. Auf diese Weise lernt man Arten kennen, deren Wuchs im Urwald nicht zu entwirren ist. Man kann um sie herumgehen. Auch Tiere zeigten sich deutlicher — blaue und grüne Echsen, die an den Stämmen emporglitten, bunte Vögel, die zwischen den Kronen über die Lichtung wechselten, große Papilionen und Ornithopteren, die auf den Blüten die Flügel breiteten, zwar flüchtig, doch für einen göttlichen Augenblick.

Die äußere Umfriedung säumte ein Dschungel, über den sich Palmen und Laubbäume erhoben, auch Bambusgruppen und Musazeen, darunter der Titanenfächer des »Baumes der Reisenden«. Er zählt zu den Gestalten, die keine Einbildungskraft ersinnen könnte und die doch auf den ersten Blick bekannt erscheinen als eine Erinnerung aus dem Nie-Gesehenen.

Beim Streifen geriet ich auf einen der Plätze, die die Gärtner zu verstecken pflegen, weil sie dorthin das welke Laub und ausgeschnittenes Gezweig abräumen. Er war wohl des längeren von ihnen nicht benutzt worden; das verriet der Wildwuchs, der als Vorstoß eines neuen Urwalds aufschoß, zunächst in strotzenden Fontänen riesenhafter Blattpflanzen.

Es gibt Begegnungen mit dem Bios, bei denen das Staunen der Furcht zu weichen beginnt. Selbst die Nähe gefährlicher Tiere kann nicht den Schrecken erzeugen, mit dem die Wucht des Wachstums überrascht. Wir fühlen die Erdmacht des vegetativen Lebens; seine Ruhe ist stärker als die Bewegung, sein Schweigen bedrohlicher. Ich hörte schon von manchem, daß ihn an solchen Orten eine unerklärliche, aus der Tiefe aufsteigende Angst befiel.

Auch das Bekannte verändert sich. Da sind etwa die Arazeen, die an unseren Waldrändern der Aronsstab vertritt. Am Grund der Hecken fällt er weniger durch seine dunkelgrünen Blätter als durch die violetten Blütenkolben und die scharlachroten Fruchtstände auf. Jenseits der Alpen tritt an seine Stelle der Giglio d'oro, die Goldlilie, ein blasseres, aber mächtigeres Kraut. Es liebt den Schatten der Olivenhaine; ich sah es dort in der Toskana und in Ligurien, auch auf Korfu, wo es sich am Fuß der alten Stämme besonders wohl fühlte. Weiter im Süden kommt dann Dracunculus, die Drachenwurz. Als ich zum ersten Male, auf Rhodos im Rodinotal, die mannshohen, gefleckten Blütenschäfte aufgeilen sah, glaubte ich, daß die Familie dort ihren Herakles erzeugt hätte.

Doch hier auf der tropischen Lichtung lassen mich die Vergleiche im Stich. Auf bleichen Schenkeln fächert sich ein grünes Gewölbe auf. Es scheint, als ob das über Nacht geschehen wäre; ich sehe, wie der Saft in den Adern pulsiert. Ein silberner Dunst galvanisiert die riesigen Blätter; Wasser dampft aus den Blattscheiden. Da wirkt ein anderes Erdalter.

Bei solchen Überraschungen ist es gut, wenn sich Bekanntes einstellt, das wir benennen können, ein Fixpunkt im Unaussprechlichen. Nicht umsonst heißt es »namenloser Schreck«. Auf einem dieser Blätter bewegt sich ein stahlblaues Wesen mit korallenroten Beinen: eine Cicindela. Freilich verhält sich das Geschöpf atypisch; es gehört ohne Zweifel zur

Familie, doch zu einer anderen Gattung — es muß eine Collyris sein. Ein Indo-Australier, schon recht fremdartig; ich kenne Verwandte aus den Sammlungen.

Ich strecke die Hand aus; ein blauer Schatten fliegt davon. Aber schon fällt der Blick auf andere seinesgleichen, die sich auf den Riesenblättern wie auf Billardtüchern tummeln; es muß heute ein Hochzeitstag sein. Daher ist es nicht schwierig, ihnen nachzustellen; ihre Bewegungen sind nicht besonders rapid. Auch das ist atypisch. Abends kann ich mich an Bord mit einer kleinen Ausbeute beschäftigen.

Bei der Betrachtung wird die Freude durch ein altbekanntes Mißbehagen getrübt: durch das Hadern mit dem Demiurgos und seiner verwirrenden Kraft. Wozu denn wieder diese Ausschweifung? Der Typus hatte sich dem Inneren eingeprägt wie eine Münze, die nun an den Rändern unscharf wird. Zum Sandläufer gehört der Sand, gehört die Wüste mit ihren Merkzeichen. Ich lasse mit mir reden, wenn die Tiere schwarz und gewaltig werden wie die herkulische Mantichora der südafrikanischen Dünen; das bleibt in der Familie. Hier aber sind sie in ein neues Medium, ein anderes Zeichen eingetreten, sind Urwaldbewohner geworden, die auf Blättern leben, und verloren die metallische Härte, die funkelnden Rennbeine. Im Laubwerk sind sie offenbar nicht nur auf eine andere Gangart, sondern auch auf eine neue Optik angewiesen, daher der lange, in einen schmalen Kragen ausgezogene Hals, der breite Kopf mit den Stielaugen. Das ist verwirrend und rückt sie in die Nähe fremder, von ihnen durch Abgründe der natürlichen Verwandtschaft getrennter Wesen, die als Stieläugler nach Beute spähen — der Mantis, der Krabben, des Hammerhais.

176

Das Mißbehagen am Absonderlichen, an der Unbeständigkeit der Arten, ist auch fruchtbar, denn es kündet an, daß etwas bezwungen, befriedet, neu konzipiert werden soll. Hier will ein Bild die Grenzen sprengen, durch die der Begriff es umriß und einengte. Der Geist muß wohl oder übel darauf eingehen, wenn er nicht vor der Erscheinung kapitulieren will. Indem er die Grenzen weitet, fängt er das Bild wieder ein. Nicht in der Welt lag der Fehler, sondern in unserm Auge, unserem Inneren. Da ist ein Sprung, der auf den Ursprung verweist.

STEGLITZ

Im Winter 1933 wurde es in Berlin unwirtlich. Ich meine damit nicht die groben Veränderungen, sondern eher ein Tief des inneren Barometerstandes, eine atmosphärische Unruhe, die den Wunsch nach einem Ortswechsel erweckt. Das fällt auch unter statistische Gesetze; es ist der persönliche Anteil an Aufbrüchen, die sich ankünden.

Seit langem war da ein Knistern im Gebälk, zuweilen auch die Wahrnehmung der wachsenden Irrealität von Wohnungen, Häusern, Stadtvierteln. Auch Träume trugen dazu bei. Eine hektische Bautätigkeit, die ganze Straßenzüge in Schutt verwandelte und über Nacht wieder auferstehen ließ, verstärkte eher das Mißtrauen. Die Gründerzeit erlebte eine neue Auflage. Damals hatten sie noch mit Ziegeln gebaut; jetzt kreischten die Betonmischer, und Bagger fraßen sich in die Trümmer ein.

Die kleinen Anzeichen verstimmen, die groben verletzen;

daher reflektieren wir in den Krisen weniger als während der Inkubation. Wie bei einer Krankheit ist zunächst unangenehm, was dann gefährlich wird. An kleinen Anzeichen hatte es nicht gefehlt. Einmal, es war noch in jenem harten Winter, während dessen schwarzer Schnee bis in den April die Straßen verharschte, stand ich vor dem großen Blumengeschäft am Brandenburger Tor und sah im Inneren des Ladens ein schönes Geschöpf vom Typus eines Mannequins oder einer Schauspielerin Orchideen aussuchen. Sie wählte lange — offenbar zu lange für die Geduld eines anderen Betrachters, der neben mir stand. Er pochte an die Scheibe und schrie: »He du, so mach doch endlich zu!« Ein Schimpfwort folgte, dann wandte er sich zu mir: »Dafür muß unsereiner zwei Wochen arbeiten.«

Das stimmte wohl, und es stimmte auch nicht nach verschiedenen Richtungen. Ähnliches sah und hörte man häufig, nicht nur vor Blumen-, sondern auch vor Schlachterläden, und nicht nur am Pariser-, sondern auch am Alexanderplatz. Was die Blumen angeht, so war ich von jeher der Meinung, daß sie sich der Ökonomie entziehen; am Schönen gibt es kein Eigentum. Die Blumen bleiben Geschenke — von Menschen untereinander und für den Menschen von der Natur. Ein Haus, in dem sie fehlen, ist unwirtlich, ohne sie gibt es kein Fest, keinen vollkommenen Tag. Sie schmücken die Gräber, nicht nur zur Erinnerung, mehr noch als Versprechungen.

Auch in der Stadt, ja gerade in ihr, fühlte ich täglich das Bedürfnis, Blumen zu sehen, nicht nur in den Schaufenstern, sondern auch in der Natur. Das war nicht schwierig; in jedem Viertel, in das wir umzogen, konnte ich bald einen

Wechsel ausmachen. Er führte im Osten über die Stralauer Brücke durch den Treptower Park, im Westen über die Hofjägerallee durch den Tiergarten bis zum Großen Stern. Das Denkmal, das dort stand, ist mir aus der Erinnerung entschwunden, die uralte Eiche nicht. Von dort aus gab es Schleifen zum Bellevuepark, zu den Zelten, zum Rosen- und zum Kleinen Tiergarten. Nachmittags führte eine kurze Fahrt zu den märkischen Wäldern und Seen.

Besonders schön war es in Steglitz; wir wohnten dort dicht neben dem Botanischen Garten, in dem man vormittags außer den Gärtnern nur einige Pensionäre traf. Eine Jahreskarte erschloß mir, wann immer es mir beliebte, diese Miniaturwelt mit ihren Gebirgen, Seen, Sümpfen, Dickichten und Arboreten, den bunten Rabatten und Medaillons. Es gab eine pontische Steppe, einen Kaukasus, einen Himalaya. In die Subtropen, Wüsten und Tropen führte der Rundgang durch eine Kette von Treibhäusern, als besäße man die Siebenmeilenstiefel des liebenswerten Chamisso, der vor hundert Jahren in diesem damals noch in Schöneberg gelegenen Garten Kustos gewesen war. Noch konnte ich im Herbarium von ihm beschriebene Bogen in die Hand nehmen. Auch Schweinfurth hatte hier gern geweilt; er ruhte zwischen den fremden Bäumen von seinen Reisen aus. Ein guter Platz für einen Botaniker.

Gemächlich konnte man sich in dieser Oase den Gedanken hingeben, auch hin und wieder vor einem Baum oder einem Beete Rast machen. Da vor jedem Gewächs ein Schildchen im Boden steckte, das seine Art und seine Heimat verriet, prägte sich dabei mühelos eine Fülle von Namen ein. Es blieb nicht aus, daß manche Erscheinung den Geist besonders

179

beschäftigte. Ihr konnte man in der Schausammlung oder im Lesesaal des Museums weiter nachspüren. Hier standen der Engler, der Große Hegi, Zeitschriften, Werke der lebenden Botaniker und ihrer Vorgänger, hier wurde auch das Herbarium Jean Jacques Rousseaus verwaltet, das inzwischen den Bomben zum Opfer gefallen ist.

Zu allen Tageszeiten, auch im Winter, war es dort angenehm. Vorm Essen blieb noch eine halbe Stunde für einen Gang an den Amazonas; vielleicht war dort über Nacht die Victoria regia oder die Aristolochia gigas erblüht. Von den Seychellen hatte eine Schiffsbesatzung die riesige Doppelkokosnuß mitgebracht, die, bevor man ihre Heimat kannte, als Meerwunder galt. Den Gärtnern war es gelungen, sie in einer Brutkammer zum Keimen zu bringen, und ich mußte täglich den Kopf ein wenig höher heben, um das Wachstum des Spießes zu verfolgen, der grüne Fahnen abzweigte. Da war noch Sicherheit.

Überhaupt war das stille, liebevolle Wirken der Gärtner wohltuend. Der Besucher sah mehr den Erfolg als die Mühe, denn notwendig geschah der Großteil der Arbeit zu Zeiten, in denen der Garten geschlossen war, oder in den Glashäusern, in denen gepflanzt und pikiert wurde. Bevor eine Orchidee oder gar eine neue Hybride die Augen erfreute, mußten alchimistische Operationen vorausgehen. Verborgen blieb auch die Arbeit der Gelehrten; zuweilen sah man sie wie Weißkittel-Lamas auf dem Weg vom Museum zu den Treibhäusern. Das alles brauchte den Besucher nicht zu kümmern, dem das reine Behagen vorbehalten war. Die freie Gabe gehört zum Inbegriff der Gärten: Das Beste geben die Götter uns umsonst.

Seit dem Kriege hatte ich nur in großen Städten gehaust, in Hannover, in Leipzig, in Berlin. Im Grunde entsprach das nicht meiner Neigung und beruhte vielleicht auf einem Mangel an Phantasie oder besser an Entschlußkraft, denn im Traum sah ich mich oft in Häfen oder auf Bahnhöfen. Dann fehlten die Pässe, das Geld, die Fahrkarten. Nun begann die Reihe der Freunde und Bekannten sich zu lichten; sie traten wie Franke, Paetel, Fischer, Gilbert, Lilienthal, Breitbach und Marcu lange Wanderungen an, von denen manche nie zurückkehrten. Andere zogen fort, ohne das Land zu wechseln — Friedrich Hielscher nach Potsdam, Rudolf Schlichter nach Rottenburg. Schlichter rühmte den Wechsel; für einen Maler und eingefleischten Schwaben mochte er besonders fruchtbar sein. Man merkte es an seinen Bildern; ich erwarb damals von ihm »Atlantis vor dem Untergang«, das seitdem in meinem Arbeitszimmer hängt. Er gab mir auch den Anstoß, es ihm nachzutun, indem er fragte: »Warum ziehn Sie nicht auch aufs Land?«

Die Frage weckte alte Erinnerungen auf. Ich dachte an unsere Schulausflüge; wir brachen im Morgengrauen auf und waren früh in einer der kleinen Harzstädte. Dann ging es in die Wälder, vorbei an den letzten Häusern, in denen die Menschen noch schliefen oder gerade aufstanden. Das hatte sich mir besonders eingeprägt und kam auch in Träumen wieder: nicht unser flüchtiges Vorüberziehen an einem freien Tage, sondern die Ruhe der anderen, die es von draußen hörten; wir waren Gäste, sie waren dort zuhaus. Sie brauchten nur ihre Tür zu öffnen, um im Wald zu sein.

Dem Umzug gingen Pläne voraus, die angenehm waren, auch wenn sie sich nicht alle verwirklichten. Mir schwebten Motive vor: des alten Lichtwers »Weihnachten im Harz«, lange, schneereiche Nächte, Schifahrten an einsamen Hängen, ausgedehnte Lektüre, der Frühling an den nahen Waldrändern. Ich würde auch Zeit finden, mich gründlicher als bisher mit der Sprache und systematischer mit der subtilen Jagd zu beschäftigen.

Bislang hatte ich, von Haus aus wenig begabt für kollektive Belustigungen, das Vergnügen mehr als Sonntagsjäger betrieben, auf märkischen Wanderungen, vor allem nach Finkenkrug, dem altberühmten Eldorado der Berliner Sammler, auch an der Ostsee und in Dalmatien, auf den Balearen und zwei Mal auf Sizilien. Dabei kam es darauf an, en passant und ohne große Umstände einen Vorrat an Arten einzusammeln, den ich in den Wintermonaten mit Hilfe von Tabellen ins Lot brachte. Was zweifelhaft blieb, sandte ich nach Dresden an den Rektor Hänel, der zum Preis von zehn Pfennig pro Stück die Bestimmung übernahm. So gewann ich allmählich einen Vorrat gut determinierter Arten zum Vergleich.

In dieser Tätigkeit lag kaum System, obwohl sie aus Systemen Nutzen zog. Eher eröffnete sie ein Denkspiel, das sich durch Jahre hinzog und sich im Maß, in dem es sich ausbreitete, zugleich vereinfachte. Die Jagd, der Glücksfund gehörte dazu. So fällt uns während der Lektüre hin und wieder ein Wort auf, dessen Geschichte und Bedeutung wir dann nachspüren. Hier tasten sich Wurzeln in die Sprache, dort in den Bios vor — immer feinere Wurzeln, die in einem Augenblick des Glückes Grund fassen.

»Damit kommt man nicht weiter«, hörte ich einmal jemanden sagen, der für brotlose Künste wenig Sinn hatte. Das ist richtig; man hat keinen Fahrschein gelöst. Eher schon das Gegenteil eines Fahrscheines: wir können in jedem Augenblick aussteigen, in dem uns der Zug oder die Passagiere zuwider werden, und sind dann entfernter als auf dem Mond. Das lohnt die Unkosten.

Das System ließ sich nebenbei besorgen, auf Reisen und Ausflügen, spielend, als Erholung zwischen der Arbeit, abends nach ihrem Abschluß, während einer Grippe oder an einem flauen Nachmittag. So grünt Moos in den Fugen der Steingärten, allmählich Muster bildend und auch über die Platten hinauswachsend.

Nicht vermeiden ließ sich, daß sich im Flur und auf den Schränken der kleinen Stadtwohnung Bücher und Kästen ausbreiteten. Es wurde Zeit, an den »ersten Schrank« zu denken, und dazu bot der Konkurs eines Naturalienhändlers, der jahrelang in der Gegend vegetiert hatte, eine unerwartete Gelegenheit. Ich habe die Schaufenster solcher Geschäfte immer nur mit einer Mischung von Wehmut und Sympathie betrachten können: die ausgestopften Vögel, die von Jahr zu Jahr schäbiger werden, die Terrarien mit den Schildkröten und weißen Mäusen, die Antilopengehörne, denen man ansieht, wie froh die Witwe war, als sie sie los wurde. Im Laden riecht es nach Spiritus und Kampfer, nach Motten und Staub. Man trifft stets dieselben Klienten, die lange verweilen und wenig mitnehmen. Sie kommen, wie Doktor Horn, der große Kenner der Cicindelen, es nannte, um

»entomologisch zu frühstücken«. Kaum springt die Miete heraus. Wenn die Sonne zu wärmen begann, fuhr der Besitzer in die Lüneburger Heide und fing dort Kreuzottern für Liebhaber. Das waren seine Ferien. Endlich waren ihm die Schulden über den Kopf gewachsen, und er bot mir den Schrank am Vorabend der Versteigerung an.

Als ich kam, führte er mich in den Keller, eine Grabkammer mit Häuten, Schädeln, Glasaugen. Dort stand der Schrank, ein verbrauchtes Möbel mit fünfzig verglasten Schubladen. Ich zog einige der Kästen heraus. Der Vorbesitzer hatte Blutströpfchen gesammelt, die kleinen Falter, die sich an Mittagshängen in die Köpfe von Disteln und Skabiosen einbetten. Sie variieren ins Unendliche. Die Kollektion war vereinzelt worden; einige Nachzügler lösten sich in bunten Puder auf.

Wir wurden gleich handelseins. Der Naturalist war nicht bei der Sache; er mußte schlaflose Nächte hinter sich haben, oben im Laden war Unruhe. Sein Gesicht war blutleer, seismographisch bewegt. Die Frau und der Sohn würden mir den Schrank mit dem Handwagen zubringen — noch vor dem Abend, bald, im Augenblick sogar. Er ließ das Geld liegen, wollte hinaufeilen. Ich hielt ihn fest, das hatte doch noch Zeit. Er starrte mich an, als ob ich ihm etwas tun wollte, und sagte mit drohender Stimme:

»Wir sind keine Betrüger, mein Herr.«

Und dann noch einmal, lächelnd, mit unheilvoller Milde:

»Nein, nein — Betrüger sind wir nicht.«

Dabei wendete er den Aufschlag seines Rockes und wies mir das Hakenkreuz.

184

Leider war die Literatur teuer; ich besorgte sie mir von Reitter aus Paskau und noch lieber antiquarisch aus den Gewölben des »Bücherwurms« in der Motzstraße. Dort gab es Trouvaillen. Anders war es bei Wilhelm Junk, dessen Geschäft ganz in der Nähe unserer Wohnung, in der Sächsischen Straße, lag. Ich sprach zuweilen bei ihm ein, wenn ich nachmittags zum Botanischen Garten ging. Dort war mehr ein Büro als ein Laden; das Magazin lag in einem anderen Teil der Stadt. Man fand bestimmt, was man suchte; aber Junk wußte genau nicht nur über den Wert, sondern auch über den Preis seiner Ware Bescheid. Das ist der Unterschied zwischen einem allgemeinen und einem speziellen Antiquariat.

Die Beschaffung von Büchern, insbesondere das Aufspüren von »Desideraten«, bildet wiederum einen besonderen Zweig der Jagd. Einzelheiten würden auf ein zu weites Feld führen. Der Entomolog gerät in vierfache Versuchung, insofern ein Buch für ihn wissenschaftlichen, historischen, ästhetischen oder bibliophilen Wert haben kann. Natürlich waren die Zeiten, in denen Gustav Kraatz gemächlich die Seine-Quais umwandern und dabei die schönen, handkolorierten Werke des 18. Jahrhunderts für märchenhaft billige Preise erstehen konnte, seit langem vorbei. Das war vor dem Siebziger Krieg. Eine große Lücke riß die Inflation in den Zwanzigerjahren, während deren ganze Schiffsladungen von Büchern nach Amerika abwanderten. Dann kamen die Feuerstürme des Zweiten Weltkrieges.

Kurz vor dem Leipziger Brande hatte ich mir aus dem Volckmarschen Antiquariat das seltene Werk von Spix über die Schlangen Brasiliens bestellt, als ich in Kirchhorst auf

Urlaub war. Zu meiner Überraschung wurden mir gleich zwei Exemplare, noch »zu Friedenspreis«, zur Auswahl gesandt. Von dem einen trennte ich mich so ungern wie von dem anderen. Bei solchen Editionen hat jedes Stück seine Eigenart.

»Die hab ich gleich beide behalten«, sagte ich zu Volckmar-Frentzel, der damals mit mir im Pariser Stabe diente, woraufhin er mich als »Mörder seiner Substanz« bezeichnete. Ich hatte aber gut daran getan, denn als wir diese Worte wechselten, war schon das ganze Lager verbrannt.

Vermessen wäre es für den Liebhaber, das Auge zu Drucken zu erheben, die wie Redoutés »Rosen« von Anfang an zu Prachtwerken bestimmt waren. Übrigens kann der Preis eine Höhe erreichen, die den Genuß am Besitz beeinträchtigt. Das gilt auch für Kunstwerke. Der Preis nagt am Wert.

Auch die Gründung von immer neuen Universitäten und Museen, selbst in Ländern, die noch vor kurzem von Analphabeten wimmelten, trägt zur Lichtung der Bestände bei. Während der Jahre, in denen ich die Kataloge studierte, stiegen die Preise für Rösels »Insekten-Belustigungen« (1746) auf das Zehn- und Zwanzigfache an. Junk berechnete in seinem Katalog von 1912 das mit allen Nachträgen sechsbändige Werk noch mit zweihundert, zwei Einzelbände aber nur mit dreißig Mark. Da konnte man hoffen, es allmählich zu vervollständigen. Die Komplettierung gehört zur antiquarischen Feinarbeit.

Jeder Sammler ist auf Vollständigkeit erpicht. Er tut daher gut daran, sein Feld zu begrenzen; das ist nicht nur eine Frage der praktischen, sondern auch der idealen Ökonomie, der gelungenen Abrundung. Je beschränkter die Mittel, desto größer ist der Genuß, wenn nach langem Bemühen die Ergänzung gelingt. Ein ständiger Stachel ist das Fehlen von Jahrgängen in einer Reihe von Zeitschriften. Was von der »Stettiner Zeitung«, einem ausgesprochenen Organ für Liebhaber, anwuchs, bereitete mir keine Sorge, denn dafür genügte das Abonnement. Hin und wieder konnte ich auch eine Serie alter Jahrgänge erwerben und die Dubletten wieder verkaufen oder umtauschen. Die Klippe blieb der als unauffindbar geltende »Kopf« der Zeitschrift, ihr erster Band, der 1840 in sehr kleiner Auflage gedruckt wurde. Ich wagte daher meinen Augen kaum zu trauen, als ich ihn, zusammen mit den zwölf folgenden, nach dem Zweiten Weltkrieg im Katalog eines kleinen Antiquariats angeboten sah. Der erste Gedanke war, den ganzen Posten telegraphisch zu bestellen, dann fiel mir aber eine der Junkschen Maximen ein. Er sagte ungefähr: »Wenn ein Antiquar nach der Versendung eines Kataloges aus London, Amsterdam und Halle Telegramme bekommt, die ein bestimmtes Buch anfordern — so ist das ein Zeichen dafür, daß er den Preis viel zu niedrig ansetzte.« Umgekehrt riet er dem Antiquar, der bei der Lektüre eines Kollegenkatalogs entdeckt, daß dort der Wert eines Rarissimums nicht erkannt wurde, es unauffällig herauszuangeln, indem er den Titel in einer Sammelbestellung versteckt. Das waren Ratschläge eines Mannes, der seinen Arbeitstag mit der Lektüre von Katalogen begann. Er meinte auch, in solchen Fällen könne sich der moralische Antiquar mit dem Gedanken trösten, daß auch der andere schon das Buch viel zu billig erstand. Ich tat desgleichen und bestellte auf einer Postkarte die Reihe mit gutem Erfolg.

Bei solchen Händeln muß man sich noch auf andere Kriegslisten gefaßt machen. So ist es möglich, daß man auf eine »Blindofferte« eingeht, insofern der Antiquar das angebotene Buch gar nicht besitzt, sondern es als Lockvogel benutzt und auf diese Weise seine Kundenkartei zu bereichern und seinen Katalog anziehender zu gestalten gedenkt. Bestellt man also ein »lot«, so wird gerade diese Nummer bereits vergriffen sein. Eine Blindanzeige hielt Junk für erlaubt in Fällen, in denen er das Buch zwar nicht auf Lager hatte, es aber bestimmt zu besorgen imstande war.

Wenn man lange genug und behutsam auf ein Wild ansteht, wird man Erfolg haben. Das gilt auch für die Bücherjagd. Die Bücher kommen auf den geduldigen Liebhaber zu, wenn auch nicht die teuren, so doch die seltenen. Ein anderer Berliner Antiquar war Leipert, der damals ein schmales, dunkles und fast immer leeres Geschäft in einer der Nebenstraßen des Kurfürstendamms eröffnete. Bis dahin hatte er eine kleine Klientel mit einem Bücherkoffer in den Wohnungen besucht. Er hatte für Bücher einen sechsten Sinn. Seine Spezialität ist schwer zu beschreiben; man könnte sie der eines Einsiedlerkrebses vergleichen, der in der Tiefe haust und dort die Strömungen verfolgt, oder auch der eines Meteorologen, der das Wetter von übermorgen in den Fingerspitzen spürt. Bei ihm fand man Erstdrucke von wissenschaftlichen und belletristischen Werken, die Eremiten oder kleine Zirkel zu beschäftigen begannen und dann en vogue kamen: etwa Bruno Bauer, Kanne, Creutzer, Moser, Schuler — auch Bachofen und Tocqueville vor ihrer Renaissance. Er hatte also ein Ohr für die Initialzündung. Auch Hamann war damals noch nicht in Mode gekommen; Leipert besorgte mir ein schönes Exemplar der Rothschen Ausgabe, freilich ohne den achten Band, dessen Unauffindbarkeit sich dadurch erklärt, daß er ein Vierteljahrhundert später in kleiner Auflage gedruckt wurde. Es sollte dann auch fast dreißig Jahre dauern, bis ich ihn mir an drei verschiedenen Orten beschafft hatte — zunächst das wichtige Register, dann den Nachtrag und endlich sogar das Titelporträt als Zufallsentdeckung in der Rue de Tournon.

Es muß kurz vor meinem Umzug gewesen sein, als ich Leipert zum letzten Mal in seinem Laden aufsuchte. Ich war wegen einiger Desiderata gekommen; darunter war ein Titel des Hannoverschen Professors Theodor Lessing, dessen kleine Schriften ich sammelte. Leipert verehrte ihn. Wir standen zusammen zwischen zwei Bücherregalen im Halbdunkel. Plötzlich, als ich den Namen nannte, wurde es unheimlich. Der sonst so friedliche Antiquar packte mich an der Schulter; sein Gesicht verzerrte sich.

»Ja, wissen Sie's denn nicht?«

»Was soll ich denn wissen?«

»Ermordet, ermordet!«

Obwohl er es flüsterte, klang es wie ein Weheschrei. Ich hatte es nicht gelesen; solche Nachrichten erschienen schon damals höchstens an versteckter Stelle und ohne Kommentar.

Wir korrespondierten dann noch bis tief in den Krieg hinein. Hin und wieder kam einer seiner kleinen, immer höchst spannenden Kataloge, in denen sich mehr und mehr die Angebote in Nachfragen verwandelten. Es hieß, daß er für Leute von großem Einfluß tätig sei. Dann hörte ich nichts mehr von ihm.

In jedem Berufe finden sich eine Menge guter Taktiker

und einige Strategen, die das Geschäft im kleinen und großen umtreiben. Höchst selten ist jedoch ein Kopf, der das Geflecht der Operationen in ein System zu bringen weiß. Das setzt einen Einschlag von Philosophie voraus: intelligente Spiegelung der Passion und ihrer Schachzüge. In diesem Sinne ist Junk ein Clausewitz der Antiquare; und es ist ein Glück, daß seine Aufzeichnungen nicht wie so viele andere den großen Bränden zum Opfer gefallen, sondern in einer posthumen Ausgabe erschienen sind. So nahm er seine Erfahrungen nicht mit ins Grab.

Ein dauerndes Monument hat Wilhelm Junk sich durch den unter seinen Auspizien erschienenen »Catalogus Coleopterorum« gesetzt. Dieses Riesenwerk, das er zusammen mit dem Berliner Kustos Schenkling edierte, umfaßt in einunddreißig Lexikonbänden alle bisher benannten Käferarten, über eine Viertelmillion. Dazu die Autoren, die Synonyma, die Quellen, die Fundorte.

An den Erwerb dieses Mammutwerkes konnte ich nicht einmal im Traume denken — um so weniger, als ich bei meinen gelegentlichen Besuchen eine der Junkschen Maximen, nämlich die, daß Antiquar und Apotheker nicht nur den Anfangsbuchstaben gemeinsam haben, vollauf bestätigt fand. Solche Werke, wie etwa das von Lindner über die Fliegen oder das von Amsel über die Kleinschmetterlinge, erwirbt man durch Subskription in einer schwachen Stunde; oft segnen die Subskribenten und die mitwirkenden Gelehrten längst vor dem Abschluß das Zeitliche. Es kommt auch vor, daß der Verleger seine Kräfte überschätzte und einen Torso hinterläßt.

Das war hier nicht der Fall. Damals schon war der »C. C.«

nach einigen Jahrzehnten des Bienenfleißes auf zwanzig-tausend Seiten herangediehen; er schloß im Kriegsjahr 1940 mit dem Register ab, und zwar in Holland, denn inzwischen war auch Junk von der migratorischen Unruhe erfaßt worden. Auch hier hatte sich das Verhältnis von Angebot und Nachfrage schon stark verschoben; ich konnte daran denken, das Werk zu bestellen, und es war eher eine Bezeugung des Wohlwollens, vielleicht auch der Erinnerung, daß ich es erhielt. Allerdings stand das wiederum im Einklang mit einer der Junkschen Maximen: »Wer nicht ein seltenes Buch mit Bedauern verkauft, ist kein Antiquar, wie ich ihn mir vorstelle. Aber ein Antiquar, der nicht gelegentlich, um der Wissenschaft zu dienen, etwas auch ohne Gewinn verkaufen kann, gehört in einen anderen Beruf.«

Ob er, der Ehrendoktor zweier Universitäten, in meinem Fall der Wissenschaft gedient hat, will ich dahinstellen. Jedenfalls sind seine Manen dabei, wenn ich, was mehrmals am Tage und auch in der Nacht vorkommt, einen seiner Bände zur Hand nehme und in ihm nachschlage.

Der leidige Umstand, daß niemand mehr Zeit hat, färbt besonders stark auf den Beruf der Antiquare ab. Wenn ich aus den Katalogen, die täglich ins Haus kommen, schließen darf, entwickelt sich das Geschäft in der einen Richtung zum Juwelen-, in der anderen zum Schrotthandel. Von beschaulichen Stunden, wie ich sie beim alten Lafaire in Hannover oder bei Morin in Le Mans verbrachte, kann nicht mehr die Rede sein. Mit ihnen ging man nach Hause, wenn sie den Laden schlossen, und sprach von Büchern bis spät in die Nacht.

Es hängt indessen mit dem Wesen des Antiquariats zusammen, daß man dort nicht nur einkauft, sondern auch gern verweilt. Der Handel mit gebrauchten Büchern unterscheidet sich von dem mit Novitäten; er hat seine eigenen Gesetze, seine besondere Gemütlichkeit. Das Hin und Her der Kataloge bringt es mit sich, daß man dort nicht nur über die Ware, sondern auch über die Gilde auf dem laufenden bleibt. So erfuhr ich von Madame Cardot, einer alten Antiquarin, die ich während der Mittagspause in der Avenue Kléber zu besuchen pflegte, zuweilen etwas über Wilhelm Junks Schicksal, und zuletzt auch, daß er in Holland unter tragischen Umständen aus dem Leben geschieden sei. Darauf konnte ich mir dann meinen Reim machen.

GOSLAR AM HARZ

Daß ich, der außer Ehrungen wenig zu befürchten hatte, in dieser Schicksalsstunde aufs Land zog, war vermutlich richtig — ob es recht war, darüber kann man verschiedener Meinung sein. Schließlich ging es um mehr als um ein Für und Wider in Parteifragen. Kritiker, an denen es mir zu keiner Zeit gefehlt hat, kreideten mir dreißig Jahre später, um sich aus der Verlegenheit zu ziehen, meinen »Aesthetizismus« an. Hier könnte man vielleicht auch an Moral denken.

In diesem Zusammenhang ist mein Umzug deshalb zu erwähnen, weil von nun an die Uhr für mich langsamer lief und ich mehr Zeit hatte. Das war für meine Prosa günstig und ebenso für meine Studien und Neigungen. In dieser Voraussicht nahm ich mir vor, ein Gebiet, auf dem ich mich bislang als Dilettant bewegt hatte, etwas gründlicher zu bestellen und bei einem Experten in die Lehre zu gehen. Ihn zu ermitteln, konnte nicht schwierig sein.

Mit den Entomologen verhält es sich ähnlich wie mit den Antiquaren, die auf eine fast unterirdische Weise übereinander Bescheid wissen. Und wie sich die Antiquare von den übrigen Buchhändlern unterscheiden, so die Entomologen vom Gros der Zoologen, mit denen sie meist wenig zu schaffen haben, weniger als mit den Botanikern. Sie bilden eine Sekte für sich. Man kann sie einem unserer großen Orden vergleichen, einem Orden, der vor zweihundert Jahren gegründet wurde und dessen Geschichte noch nicht geschrieben ist, geschweige denn die nur zu erratende Geheimlehre. Sie haben ihre Kirchenväter, ihre Dogmatiker, ihre dienenden Brüder, auch ihre Märtyrer. In jeder Kleinstadt sind einige Eremitenzellen, die der Eingeweihte kennt.

Ich brauchte nur im »Entomologen-Adreßbuch« unter »Goslar« nachzuschlagen und fand dort die Namen eines Rektors, eines Postrats, eines Bergbeamten und eines Frisörs. Dem Rektor schrieb ich; seine Verdienste waren mir aus den Zeitschriften bekannt. Er hatte einmal einen Käfer, der gewöhnlich mit blauen Flügeldecken vorkommt, in einer grünen Spielart angetroffen und sie benannt. Ferner hatte er entdeckt, daß der Name Cardiola für eine Kurzflüglergattung mit herzförmigem Halsschild bereits vor hundert Jahren vergeben worden war, und zwar für eine ausgestorbene Herzmuschel. Er war also nach Linnés Gesetz ungültig, und der Rektor war als Wiedertäufer aufgetreten, indem er ihn gegen Cordalia vertauscht hatte. Durch dieses Anagramm war seine relative Unsterblichkeit gesichert — sein Name würde mit dem der Gattung verbunden bleiben, solange

Linnés System bestand. Es mag ungerecht scheinen, daß ein Registerprüfer auf diese Weise den Namen eines Mannes auslöscht, der originale Arbeit geleistet hat. Ohne Zweifel liegt darin ein Triumph der Pedanterie. Aber auch sie gehört zum System.

Endlich war der Rektor auch mit einer »Lokalfauna des Stadtgebietes von Goslar am Harz« beschäftigt — die Summa war bereits erschienen, nun kamen die Nachträge. An ihnen gedachte ich mich zu beteiligen. Wenn die Masse häufiger und weitverbreiteter Tiere ins Garn gegangen ist, bleibt eine Anzahl von seltenen oder versteckt lebenden Arten zurück, denen man nicht auf gut Glück begegnet, sondern nur dank raffinierter Nachstellung.

Ich war im neuen Hause noch mit der Aufstellung der Bücher beschäftigt, als es draußen klingelte und der Rektor ins Zimmer trat, ein unscheinbarer Mann von bald siebzig Jahren, mit aufmerksamen Augen hinter starken Brillengläsern und höflichen, doch sicheren Bewegungen — mein erster Goslarer Besuch. Wir traten gleich in die Materie ein; ich wurde offenbar für tauglich befunden und als Gehilfe engagiert.

Draußen lag Schnee; ich hatte am Steinberg schon den ersten Schilauf probiert. Das Wetter schien zum Sammeln wenig günstig, doch schlug der Rektor einen Waldgang vor. Daran erkennt man den Erotiker. »Wann ist Gelegenheit?« — »Immer.« »Wo ist Gelegenheit?« — »Überall.«

Wir gingen also in den Grauhöfer Wald, der auch inzwischen einem Flugplatz gewichen ist. Der Rektor führte mich in einen verschneiten Bestand von alten Ahornen; er wollte der Gesellschaft nachspüren, die dort überwinterte.

Sie spiegelt die Palette des Holzes wider — von der Glätte des Buchenstammes bis zur Rauheit der Eichenborke, die Maserungen und Polituren, die Scheckung der toten Äste, auf denen sich Flechten und Schwämme ansiedelten. Als ob der Holzgeist sie ganz durchdränge, verzweigen die Organe sich zu phantastischen Auswüchsen. Oft konnte ich, wenn ich ein Stückchen Rinde in der Hand hielt, die lebende und die tote Materie nicht unterscheiden; wenn sich dann ein Fühlerchen regte, war es, als ob ein warmes Licht sich entzündete.

Der Rektor begann, mit einer Kratze die Schuppen der Ahornstämme abzublättern, und fing sie mit einem Siebe auf. Er blies Zigarrenrauch über das Gesiebe und reichte mir hin und wieder eines der Tierchen, die so belebt wurden. Ich hatte klamme Hände; wenn ich es fallen ließ, lachte er:

»Dann haben Sie es schon.«

Das war unser erster Ausflug, dem viele andere folgten; als es warm wurde, waren wir fast an jedem Nachmittag unterwegs. Es begannen ja auch alltäglich neue Blumen zu blühen; wir mußten das nach Art der Bienen wahrnehmen. In der Erinnerung verschmelzen jene Gänge zu einem einzigen großen Gang. Wir fühlen uns wohl in der täglichen Übung, die nur der Gedanke beschattet, sie könnte aufhören. So hielten es die Jäger seit den ältesten Zeiten; ihr Trost waren die Ewigen Jagdgründe.

Der Rektor war mit dem Stadtgebiet von Goslar vertraut wie ein alter Förster mit seinem Revier. Große Waldungen gehören dazu, die sich bis zum Auerhahn ausweiten und die neben dem Erz zum Reichtum der Stadt beitragen. Mich störte an dem Bestand nur, daß er auf Urgestein gründet — damit entbehrt er der Fülle von Pflanzen, die den Kalk lieben. Oft schlug ich daher vor, unsere Exkursionen in die Vorberge auszudehnen, etwa bis zum herrlichen Klosterwald des Vienenburger Harli, der leicht zu erreichen war. Vergebens, nur auf den Sudmer ließ sich der Rektor ein, der fiel noch ins Stadtgebiet. Doch Arten, die ich bei Vienenburg aus der Oker gefischt hatte, ließ er für seine Fauna gelten, denn die würden auch dort vorkommen, wo der Fluß die Goslarer Feldmark durchschnitt.

An einem der ersten warmen Februartage stiegen wir alljährlich ins Granetal hinauf, um dort die Nesthügel der Waldameise zu untersuchen, die der Grünspecht schon vor uns revidiert hatte. Wir banden uns die Ärmel zu und siebten die rotbraunen Nadeln auf ein helles Laken, von dem wir die Ameisengäste ablasen. Zur Tollkirschenblüte kehrten wir dorthin zurück und klopften auf den Waldschlägen die mannshohen Büsche nach seltenen Chrysomeliden ab.

Ein verborgenes Tal oberhalb des Herzberger Teiches ist das des Piepenbaches; in seinem Schatten konnte man meinen, noch im Bannforst der Sachsenkaiser zu sein. Dort lebte im Quellmoos ein goldhaariger Ritter, durch den sich die sonst recht eintönige Gattung Quedius nobilitiert. Er führt zu Recht den Namen Auricomus, denn seine Härchen glänzen, als ob ein Goldschmied während der Arbeit feinste Drähte abgekniffen und auf dem Panzer verstreut hätte. Der Rektor fragte, ob er den Fundort nicht verschweigen sollte, damit kein Händler komme und das Tier ausrotte.

Vom Stadtrand führte ein verwachsener Hohlweg zum Rammelsberg hinauf. Dort hatte der Alte einen seiner Wechsel, den er fast täglich beging. Wie alle Jäger folgte er den Gewohnheiten des Wildes, dessen Lieblingsplätze zugleich die ihren sind. Nicht jeder Wechsel kann so reich bestellt sein wie die Urwaldschneisen am Amazonas, die Bates und Wallace schildern, oder wie der Sandstreifen am Wasserfall von Maros bei Makassar, den Ribbe nach dem Frühstück abschritt und auf dem zahllose Falter einen Teppich bildeten. Es gibt auch auf bescheideneren Plätzen Überraschungen, wie etwa auf dem längst verschollenen Kampfmeyerschen Holzplatz vor dem Brandenburger Tor, auf dessen Erkundung Gustav Kraatz als Sekundaner auch während der Wirren von 1848 nicht verzichtete, oder wie die Pappelallee bei Dessau, an der Heidenreich und Louis Nebel in jedem Sommer eine höchst begehrte Saperda erbeuteten. Merkwürdigerweise wurden sie nur auf der einen Seite des Weges fündig — wenn ein Besucher kam, den sie des Tieres nicht für würdig hielten, führten sie ihn an der andern entlang.

Im Rammelsberger Hohlweg kannte der Rektor den Fundort eines seltenen Ptinus, den er von morschen Zaunpfählen klopfte, und zwar schon auf den ersten Schlag. »Sehen Sie — genau wie Reitter es beschreibt.« Diese Ptiniden sind dickbäuchige Zwerge in kurzgeschorenen, oft reichbestickten Sammetröcken; sie verträumen ihr Leben als Vegetarier an dunklen Orten im Moos der Eichen, auf Kräuterböden, in Herbarien. Wir pflegten daher auch einen Drogisten zu besuchen und uns in seinem Lager nach ihnen umzusehen. Der Rektor hatte dort sogar einen Ptiniden entdeckt, der mit Fischfutter aus Neuseeland eingeschleppt worden war. Bald bekam auch der Drogist Geschmack an der Sache, was vielleicht nicht seinem Geschäft, wohl aber seiner Gesundheit zuträglich war. Wir begegneten ihm zuweilen an einem stillen Weiher, dessen Geheimnisse er mit seinem Netz ergründete.

Beim täglichen Umgang, der Jahre hindurch währt, kann auch zwischen einem alten und einem viel jüngeren Mann ein Gefühl der Zuneigung nicht ausbleiben. So war es auch hier; diese Zuneigung war zugleich tief und begrenzt. Sie gründete auf der Sache — auf dem gemeinsamen Anteil an einem beschränkten, doch unergründlichen Bereich und auf der Mitteilung unter Eingeweihten, die sich daraus ergab. Das schafft Verbindungen, die lange anhalten — meist länger als solche, die sich durch reine Sympathie knüpfen, oder gar durch Gesinnungen.

Wir waren Freunde im Wald, doch ging die Freundschaft nicht darüber hinaus. Auch wenn wir uns im Haus besuchten, was häufig vorkam, war immer »etwas Neues« aus dem Walde, nicht die Person gemeint. Als bei einem der ersten dieser Besuche Perpetua ihn zu einer Tasse Kaffee einlud, dankte er höflich, doch mit kategorischem Unterton.

Damals im Rammelsberger Hohlweg sagte der Rektor: »Hier kenne ich jeden Halm und jedes Ästchen; da gibts nichts Neues mehr.« Das wurmte mich; ich ging am Abend noch einmal hinaus und pochte mit der Axt an einen verpilzten Hainbuchenstamm. Gleich sprang eine Melandrya heraus, die man bis dahin nur aus der Slowakei gekannt hatte. Das war ein guter Einstand für mich.

Bei den Waldgängen sah ich, daß mein Lehrmeister waidgerecht verfuhr. Ich meine damit, daß er auf statistische Methoden verzichtete, die den Glücksfund ausschließen. Wer ein Fischwasser besitzt, kann es mit Netz und Angel und auch mit allerhand Reusen ausbeuten. Er kann es aber auch mit elektrischem Strom beschicken und »ausfischen«. Dann wird ihm selbst der kleinste Stichling nicht entgehen. Da endet das Vergnügen, und die Ziffer tritt ihre Herrschaft an.

Der Rektor beschränkte sich auf einige Netze, mit denen er die fliegenden und schwimmenden Tiere jagte oder die Büsche und Kräuter abstreifte. Außerdem hatte er einen großen grünen Klopfschirm, ein Sieb, eine Rindenkratze und eine Tabakspfeife mit angesetzter Tülle, durch die er den Rauch in Bohrlöcher von Baumstümpfen blies. Dann purzelte eine bunte Gesellschaft heraus. Um ihrer habhaft zu werden, verwandte er den »Exhaustor«, einen Glaskolben mit zwei Gummischläuchen, durch die er das aufgescheuchte Zwergvolk ansog, bevor es in neue Schlupfwinkel flüchtete.

Das kleine Instrument war nützlich; ich führte es auch später auf meinen Ausflügen mit. Einmal, bei Marbella, konnte ich damit einen Platypus von einer Korkeiche abfangen, der in Sekunden von einem Flugloch ins andere wechselte. Am nächsten Morgen fuhren wir in die Sierra von Malaga empor. Zwischen Ginster und Skabiosen lag ich neben dem Loden-Frey auf einer blühenden Wiese, und wir sogen den Reichtum förmlich in uns ein.

Leider kam es ebenso oft vor, daß ich den Exhaustor nicht bei mir hatte wie auch das Netz. Auf diese Weise entging mir ein Uferläufer, Paederus, gerade zu einer Zeit, während der ich einer besonderen Neigung zu diesen behenden, teils dreifarbigen, teils stahlblauen Geschöpfen verfallen war. Bevor ich nach Ägypten aufbrach, hatte ich mich über das, was mir dort über den Weg laufen könnte, informiert. Der Aufenthalt war übrigens in dieser Hinsicht enttäuschend; ich kam zu einer ungünstigen Zeit und sah mehr Tiere auf den Hieroglyphentafeln als in der Natur. Das kam der Konzentration auf die Denkmäler zugut. Außerdem ist Ägypten kein Land für einsame Ausflüge.

Der Paederus, der mir dort entging, war Memnonius; der hochgelehrte Erichson, eine der Leuchten unseres Ordens, hat ihn 1840, offenbar nach dem alten Memnon, dem Sohn der Eos, benannt. Dessen berühmte Säule stand bei Theben, dem heutigen Luksor, und dort erblickte ich das Tier, während Erichsons Diagnose mir noch vor Augen schwebte: »Habitat in Aegypto; alatus, niger, elytris cyaneis.«

Das Nilufer war von einem breiten Schlammgürtel gesäumt, den die Hitze zerrissen hatte wie einen Auftrag von schwarzem Lack. Der Memnonius tollte darauf herum. Es scheint, daß die Tiere allein von der Hitze berauscht werden. Vergeblich suchte ich ihn zu erhaschen; er verschwand in den fußtiefen Rissen, sowie der Schatten der Hand auf ihn fiel. Da hätte ich gern den Rektor mit seinem Exhaustor bei mir gehabt, obwohl das Tier ja nicht mehr in das Goslarer Stadtgebiet fiel. Doch auf den gelben Schlammbänken der Oker hatten wir zusammen ganz ähnliche Arten gejagt.

Der Tag bei Luksor war übrigens nicht nur des entgangenen Memnonius wegen ärgerlich. Ich war schon mit einer klimatischen Verstimmung aufgewacht, die sich beim Frühstück verstärkte und sich unter anderem im Postkartenhorror äußerte. So könnte man ein Leiden nennen, das der Überfütterung mit Sehenswürdigkeiten folgt. Die Überflutung mit Bildern bringt eine besondere Art von Schwindel, von Nausée, von Seh-Krankheit hervor. Es kommen Tage, an denen uns auch die Originale zuviel werden und abgetreten scheinen wie alte Teppiche. Daraus erklärt sich unter anderem, warum die Kunst nicht durch Verfeinerung, sondern durch Stilwechsel fortschreitet.

Ich wollte auf das Tal der Könige verzichten und lieber, bevor ich zum Nil ging, ein wenig in den Gärten nach Beute spähen. Die Gelegenheit schien günstig; das große Hotel war von Rabatten umschlossen, deren Stauden als mannshohe Mauern den Weg säumten, auf dem der gelbe Sand leuchtete. Es war auch einsam, nur ein nubischer Gärtner in roter Chalabije war zwischen den Beeten zugang.

Sind Sonne und Wasser in solchem Maß zu Diensten, so sieht man erst, was die Erde zu bieten vermag. Hier muß der Gärtner das Wachstum eher eindämmen. An großen und schönen Blüten war kein Mangel, und wie immer im Morgenlicht der Gärten schien es, als ob sie warteten. Wunderlich war, daß kaum ein Falter, kaum eine Biene die üppige Weide beflog. Auch in den Kelchen und Körben waren nur zwei oder drei Tiere zu entdecken, wie sie rings um das Mittelmeer an jeder Hecke vorkommen. Ich nahm sie nur »des Fundorts wegen« mit.

Offenbar hatte noch ein anderer Gast den Aufbruch zum Tal der Könige versäumt — eine der die Welt bereisenden Amerikanerinnen, deren Alter schwer zu schätzen ist. Sie kam violetthaarig über den gelben Weg heran. Wenn man den Nil hinauffährt, trifft man sich immer wieder — ich hatte sie schon in Kairo im Fahrstuhl gesehen und mich entschuldigen müssen, weil ich auf den falschen Knopf gedrückt hatte. Das hatte sie nicht übelgenommen, im Gegenteil: »Oh, with you I would go on the top.« Jenseits der Linie werden solche Sprüche zum unverbindlichen Kompliment.

Vergebens versuchte ich zu verschwinden oder mir wenigstens das Air des harmlosen Blumenfreundes zu geben, um Worten wie »hobby« und ähnlichen Deflorationen zu entgehen, die leider auch in Europa Mode werden — »hobby« für »il diletto«, »keep smiling« für »le sourire«. Allein sie hatte mich schon erspäht. Ich mußte erklären, was ich da trieb, auch meine Fangflasche vorweisen, in der noch eine Oxythyrea zappelte — eine der kleinen Cetoniden, die man vom Bodensee bis zur Sahara, wenn nicht in jeder, so doch in vielen Ringelrosen trifft. Das schien der Guten zu mißfallen; sie zog, besonders, als noch eine kleine Ätherwolke aufstieg, ein angewidertes Gesicht.

»Das sollten Sie lieber nicht tun« — damit ging sie, ohne mir die Hand zu reichen, durch die Beete davon. Ich sah, wie sie den schwarzen Gärtner in ein wohlwollendes Gespräch verwickelte, bei dem er freudig die Augen rollte und die Zähne blinken ließ. Er bekam die Hand, sie winkte ihm sogar noch einmal zurück. Offenbar hatte er besser abgeschnitten als ich. Er setzte nun mit verdoppeltem Eifer seine Arbeit fort, indem er hin und wieder zu einem großen Faß ging und eine Spritze füllte, mit der er dann die Blütenwand absprühte.

Warum das Faß wohl rot war? Der Inhalt sah nicht nach Wasser aus. Er wurde vor jedem Gange umgerührt. Jetzt ging mir auf, warum der prächtige Flor so ausgestorben war: der Mann aus Nubierland hatte sich nützlich gemacht. Wo ich von zehntausend einen als Tribut nahm, hielt er es umgekehrt; er ließ höchstens einen davonkommen. Da regt sich kein Beinchen mehr. Und das unter allgemeiner Zustimmung.

Der Rektor war früh von der migratorischen Unruhe erfaßt worden. Er hatte im Elsaß als Schulmeister gelebt und dort gesammelt und mußte 1919 aus dem Lande gehen. Wohnung und Möbel waren konfisziert worden. Nur seine Sammlung hatten sie ihm gelassen, vierundzwanzig Kästen in eleganter Buchform, in denen sich nun die mitteldeutschen Arten den westlichen anreihten. Vor kurzem war er pensioniert worden und hatte sich ganz seiner Fauna gewidmet — »man muß etwas tun, und zwar etwas Nützliches«.

Auch nach dem Umbruch von 1933 hatte er sich als guter Staatsbürger gefragt, was dabei für ihn zu tun wäre. Übrigens meinte schon Darwin, daß ein tüchtiger Entomologe fast immer auch ein guter Bürger sei. Das Wort darf man getrost auf den Typus des Sammlers ausdehnen. Sammler sind Konservatoren, bewahrende und hortende Naturen und meist zufrieden, wenn sie nicht in ihren Kreisen gestört werden. Seßhafte Leute; wer schon die Umzüge fürchtet, hat wenig Sinn für Umstürze.

Der Rektor hatte also mit seiner Frau beraten, welchen Beitrag sie wohl leisten könnten, und sie hatten beschlossen, ihr Erspartes darauf zu verwenden, ein Haus zu bauen. »Wissen Sie, Arbeitsbeschaffung ist wichtig; da kann ich den neuen Leuten nur zustimmen.« Er war gleich ans Werk gegangen; als ich ihn kennenlernte, wurde gerade der Richtbaum gesetzt. Ein schönes Haus mit Garten am Stadtrand, gegenüber von Köppelsbleek.

Wir sprachen wenig über politische Dinge, obwohl er mir hinsichtlich der Goslarer Interna einige gute Ratschläge gab. Wir hatten anderes zu tun. Die Sache bindet fester als die Meinung; ich habe daher auch bemerkt, daß Freundschaften unter Entomologen sich durch besondere Dauer auszeichnen. Hier wird selbst in turbulenten Zeiten die Gesinnung überspielt. Natürlich gibt es Ausnahmen, dafür aber auch Fälle wie den des berühmten Latreille, der während der Revolutionswirren in der Vendée verhaftet und zum Tode verurteilt worden war. Der Gefängnisdirektor ließ ihn entkommen, nachdem er gesehen hatte, daß er sich in seiner Zelle mit einem seltenen Käfer beschäftigte.

»Am 18. April kommt er; am 19. muß er kommen«, heißt es im Volksmund — gemeint ist der Kuckuck, und um diese Zeit waren auch wir besonders eifrig am Werk, längs der Weißdornhecken, in den Obstgärten und Vorwäldern. Der Rektor verstand sich auf die Kunst, den Gauch zu necken; wenn wir ihn im Mischwald hörten, ließ er sich auf ein Duett mit ihm ein. Vergeblich versuchte ich, es nachzuahmen; es kommt darauf an, daß man die Töne fis und g der mittleren Oktave trifft. Kaum hatte der Kuckuck den Ruf vernommen, so kam er angeflogen — ein eifersüchtiges Männchen, das uns scheltend umflatterte. Es verfolgte uns lange, als grauer, aus der moosigen Tiefe des Waldes zitierter Geist.

Um auszuruhen, setzten wir uns auf einen Baumstamm; der Rektor schenkte aus einer kleinen Metallflasche Pfefferminzgeist ein. Er war ein Mann bescheidener Freuden, sparsamer Ökonomie. Wenn wir erschöpft in die Stadt zurückkamen, hielt er im »Achtermann« noch die Manöverkritik. Seltener gingen wir ins »Brusttuch«, einen hochgiebligen Bau im mittelalterlichen Stadtkern, der seinen Namen des schmalen Zuschnittes wegen trägt. Ich kam täglich daran vorüber; das mit dämonischen Fratzen verzierte Balkenwerk schien mehr als nur den Hauseingang zu hüten — es führte tief in die alten Wälder bis zum Blocksberg, dem Bodetal, der Roßtrappe. Die gotische Trinkstube war ein guter Ort für skurrile Unterhaltungen. Der Rektor hielt genau sein Quantum ein: zunächst ein Glas Bier, nach einer Pause folgte ein Viertel Wein. Wenn der Pikkolo kam, bestellte er also zunächst: »Ein Helles«, und wenn ich dann sagte: »Mir auch eins«, verfehlte er nicht zu bemerken: »Es herrscht also Einhelligkeit.«

Auch sein Humor war demnach bescheiden, jedoch von einer Sorte, die Unerwartetes zutage fördert und der ich auch sonst zuweilen begegnet bin. Solche Köpfe bringen Anagramme, Schüttelreime, surrealistische Anspielungen als Zukost zu ihrer Unterhaltung hervor. Die Gedanken laufen zwar durch die üblichen Drähte, aber sie haben zugleich Induktionswirkungen. So rühmte der Rektor den grünen Schirm, von dem er unzertrennlich war, als »en-tout-cas-Möbel«. Er jonglierte dabei mit dem Gleichklang von »en ca« und »en cas«. Der Schirm diente ihm demnach nicht nur zum Fang von Insekten, sondern auch bei Regen: en cas d'eau und als Geschenk: en cadeau. Er konnte sich seiner als Sonnenschirm bedienen: en cas d'astre und auch zur Registrierung: en cadastre; und wenn er ihn gar nicht brauchte: en cas nul, so hielt er ihn in Reserve als ärztliches Hilfsmittel: en canule. Ich will es bei dem Beispiel bewenden lassen, von dem ich nicht einmal weiß, ob ich es vollständig notiert habe.

Bescheiden waren also unsere Freuden, und darin lag ihr Reiz, ihre Beständigkeit. Wenn der Rektor den letzten Schluck getan hatte, verabschiedete er sich eilig; er ging dann nach Haus zum Abendessen und beschäftigte sich am Mikroskop mit der Ausbeute. Die Ergebnisse trug er mit Ort und Datum in einen Folianten ein. Ich benutzte dazu Karteiblätter und durchflocht die Eintragungen mit Notizen, die mit der Wissenschaft wenig zu tun hatten. Doch sie bewahrten das Drum und Dran. Daher konnte ich auch soeben des Rektors Wortspiel aus den Blättern hervorzaubern. Zehntausend lateinische Namen, jeder für sich bedeutend, bilden zugleich ein Netz von blitzenden Häkchen für die Erinnerung. Die Inversion vom Objekt auf den Menschen: das ist keine Randbemerkung zum Thema, es trifft seinen Kern. So kam es auch, daß beim Anblick subtiler Wesen, die wir gemeinsam für seine Fauna eingetragen oder über die wir verhandelt hatten, die Gestalt des Rektors in mir auftauchte, nicht nur, als wir noch korrespondierten, sondern stärker noch, als er geschieden war.

Ich will dafür zwei Zeugen nennen von den vielen, die sich der Erinnerung aufdrängen: die blaue Drypta und die rote Strangalia. Die Drypta ist ein Läufer von elegantem Zuschnitt, der jenem der alten Pulverbirnen ähnelt; man darf sich einen roten Verschluß hinzudenken, der durch Kopf und Halsschild gebildet wird. Zu den nahen Verwandten gehört übrigens der Bombardierkäfer. Das Tier wagt sich von Westen her gerade noch in unser Gebiet hinein. Der Rektor hatte eine kleine Serie aus dem Elsaß mitgebracht; er schenkte mir ein Stück davon. Ich glaubte kaum, daß ich der seltenen Art einmal in der Natur begegnen würde, doch ergab es sich, daß ich zehn Jahre später fast mit der Nase darauf gestoßen wurde — auf einer Fahrt von Sissonne nach Paris.

Wir hatten auf dem Übungsplatz ein Bataillon kaukasischer Hilfstruppen besichtigt — ein mißliches Geschäft. Nun waren wir auf dem Rückweg in einem Holzgaswagen, vorn der Fahrer mit dem russischen Dolmetsch, hinten der Major Reese und ich. Es war kurz vor der Invasion und in der Luft recht unruhig, qualmende und ausgebrannte Wagen am Straßenrand bezeugten die Maßarbeit der Jagdbomber. In diesen Tagen hatten sie Rommel bei Liéramont erwischt. Kaum hatten wir Sissonne verlassen, als der Major, der nach hinten beobachtete, auch schon zwei von ihnen anfliegen sah und halten ließ.

Wir sprangen aus dem Wagen und kauerten uns in die Deckungslöcher, die die Kaukasier ausgehoben hatten — rechteckige Schächte, jeder nicht breiter als ein Grab. Die Sonne stand hoch; ihr Licht fiel auf den gelben Sand und die Kiesel am Grund der Grube, den ich knieend betrachtete. Er war von einer Gesellschaft kleiner Tiere gesprenkelt, die als nächtliche Passanten abgestürzt waren und hier verdämmerten — Grillen, Zikaden, Glühwürmchen, auch eine Spitzmaus, vor allem aber die blaue Drypta, die ich mit freudigem Erstaunen auf den ersten Blick erkannte als einer, der oft von der Begegnung geträumt hatte. Sie war sogar »in Anzahl«, mußte also hier häufig sein. Da regnete es Brei, aber es fehlte auch nicht der Löffel, denn ein Glasröhrchen für solche Fälle gehörte zu meinem eisernen Bestand; eher vergaß ich die Gasmaske. Ich war nun ganz in Goslar; ein blauer Funke übersprang die Zeit...

»Nun können Sie aber schon herauskommen.« Der Major hatte mir auf die Schulter geklopft. Der Fahrer und der Dolmetsch lachten; er lächelte. Ich hatte die Wahl, so oder so die komische Figur zu spielen; am besten lachte man mit. Jedenfalls konnte ich dem Rektor einen neuen Fundort mitteilen.

Es ist übrigens ein Vorurteil, daß während der Kriege die subtile Jagd zu ruhen hat. Sie schenkt im Gegenteil dem Eingeweihten eine der möglichen Absencen — und sei es nur durch einen Seitenblick. Das stellt die innere Ordnung wieder her. Dazu braucht man kein General Dejean zu sein, der während der napoleonischen Feldzüge ungeheure Sammlungen zusammenbrachte und später als Kommandierender in Algier jede Korporalschaft mit einer Spiritusflasche zum Fang von Insekten ausrüstete. Das sind Allüren eines großen Herrn, doch Leidenschaft kennt keine Dienstgrade. Einer unserer Senioren, Walther Liebmann, während des Ersten Weltkrieges schon dreißigjährig, nahm mit, was er als Meldeläufer in den Karpathen und in Rumänien fand. In meine Sammlung verirrten sich Stücke aus Gefangenenlagern beider Weltkriege. Ein Rarissimum wurde, wie das Etikett ausweist, am Ilmensee erbeutet, und zwar zu einem Datum, an dem die Truppe eingekesselt war. Es ist der Rote Cucujus, eins der Relikte, die mit dem Verschwinden der Urwälder aussterben. Einer von denen, die den Untergang allmählich näherrücken sahen, mag dort nach alter Gewohnheit eine Rinde abgeblättert haben, unter der der Kardinal der Wälder zum Vorschein kam. So leuchtet in einem schon zerstörten Hause ein unversehrtes Bild.

Auch die rote Strangalia, von Linné als Revestita bezeichnet, ist selten; sie zählt zu den »akrodendrischen« Arten, die sich in den Wipfeln der Bäume aufhalten. Sie erinnert mich an einen unserer Pirschgänge rund um den Grauhöfer Forst an einem schönen Tage, der einer gewittrigen Nacht folgte. Der Rektor hatte den noch feuchten Grassaum abgestreift und betrachtete die Ausbeute. Er war damals schon recht kurzsichtig.

»Schau — eine Cantharide, die werden Sie schon haben« — damit legte er mir ein schmales, rotes Tier auf die Hand.

»Danke. Es scheint mir aber eher eine Cerambycide zu sein.«

»Ah — dann ists was Neues.« Mit spitzen Fingern nahm er das Geschenk zurück und verleibte es seiner Sammelflasche ein. Es war Linnés Revestita, die während des Gewitters von ihrem Hochsitz zu Boden geschleudert war. Da hatte ich zu früh triumphiert. Er hatte den Fund zuerst gesehen, ich hatte ihn zuerst erkannt.

Daß mir das nachging, berührt einen der wunden Punkte, einen der Wildbeuterzüge der Passion. Die Geschichte der Entomologie ist von solchen Griffen und Übergriffen erfüllt. Hier kann man manchmal dem eigenen Bruder nicht mehr trauen. So behauptet Dohrn, daß der Baron Paykull, in allen anderen Dingen ein grundehrlicher Mann, »Insekten gegenüber ein wahrer Rabe« gewesen sei. Und selbst der große Fabricius, einer unserer Kirchenväter, soll hier Schwächen gezeigt haben. Ein Dorfschulmeister, dem er die Ehre seines Besuches erwies, stellte eine höchst ärgerliche Lücke in seiner Sammlung fest, als der Hofrat sich mit auffälliger Eile entfernt hatte. Es fehlte eine Fliege, die bis dato noch unbeschrieben war. Zu seinem Glück konnte der also Beraubte dem Gast mit Windeseile nachspringen und ihm im Treppenhaus die Beute wieder abjagen. Der Hofrat hatte sie sich an den Hut gesteckt. Das erinnert an das

209

Rencontre des Doktor Katzenberger mit dem Apotheker bei Jean Paul.

Diesmal waren bald dreißig Jahre seit dem Grauhöfer Ausflug vergangen, als ich an einem warmen Oktobermittag bei Castel Sardo nach dem Bade den Strand abging. Dort war, wie der Rektor zu sagen pflegte, für mich »nichts Neues mehr zu finden«, denn es war meine neunte Sardinienreise, und Hunderte von Malen hatte ich an vielen Punkten der Insel den Strandsaum mit seinen Dünen abgesucht. Nur zur Bestätigung klopfte ich hin und wieder an eine Distel, eine Tamariske und revidierte die angeschwemmten Tangbüschel. Um nichts zu versäumen, rüttelte ich auch am Strohdach einer Fischerhütte, und eine Cantharide fiel in meinen Schirm. Nun wiederholte sich die Verwandlung; die schärfere Betrachtung zeigte, daß vielmehr eine Cerambycide mir ins Garn gegangen war — zwar nicht die Revestita, sondern ein noch selteneres Wesen von höchst verborgener, nächtlicher Lebensart: ein Vesperus. Ein später, aber reichlicher Ersatz. Natürlich sind das flüchtige Fiktionen, Sprühlichter im Schaum der Fahrten, denn jeder Glücksfund ist nur ein Gleichnis, ein Versprechen des Glückes überhaupt. Ein Spiel mit Nüssen um unbekannte Einsätze.

Das konnte ich dem Rektor nicht mehr mitteilen; er war damals schon lange tot. Obwohl ich nach der Niederlage in seiner Nähe lebte, erfuhr ich von ihm nur durch Versprengte, die über die Sektorengrenze kamen; ich hörte wenig Gutes, und nur gerüchtweise. Der Rektor war wiederum aus seinem Haus vertrieben, in das eine Korporalschaft sich einquartiert hatte. In solchen Fällen wurde mindestens das Mobiliar zerschroten, soweit es nicht überhaupt verschwand. Es hieß, daß auch der Enkel gefallen sei, wie schon der Sohn im Ersten Krieg. Der Alte folgte ihnen nach. Vergeblich forschte ich später nach seiner Sammlung, seinen Aufzeichnungen.

Die »Fauna« fand keine günstige Kritik. Sie wurde von Fachleuten als Machwerk von Hinterwäldlern abgetan. Inzwischen hatte die Bestimmung mancher Arten sich so verfeinert, daß sie nur noch von zwei, drei Spezialisten zu leisten war. Durch solche Künste werden weniger die Arten vermehrt als ihre Konturen verwischt. Das erschwert, was Kant das »Buchstabieren der Erscheinung« nennt.

Wahr ist, daß wir die Arbeit noch allein taten. Das widerspricht dem Zeitgeist, der von ihrer Teilung lebt. Der mathematische Kalkül dringt auch in die Naturbetrachtung ein; er trocknet die Anschauung aus, verödet die Literatur.

Diese Kritiken bekümmerten den Rektor, dessen Gemüt zu schlicht war, um zu ahnen, daß er auf seine besondere Weise diente, die jede Meßkunst übertraf. Ähnlich wie Junk dabei ist, wenn ich in seinem Katalog nachschlage, so kommt auch der Rektor wieder, wenn ich in der Sammlung ein Tier zu Rate ziehe wie den Ptinus vom Rammelsberger Hohlweg oder die blaue Drypta, in denen sich unsere Neigung traf. Sie tragen noch die Zettel mit seinem Namen, seiner Schrift.

Es geht wohl manchem bei solchen Erinnerungen ähnlich: die kleinen Schwächen der Lehrmeister verblassen; die Toten rücken näher, während sie sich in der Zeit entfernen — »sie werden leuchten wie des Himmels Glanz«.

ABGRENZUNGEN

Die Kümmernisse des Rektors beruhten darauf, daß ihm ungenügende Leistung vorgeworfen wurde: unscharfe Definition. Darauf gedachte ich mich nicht einzulassen; mein Eifer, der Wissenschaft zu dienen, war gering. Wer sich grün macht, den fressen die Ziegen — in solchen Fällen muß man den Spieß umdrehen. Für die Namen sind die Techniker und Spezialisten, also die Subalternen, verantwortlich. Sie ihrerseits haben nichts in Zonen zu schaffen, in denen Namen Schall und Rauch werden. Wer alle Worte kennt, kann dennoch kein Gedicht machen. Doch wiederum kann weder Cäsar noch der Dichter sich über die Grammatik hinwegsetzen.

Kein Tennisspieler wird Schläger und Bälle selbst machen. Aber er wird darauf achten, daß sie der Prüfung standhalten. Wenn mir eine Spezies unsicher schien, sandte ich sie zur Bestimmung dem Spezialisten und war dann hinsichtlich der Ordnungsfrage beruhigt. Aber Ordnung bleibt immer nur Anordnung. Der Sinn verbirgt sich im Undefinierbaren.

Um mich nicht zu weit in das Abenteuer zu verlieren, mußte ich das Spielfeld abgrenzen. Den Gedanken, Vollständigkeit zu erreichen, muß jeder Sammler früher oder später aufgeben. Vollständigkeit ist ja auch nur die quantifizierte Vorstellung der Vollkommenheit. Aber selbst in einem Stadtgebiet, wie es der Rektor bestellte, kennt man wohl jedes Seitental und jeden Tümpel, doch nicht jeden Keller und jeden Dachboden. Übersicht freilich kann man gewinnen: Sicherheit innerhalb eines Systems, das zwar täglich neue Überraschungen spenden, jedoch in sich stabil bleiben soll. Das System wird nicht umsonst geliefert; es ist zwar vorgeformt wie ein Puzzle, das aber Steinchen um Steinchen durch eigene Arbeit gefüllt, rekonstruiert werden muß. Nicht so sehr auf die Befriedigung des angewandten Scharfsinns kommt es dabei an als auf den Ausbau einer unsichtbaren Nebenkammer, die offensteht, wenn Zeit und Umstände widrig zu werden drohen.

Wer sich mit der Fauna eines Stadtgebietes wie der von Goslar einige Jahre gründlich beschäftigte, gewinnt auch ein Modell, einen Schlüssel für größere Umkreise. Er wird zwar seine Kenntnisse erweitern, doch sie bestätigt finden, wenn er Europa durchstreift. Auch in den Mittelmeerländern wird ihn in reicherem Gewande noch die vertraute Bildwelt ansprechen. Das gilt selbst für das Paläarktikum, auf das ich mich endlich beschränkte — für die Alte Welt nördlich des Wendekreises des Krebses, einschließlich der vorgelagerten Inseln, also etwa Islands, der Kanaren, des japanischen Archipels. Allerdings gab es Ausnahmen — sowohl in der Beschränkung wie in den Grenzüberschreitungen. Ich wollte mich nicht weiter vorwagen als die Tiere in ihren Verwandtschaften. Auf den Azoren etwa war ich in dieser Hinsicht wie zu Hause; dort begegneten mir nicht nur ähnliche, sondern auch genau gleiche Arten wie in den Goslarer Stadtforsten. Auch in Nubien konnte ich, ohne den Anschluß zu verlieren, ziemlich weit vordringen. Der Nil führt als von Leitbildern gesäumte Straße tief in den Kontinent. Zu diesen Leitbildern gehört Steraspis, ein strahlender Äthiopier, der sich bis in den Süden des dunklen Erdteils ausbreitet. Aber zwei Arten residieren bereits auf Zypern und in Syrien. Im Zuschnitt entspricht er, zwar enorm vergrößert, Formen, die schon in Ungarn oder im Wiener Wald vorkommen. Da findet auch das Auge Brücken; es erkennt den Stil der Werkstatt im Kostüm.

Dagegen brachten mich Formen in Verwirrung, die zwar in mein Revier fielen, jedoch phantastisch ausschweiften. Zu meinem Begriff der Buprestiden gehörten kahn- und torpedoartige Umrisse, auch keilförmige wollte ich in Kauf nehmen. Auf Formosa, einer Insel, auf der zwei Regionen zusammenstoßen, befremdet jedoch eine Tendenz zu taillenförmigen Einschnitten, als ob ein Geigenbauer Ideen entwickelte. Offenbar wohnt der Natur ein Hang inne, »Incroyables« hervorzubringen — dann antwortet der Geist, indem er an der Glaubwürdigkeit zu zweifeln beginnt. Es gibt eine Grenzlinie, an der er sich der protëischen Kraft nicht mehr beugen möchte — dann handelt er richtig, wenn er sich beschränkt, wie etwa Goethe hinsichtlich der indischen Kunst.

Natürlich wären, um beim Beispiel zu bleiben, auch die Buprestiden zu bewältigen. Dann müßte man dreißig, vierzig Jahre lang nur ihnen nachstellen und sie in ihrem Revier beobachten, das sich über die gemäßigten und heißen Zonen ausdehnt, sich auch in den Museen einnisten. Zuletzt würde man ihr Geheimnis erraten, das Warum und Wieso der Familie in ihrer gesamten Verzweigung; man würde den Generalnenner finden, der auch das scheinbar Absurde umfaßt. Eine Definition von drei Seiten Text könnte die Mühe krönen und abschließen.

Sollte ich mich nun mit einer Familie und ihrer Weltgeltung beschäftigen? Schön ist es, den Nil hinaufzufahren und zu verfolgen, wie die Sonne zu modulieren und zu deformieren beginnt — nicht nur an den Bauten bis zu den

214

meroitischen Denkmälern, sondern auch an den Steraspis-Arten; es ist ein und dieselbe Kraft, die sich im Universum abwandelt. Doch was geht rechts und links von dieser grünen Ader vor — in den Oasen Libyens oder des Sinai? Im Urwald muß man sich beschränken — sei es, daß man eine Schneise durch ihn legt, sei es, daß man sich eine Rodung schafft. Man kann nicht jedes Konzert hören, aber man kann die Musikalität steigern.

Oft habe ich darüber nachgesonnen, warum ich auf genaue Definitionen solchen Wert lege. Warum verleiht die Kenntnis der Namen uns solche Sicherheit? Dabei liegt in den Worten so wenig Realität. Sie sind nicht einmal Wellen, sondern nur ein Geflimmer über der Unergründlichkeit des Seins. Wir bringen selbst die größten nicht durch die Zollstation — nur unser Schweigen, aus dem sie abzweigen.

Und dennoch fangen wir mit ihnen, wie durch ein Netz von Fiktionen, gewaltige Beute, selbst den Leviathan. Schon in der Eroberung der Zahlenreihe nimmt die Jagd kosmische Dimensionen an. Ein Beispiel sind die Pole: gedachte Endpunkte einer ebenso gedachten, sich nach oben und unten ins Unendliche verlierenden Linie. Das alles ist nur in der Abstraktion vorhanden, und es könnte uns gleichgültig bleiben, ob man zwei fiktive Punkte im ewigen Eis durch Namen fixiert hat oder nicht. Und doch ist nicht nur die astronomische Beobachtung des Raumes, sondern auch seine reale Befahrung davon abhängig.

Die Polarfahrten gehören zum Absurdesten, was sich der Mensch geleistet hat, wenn wir von seinen theologischen Exzessen absehen. Ihr tatsächlicher Wert war gering, ihre symbolische Kraft außerordentlich. Da verkamen im eisigen

Dunkel die Vorposten jener, die den Stern zwingen. Aber auch das ist ein Symbolon.

Entfernte Punkte aufzusuchen, um dort Dinge zu betrachten oder Vorgänge zu beobachten, die den Alten abwegig schienen oder die sie überhaupt nicht wahrnahmen — das gehört heute zu den epochaltypischen Kennzeichen. Was mag nach der Befruchtung in der Gebärmutter eines bestimmten Beuteltieres vorgehen? Die Frage lohnt die Reise in ein entlegenes Flußtal Tasmaniens. Eine Expedition fliegt zu den Antipoden, damit sie dort eine astronomische Quisquilie nicht versäumt. All das ist nützlich, aber auch noch etwas anderes, noch etwas mehr.

DER MOOSGRÜNE

Der Raum für die freie Bewegung schmilzt schnell zusammen, sowohl durch die immer dichtere Besiedlung als auch durch den rapiden Verkehr. Ein Mittel, das Gefühl der Enge zu überwinden, das sich aufdrängt, ist die liebevolle Betrachtung kleiner Dinge; da strömt Welt in die Parzellen ein. Oasen blühen hart an den Rändern der Heerstraßen, deren Systemen die Eingeweihten nur in den groben Zügen folgen; sie haben andere, verborgenere Richt- und Rastpunkte als die Häfen und Bahnhöfe. So ziehen die Zugvögel über Straßen und Schienen hinweg von einer Waldinsel zur anderen.

Die Richtpunkte sind magische Konkretionen ihrer Landschaft und den Mitreisenden durchaus verborgen, letzte Einheiten, die sich dem bloßen Auge bieten, hart vor dem Ungesonderten und deshalb aufs schärfste profiliert. Durch den Anblick eines Edelsteins kann sich ein Gebirge aufschließen.

Scharfe Engramme zeichnen die Gattung Ochthebius aus, die, wie der Name andeutet, zu den Uferbewohnern zählt. Die Arten fühlen sich besonders wohl im Quellmoos, das sich im fließenden oder tropfenden Wasser bildet; zwei, drei von ihnen hatte ich mit dem Rektor aus dem Goslarer Piepental heimgebracht. Die meisten sind schwierig zu bestimmen; bei einem Einzelstück, das ich en passant aus Sardinien mitgenommen hatte, kam ich trotz allem Kopfzerbrechen nicht zum Ziel, als ich es ein Jahr später in einer Wilflinger Herbstnacht betrachtete. Das Tierchen wollte seinen Taufnamen nicht preisgeben, kein bindendes Urteil annehmen. Ich schickte es also auf den Instanzenweg — zunächst nach Überlingen zum Monsignore und dann nach Bonn zum Rektor Hoch, der sich auch vergeblich abmühte. Daß ich bereits den dritten Rektor zitiere, ist kein Zufall; es erklärt sich durch die Ausbildung, die um die Jahrhundertwende auf den Seminaren üblich war.

Erst Großmeister Derenne aus Brüssel vermochte die Art zu diagnostizieren; die letzten Zweifel waren ausgeräumt. Ich tat ein übriges, indem ich den Namen vergaß und das Tier für den Hausgebrauch umtaufte, nachdem es auf dem Standesamt gewesen war. Wenn dorther Nachfragen kamen, konnte ich sie aus der Kartei beantworten. Wissenschaft immer nur nach Bedarf. Für mich wurde es »der Moosgrüne« — ich hatte es in einem Felstal mit dem Teesieb aus dem Quellmoos eines versiegten Baches gefischt. An manchen Stellen waren dort bis in den September kleine Tümpel geblieben, die langsam im dunkelroten Schatten des Wadi austrockneten.

Der Ort steigt, wenn ich den Moosgrünen betrachte oder auch nur an ihn denke, in der Erinnerung auf, als ob ein winziger Kontakt ein großes Licht entzündete. Rote Kaps gibt es am Mittelmeer viele — so das Cap Esterel an der Azurküste, so die über den blauen Spiegel glühenden Bastionen von Elba, Korsika, Sardinien und all den Küsten, Inseln, Eilanden. Das des Moosgrünen findet sich auf keiner Seekarte. Dort lockt ein einsames Stück Erde, das ich durch Zufall entdeckt und annektiert habe — mir sicherer angeeignet, als wenn ich es gekauft und durch eine Mauer geschirmt hätte. Ein Tal des Sirius mit allen Merkmalen der Heimat: heimisch, heimlich und auch ein wenig unheimlich. Dort meditiert sichs auf besondere Weise; die Erde spendet unmittelbare Kraft.

Maître Derenne bat um Belegstücke. Sollte ich nicht wieder einmal nach dem Moosgrünen schauen und von seiner Sippe Tribut fordern? Solche Gelüste lassen sich heute schneller als je befriedigen; das zählt zu den Lichtblicken der Zeit. Gedacht, getan: Telefonat mit dem Riedlinger Drogisten, der auch ein kleines Reisebüro betreibt. Innerhalb von drei Tagen besorgt er die Fahrkarten. Die Strecke gleicht einem Korridor, den ich mit geschlossenen Augen durchfahren könnte und von dem zuweilen Eingänge zu kleinen Stützpunkten abzweigen. Im ersten Sprung ist Lugano erreicht; die Drahtseilbahn führt von der Station genau vor die Tür des Albergo »Dante« hinab. Gemischtes Siedfleisch mit so reichem Contorno findet man an keinem anderen Ort. Zum Servieren wird ein Wägelchen herangerollt, auf dem der Chef vorschneidet. Nostrano im irdenen Becher, Obst von den Südhängen. Am anderen Morgen noch ein Gang durch die gedeckten Lauben mit ihren Auslagen. Blaue Feigen, grüne und gelbe Melonen; in den Gewölben hängen Schinken und Korbflaschen von der Decke herab. Scharen von Reisenden geben den Gassen schon in der Frühe festlichen Glanz.

In Rom erwartet Henry mich am Bahnhof; ich werde bei ihm und Orsola Nemi in der Viale di Trastevere zur Nacht bleiben. Unter meinen Freunden ist Henry der belesenste, und das will viel sagen. Oft scheint es, als hätte er ein langes Leben nur mit Büchern verbracht. Sie füllen die Räume bis auf den Korridor, sowohl hier in Rom wie in La Spezia, wo er den Sommer verbringt. Obwohl dort am Hang von San Bartolomeo das Haus von einem Park umhegt ist, verläßt er oft wochenlang kaum die Bibliothek. Daß er sich indessen viel in der Welt bewegt hat, bezeugt sein kosmopolitischer Freundeskreis. In New York im gleichen Viertel wie Henry Miller geboren, in Frankfurt erzogen, war er früh und immer wieder in Italien. Er lebt auch seit dem Zweiten Weltkrieg hier als Lektor, Editor, Autor, Übersetzer, Theologiestudierender und Patient, der mit dem Herzen zu schaffen hat. Dank seiner Lektüre, seinen Reisen, seinen Begegnungen hat er einen unerschöpflichen Vorrat an Anekdoten eingeheimst.

Am nächsten Morgen, nachdem Henry seine »Piqûre« bekommen hat, machen wir einen Gang durch die Via Giulia und die Via Monserrato, um die Fassaden der alten Häuser zu betrachten, treten auch hier und dort in einen der Höfe ein. Wieder erstaunt mich des Freundes antiquarisches Wissen, das sich am Detail entfaltet, an einem Stück archaischen Gemäuers oder einem Wappen, einer Inschrift im verwitterten Gestein.

Dann in Santa Maria di Monserrato. Nachdem der Kustos uns das Übliche gezeigt hat, beflügelt Henry ihn durch ein neues Trinkgeld und läßt ihn eine Kanzlei öffnen, in der die erste Arbeit Berninis verwahrt wird: der Kopf eines Kanonikus von San Pietro, der mit dem Kardinal Barberini befreundet war. Bernini, der damals im Atelier des Vaters lernte, bekam als Sechzehnjähriger den Porträtauftrag. Leid, Inbrunst, Krankheit haben das schmale Gesicht gezeichnet; der Marmor ist wie alter Meerschaum mit der Zeit vergilbt. Die Klaue des Löwen, Meisterschaft in nuce; daß die barocke Kraft in der Jugend oft dichter gestaltet, sieht man auch hier. Bernini ist geradezu das Muster dafür, ein wahrer Springbrunnen.

Schon dem Vater des Cavaliere verdankt Rom neben anderen Wasserkünsten die Barcaccia. Wir schlenderten auf Umwegen dorthin und setzten uns auf den Brunnenrand, im Rücken Santa Trinità dei Monti, vor uns die Via Condotti im heitersten Morgenlicht.

Zuvor war mir oben vor der Kirche am Obelisken die Wirkung der Zeit demonstriert worden. In seinem Sockel war vor fünfzig Jahren eine Fuge gewesen, die Henry als Liebesbriefkasten für die Korrespondenz mit einem streng bewachten Mädchen gedient hatte, das im Quartier wohnte. Die Fuge wurde später verstrichen; seither ist wiederum der Mörtel herausgewittert, indes die Geliebte seit langem verstorben ist. Ebbe und Flut der Materie.

Während wir uns behaglich vor der Barcaccia in der Sonne wärmen, meint Henry, ich solle eine Beschreibung dieses Brunnens geben, la déscription exacte d'un objet, und dabei auf die Verschlüsselung eingehen, in der Bernini sich gefiel. Sollte man das nicht lieber den Betrachtern überlassen und ihre Phantasie nicht einschränken? Auch im Mysterium ist der beste Weg der eigene. Selbst Barberini hat das Vexierbild erst viel später erkannt; der Papst gab seinen Segen dazu.

Das Wasser, das über den weichen Stein des Brunnens schäumt und sprudelt, scheint Henry Erinnerungen zuzutragen, die der Geist des Ortes färbt. Zwei Einzelheiten mögen des Notierens wert sein, weniger des Gegenstandes als der Gedanken wegen, die sich daran knüpfen.

Die Tochter eines seiner Freunde, eine junge Contessa, frisch aus der Klosterschule und seit kurzem verheiratet, ist zum ersten Mal bei Hofe eingeladen und hat sich, auch im Trinken Novize, an einigen Gläsern Champagner berauscht. In dieser Stimmung steigt sie, ehe jemand sie halten kann, auf den Tisch, um einen Trinkspruch auszubringen:

> Lascia pur che il mondo dica:
> Evviva, evviva, evviva la fica!

Ein Beispiel für den Augenblick des Übermutes im Leben junger, glücklicher Menschen, die sich über Nacht im Besitz einer neuen Freiheit fühlen und nun meinen, alles sei erlaubt. Da sie die Grenzen verkennen, geht es ihnen wie dieser, die zwanzig Jahr lang keine Einladung mehr erhielt. Man kann sich die Bestürzung des Gatten vorstellen, als das, was ihn im Kämmerlein ergötzte, im Festsaal offenbar wurde.

Allerdings gibt es Festwogen, durch deren Gewalt das Tabu aufgehoben wird und von denen selbst der Karneval von Rio nur eine Ahnung gibt. So weilte Henry in Washington, als im Frühjahr 1945 die Nachricht von der deutschen Kapitulation einen beispiellosen Rausch entfesselte. Auf einem Platz, auf dem eine ungeheure Menschenmenge

221

versammelt war, stieg ein Mädchen in das leere Becken eines Springbrunnens, hob die Röcke und tanzte mänadisch umher. Ein Soldat stieg ihr nach, erhitzte sich mit ihr im Tanze und besprang sie vor zehntausend jubelnden Zuschauern.

In solchen Bildern deutet sich einer der Wendepunkte innerhalb der Mysterienwelt an. Xenophon sah ähnliche Bilder während des Rückzuges durch Kleinasien und schrieb sie barbarischen Bräuchen zu. Dem Nüchternen ist jede Ekstasis verschlossen und zuwider, und doch hat auch die Lockerung der Sitten bei den Saturnalien ihren Nomos; das muß tief hinabgreifen.

Jeder Tanz, jede Freude überhaupt, ist spiegelbildlich, ist eine Vorstufe der Vereinigung. Dabei fällt mir ein, was Alfred Brehm über ein von ihm betreutes Pärchen des Feneks oder Wüstenfuchses berichtet, das selten von den Wärtern besucht wurde. Jedesmal, wenn das geschah, gebärdeten die Tierchen sich wie unsinnig vor Freude und gerieten zuletzt so in Aufregung, daß sie sich begatteten. Brehm weiß dazu zu bemerken: »Dieses seltsamen Gebarens ungeachtet, ist der Fenek der liebenswürdigste Fuchs der Erde.«

Spät noch im Park an der Engelsburg, während die großen Fledermäuse um den Turm kreisen. Das ist ein Ort zum Austausch von Erinnerungen anderer, dunklerer Art. Das Wasser löst die Zunge — doch anders, wenn es im Springstrahl funkelt, als wenn es wie hier im dunklen Tiber vorüberzieht.

Am nächsten Vormittag in Civitavecchia. Wenn ich von Rom komme, habe ich hier noch den Nachmittag für mich. Die Stadt beginnt sich leider auch von Jahr zu Jahr stärker zu modernisieren; Unmengen von Beton werden verbaut.

Auch das prächtige »Piemontese« ist renoviert. Außer im Balkan fand ich noch kein Hotel, das dermaßen einer Fledermausburg glich. Eine merkwürdige Beruhigung gewährt der Anblick solcher Stätten des stillen, unbeachteten Verfalls, als böten sie noch Zuflucht vor dem unerbittlichen Auge, das immer schärfer den Planeten kontrolliert. Ich möchte dieses Behagen für ein Kennzeichen unserer Zeit halten, doch dem widersprechen die Bilder der Niederländer, die in der Darstellung des Verwohnten, Abgetragenen, Baufälligen einen unerschöpflichen Genuß fanden. Dieser Aufmerksamkeit begegnet man bei Künstlern vieler Zeiten, und sie wird wachsen, wo Ordnungsprinzipien vorherrschen. Kubin ist einer der letzten großen Gegenspieler, ein Kenner und Liebhaber zeitlosen Wesens, das sich in immer verborgenere Schlupfwinkel zurückzieht, in deren Zwielicht es lauernd verharrt.

Auch am Fort des Michelangelo sind Maurer am Werk. Immer noch schwingt Garibaldi den Säbel am Lido, auf dem die kleinen Kutschen hin- und herfahren. Trotz allem bleibt der Eindruck, daß die neue Geschäftigkeit eher eine Folge des allgemeinen Energiestoßes ist, der die Welt aufpulvert, als eines Wiederauflebens dieses Hafens, der in der Spätantike und unter den Päpsten weit bedeutender war. »Centumcellae«, die hundert Zellen, hieß es im Altertum, der vielen in den Tuffstein eingesprengten Bassins wegen, die kleinen Schiffen Schutz boten. Trajan baute die Befestigungen aus. Das Versanden des Arno und des Tiber, das Pisa und Ostia zu Binnenstädten machte, wird den Umschlag gesteigert haben, doch blieb Civitavecchia immer ein kleiner Hafen, verglichen mit Marseille, Neapel, Genua.

Heut mündet hier vor allem der Linienverkehr nach den sardischen Häfen, an dem aber auch Neapel und Genua teilhaben. Als ich 1954, auch von Rom kommend, Civitavecchia zum ersten Mal betrat, war die mittelalterliche Luft noch sehr stark, mit Anklängen an Piranesis »Carceri«. Ich konnte mir vorstellen, wie Stendhal sich hier langweilte. Damals arbeiteten zwölfhundert Galeerensträflinge im Fort und in dem von Bernini erbauten Arsenal. Ein großes Gefängnis liegt noch jetzt am Nordausgang der Stadt.

Wenn man die Aufhellung der Welt und die Schrumpfung der Schatten bedenkt, darf man nicht vergessen, was die Zähmung der Seuchen dazu beigetragen hat. Civitavecchia galt in all den Jahrhunderten als ungesundes Nest. Das hat sich erst geändert, seit Mussolini die Sanierung der Maremmen gelang. Aber etwas von diesem Schleier war damals noch hier zu spüren — etwas von jener Schläfrigkeit, die den Menschen hindert, mehr als das Nötige zu tun.

Inzwischen war ich auf der Post, um Valentino zu telegrafieren, und des Kabinenplatzes wegen in der Agenzia Tirrenia. Die »Calabria« fährt gegen Abend und soll morgen früh in Cagliari eintreffen. Es wird jetzt Zeit, zu Mimma zu gehen.

Das »Ristorante Mimma« ist, wie »Pierre au Port« in Antibes, eines der Lokale, deren klassisches Muster der »Rocher de Cancale« bildet und auf deren Karte man alles findet, was ein reicher und möglichst nahe gelegener Fischmarkt zu bieten hat. Die wohlbeleibte Wirtin weiß aus Erfahrung, daß sie den Teil der »Lista del giorno«, der Fleisch und Geflügel anpreist, nicht zu rezitieren braucht. Weder »bistecca di manzo«, noch »bistecca di vitello«, nicht einmal

»bistecca alla Bismarck«, auch nicht »pollo alla cacciatora«
oder »pollo alla diavola«. Fisch, Käse, Früchte werden verlangt. Zu den »pesce« zählen auch Tintenfische, Krebse und
Schaltiere. Unter den »specialità« werden Fisch- und Mu-
schelsuppen, Muscheln in Marinade oder in Pfeffertunke und
»spaghetti alla Mimma« genannt.

Solche Aufzählungen hört der Gast gern, auch wenn sein
Hunger leicht zu stillen ist. Eine Schnitte Fisch, ein Stück
Parmesan, eine Handvoll Feigen, ein Glas Chianti und zum
Schluß ein Espresso — das genügt. Dazu der Blick auf das
Meer, die vom Lido hereinwehende Wärme, die schläfrig
stimmt. Nicht mehr Bewußtsein, als nötig ist. Trotzdem will
ich zwei, drei Stunden auf Jagd gehen und diesmal das südliche Revier abstreifen, zu dem die locker bebaute Via Bar-
barigo führt.

Es ist mehr ein Inspektionsgang auf vertrautem Feld. Der
duftende Ginster und der weiße Natterkopf stehen noch in
Blüte; die hohen Ferulastauden und die zahllosen gelben
Margeriten sind verdorrt. Unter den Steinen am Bahndamm
siedelt noch der südliche Prokrustes, und in den mächtigen
hellblauen Körben der Artischockenblüten finde ich die
dunkle Cetonide wieder: Potosia morio. Manche Stücke sind
fein gesprenkelt, als hätte ein Maler Kalkmilch vom Pinsel
abgespritzt. Ich nehme eine »des Datums wegen« mit. Nun
kommen die Weizenfelder, die Wiesen, die Hecken am Stein-
bruch, der Rückweg durch den Bachgrund, der am Meer
endet. Im April und Mai war das Land hier reicher und
festlicher geschmückt, aber die Freude an den kleinen, wiederkehrenden Zeichen schließt auch vergangenen Reichtum
ein.

Da ist auch der durch hohes Unkraut halbverdeckte Meilenstein mit der Inschrift »Via Aurelia«. Die alte Heerstraße scheint hier zum Feldweg geworden zu sein. Ich frage eine Frau in der Tür ihres Häuschens, ob der Stein römischen Ursprungs sei. Sie weiß nichts darüber auszusagen, obwohl sie ihr Leben hier verbracht hat — glückliches Volk, von Wissensdurst kaum geplagt. Wie ich sie noch einmal frage, bejaht sie die römische Herkunft, doch offenbar nur, um mir einen Gefallen zu tun.

Am nächsten Morgen in Cagliari. Die Tauben kreisen über dem Park am Bahnhof und kühlen die Brust am Bassin mit den Goldfischen, den roten und blauen Seerosen. Nach der Meerfahrt tut es gut, unter den Arkaden vor dem Café Torino ein wenig auszuruhen. Dort ist es schon lebendig; die Kellner sind wieder etwas älter geworden; Honoratioren besprechen ihre Geschäfte, Studenten, Matrosen, Bauern und Bäuerinnen, oft noch in Trachten, drängen an den Stühlen vorbei. Die Bettler machen ihre erste Runde und heischen, sowie der Kellner den Rücken wendet, den Obolus.

Durch die Via Roma zur Oberstadt. Leider ist der herrliche Markt verschwunden; an seiner Stelle steht jetzt ein Bankpalast. Der altberühmte »Tempel des Bauches« ist auf die Quartiere verteilt. Einer dieser Nachfolgemärkte ist hart unter dem Elefantenturm errichtet; auch er ist, besonders jetzt im Frühherbst, reichlich bestellt.

Um einen Rundblick über den Campidano zu genießen, besteige ich den anderen der beiden Pisanertürme, die der Hochstadt das Profil geben. Oben auf der Plattform erkundige ich mich bei einem Mitbesucher nach dem Namen: es ist San Pancrazio.

226

»Also nicht der Elefantenturm?«

»No, no, Signore: San Pancrazio.«

Nachher frage ich mich in einem Anfall von Selbstkritik, warum ich mich so angelegentlich nach etwas mir durchaus Bekanntem erkundigte? Offenbar doch, um den Mann dadurch zu erfreuen, daß er mir eine Belehrung erteilen konnte; es geschah, um das Gespräch nicht abrupt zu beenden, und war als Dank für die erste freundliche Auskunft gedacht. Die kleine Münze des menschlichen Verkehrs. Mich also gestern über die arme Frau von Civitavecchia zu belustigen, lag kein Anlaß vor.

»Zia Boica« ist der sardische Name für eine Hafenkneipe, die Nora mir empfohlen hat. Außer Matrosen verkehren dort Leute, die vom Land kommen. Ich kaufe Kaffee für die Signora und Zigaretten für Nora ein. Um 3 Uhr fährt der Autobus vom Bahnhof ab. Bereits die Wahrnehmung, daß der Fahrplan durch eine Reihe von Jahren hindurch konstant blieb, verstärkt das Zutrauen. Im Wagen die ersten Bekannten, darunter Xaverio, der dicke Faulpelz, der mich wie gewöhnlich gleich anbettelt. Diesmal liegt die Schwiegermutter in Neapel auf den Tod; es fehlt an Medizin. Xaverio fährt täglich in die Stadt, um dort zu betteln; wenn er Bekannte erspäht, zieht er die Schirmmütze in die Stirn. Trotzdem weiß jeder Bescheid. Sonntags liegt er mit seiner Frau am Strande und macht »cura del sole«, abends zecht er mit Erminio; sie spielen Gitarre dabei. Wenn das Geld ausgeht, kommen sie noch spät und versuchen einen Pump. Das Geschäft muß sich lohnen; es trägt Hin- und Rückfahrt ein, dazu die Unmengen von Pasta und Wein. Der Typ ist deshalb merkwürdig, weil sich in ihm ein Maximum von

227

Vitalität mit einem Minimum von Energie verbindet; entsprechend paart sich Unverschämtheit mit dem durchbohrenden Bewußtsein der Infamie. Das zeigt sich physiognomisch — wenn er die Hand ausstreckt, verzieht sich sein Gesicht wie während einer Tortur, die noch dadurch verschärft wird, daß er zu lächeln hat.

Neben dem Fahrer sitzen zwei städtische Kurtisanen in weißen Capes mit goldenen Ohrringen. Sie wollen wahrscheinlich Landkundschaft besuchen und ruhen lässig auf ihren Plätzen mit Gesäßen — wie es in »Tausendundeiner Nacht« heißt — schwer wie Sandsäcke. Betonte Würde geht von ihnen aus. Der Anblick erinnert an nordafrikanische Pisten, wie manches andere Detail. So gibt es kaum eine der kleinen Haltestellen, an der ich nicht die sardische Pimelia im heißen Sande wühlen sehe — ein Tier der Wüsten und Einöden.

Xaverio versucht sich durch einige unverschämte Bemerkungen hervorzutun und stößt auf Stillschweigen. Kurz vor Geremeas klopfen die Kurtisanen dem Fahrer auf die Schulter und lassen ihn halten; sie steigen aus. Ein Hirt, der seine Schafe auf der Straße entlangtreibt, hat ihnen zugewinkt. Ein Bauer neben mir murmelt: »Va in città.« Ist dieses »In-die-Stadt-Gehen« nun eine gängige Umschreibung wie etwa bei den Matrosen das »An-Land-Gehen«, oder meint er, der Hirte täte besser, dazu in die Stadt zu gehen? Vielleicht ahnt hier auch ein Padrone, daß ein fetter Hammel den Weg alles Fleisches nehmen wird. Die Worte in diesem heißen, durstigen Lande sind oft sibyllinisch, und man tut gut, sich nach der Bedeutung nicht näher zu erkundigen.

Valentino wartet an der Fermata; er hat viel Neues zu

berichten und ein großes Programm. Ich möchte jedoch bald weiterfahren; der Moosgrüne wartet am Roten Kap. Zwei Tage müssen genügen; wir wollen morgen an den Klippen die Muräne angeln und übermorgen in die Berge zum Spießferkelmahl. Das habe ich noch nie versäumt.

Der nächste Morgen sieht uns am Torre Vecchio. Die Bucht dort ist tief und verkrautet; wo sie ein wenig absinkt, ragen Klippen aus dem Wasser hervor. Eine von ihnen ist wie ein Amboß geformt; sie heißt auch »l'incudine«. Eine andere ist in der Mitte gespalten; durch das klare Wasser reicht der Blick bis auf den Grund hinab. Der Granit ist am Rücken abgeschliffen und in der Tiefe rissig, mit Seetang, Medusen, Patellen und Entenmuscheln besetzt. Dort ist die Muräne zu vermuten; um ihrer bei Tage habhaft zu werden, müssen wir erprobte Listen anwenden.

Zunächst machen wir es uns auf dem Felsen bequem. Valentino verreibt dicht über der Wasserlinie ein Stück Parmesan, während ich den Sockel mit der Maske umschwimme und Turmschnecken von ihm ablese. Wenn wir die spitzen Gehäuse mit einem Stein aufklopfen, können wir den Bewohner, einen kleinen Einsiedlerkrebs, herausschälen. Der Kopf mit den zierlichen Scheren wird abgetrennt und der wurmförmige Leib auf einen winzigen Angelhaken gesteckt.

Inzwischen beginnt der Parmesan zu wirken; er hat das Wasser gewürzt. Finger- und handlange Fische kommen aus den Verstecken hervor, darunter die »vacca«, ein rötlicher Riffbewohner, von den Provençalen »rascasse« genannt. Er ist gut für die Fischsuppe, aber der Stacheln wegen nur für den Fond. Auch ein tiefblauer Lippfisch ist flüchtig zu sehen; Valentino nennt ihn »il Re«. Die Namen wechseln mit jedem

Küstenstrich. Was anbeißt, legen wir als Beifang für die Signora zurück. Endlich geht auch der Rechte an den Haken, ein bleicher Geselle, der unserem Petermännchen ähnlich sieht. So tauften ihn die Fischer, weil sie ihn als wertlos über Bord warfen, »dem Petrus opferten«. Auch dieser dient nur als Köderfisch. Für ihn wird die Angel gewechselt; er kommt an einen Speckhaken, der bis auf den Grund hinabgelassen wird. Jetzt müssen wir scharf aufpassen, doch dauert es nicht lange, bis Valentino flüstert, als ob sie es hören könnte: »la morena viene!« — unten schiebt sich ein Schatten aus dem Gemäuer hervor. Ich bewege die Schnur ein wenig, fühle, daß es anbeißt, und reiße kräftig an. Das hat gesessen — nun kommt es darauf an, nachzulassen und wieder anzuziehen, da sich das Tier im Geklüft verklemmt. Bald windet es sich vor uns auf der Granitplatte. Wir haben schon größere gefangen; dies ist nicht länger als ein Unterarm. Die Haut ist schön gezeichnet wie das geflammte Leder von alten Einbänden. Der Kopf mit den kleinen roten Augen und den hakenförmig zurückgekrümmten Zähnen schließt sich halslos an den seeschlangenhaften Leib. Auch nachdem Valentino das Messer gebraucht hat, ist Vorsicht geboten; der Biß der Muräne ist nicht nur schmerzhaft, sondern auch giftig, und die Fischer behaupten, daß man, wenn er erst einmal gefaßt hat, den Kopf aus der Wunde schneiden muß.

Nachdem wir uns noch ein wenig am Strande vergnügt haben, Valentino mit der Wurfangel und ich mit den Cicindelen, geht es zum Essen; wir können mit der Beute zufrieden sein. Auf der heißen Straße, die Sträflinge aus Castiadas vor langer Zeit in den Stein gehauen haben, erzählt Valentino, was sich inzwischen ereignete. Salvatore büßte die rechte Hand ein, als er bei Punta Molentis mit der Bombe fischte — »er zieht jetzt die Zündschnur mit den Zähnen ab«. Der Taucher wurde in seinem Beruf vom Tode ereilt. Angelo Coco arbeitet in Cagliari; die Familie wohnt jetzt in Quartù. Beppino, mit dem wir im vorigen Jahr fischten, ist ans Bett gefesselt; es scheint, daß ihm die guten Werke wenig genutzt haben. Als leidenschaftlicher Taucher fuhr er einmal im Jahr nach San Fruttuoso und säuberte dort den Christo sotto-marino vom Muschel- und Algenbewuchs. Der Mörder von Cardia wurde in Cagliari mit zweiundzwanzig Jahren Ge-fängnis bestraft.

Valentino verfügt über einen wachen, skeptischen Geist, der die Zwischenfälle des geselligen Lebens mit gemessenem Abstand und ohne sich in Mitleidenschaft ziehen zu lassen beobachtet. Seine Kritik beurteilt das Talent, mit dem im großen und kleinen die Lebensbahn gemeistert wird. Er sucht die Gefahr nicht auf; läßt sie sich nicht vermeiden, so handelt er kaltblütig. Im Ersten Weltkrieg war er Korporal in Make-donien; er hat dort einen großen Türken ins Paradies beför-dert, mit dem er unvermutet an einer Wasserstelle zusammen-stieß, und trägt die Spuren eines deutschen Geschosses an der Hand. Im Zweiten Weltkrieg, schon nah an sechzig, hat er als Kompaniekoch mit seinem Pferd und einem Wägelchen auf der Insel fouragiert. Die heroische Seite des Krieges sagt ihm wenig, während er die Beutezüge mit Behagen erwähnt — selbst als Betroffener. »Hanno rubiato tutto«, sie haben alles geplündert — so mit genießendem Lächeln über die noch bis ins vorige Jahrhundert währenden Raubzüge heidnischer Seeräuber. Die Odyssee blüht auf bei solchem Gespräch. Da ist der alte Mediterrane, der sich lieber auf seine List als auf seine Kühnheit verläßt, an der es ihm in der Not nicht fehlt. Die Geschichte schmilzt ein; Mythos und Gegenwart sind nur durch ein Häutchen getrennt.

Zu Haus tischt die Signora ein Festmahl auf. Auch Gigi hat in der Frühe einen großen Fisch gefangen, den sie al bianco serviert. Zum Espresso die Enkelkinder — Fabricio, Marina, Andrea, Donatella, Elena — alljährlich muß ich mir einen neuen Namen einprägen. »Molto troppo«, viel zu viele, sagt Nora dazu. Der glückliche Vater widerspricht ihr: »Eine Familie ohne Kinder ist wie ein Garten ohne Blumen« — das klingt wie ein Zitat aus Lamartine. Wenn die Söhne heiraten, wird es um den Herd noch lebhafter werden, doch Babo und Nonna bleiben die ruhenden Pole der Großfamilie. Tiefe Siesta; es war ein runder Vormittag.

Nachmittags Gang durch den Ort, dessen Häuser am Weichbild schon recht afrikanisch anmuten: fensterlose, getünchte Würfel auf kahlem Grunde, keine Gärten davor. Besuch bei Signora Bonaria. Es bleibt noch Zeit, einen Bogen durch die Feldmark zu schlagen, der zu den Resten eines uralten Gebäudes führt. Die flachen Ziegel deuten auf römische Arbeit, der Flurname »Su Sagradias« auf ein Heiligtum. Wenn hier ein Ort war, so ist nichts von ihm geblieben, doch ist es auch möglich, daß eine Kirche im Ödland stand, wie es deren viele auf der Insel gibt. Bei Uta dämmert Santa Maria, ein Juwel der Frühromanik, und bei Ardara die Kathedrale der um 1500 aufgelösten Diözese Bisarcio. Sehr einsam liegen auch das Castello de Burgos, in dem Enzios Witwe residierte, das Bergschloß Ugolino und Trümmer, von denen man nicht einmal den Namen kennt. Verfallene Kirchen und Burgen gibt es auch in anderen Ländern, doch nicht das strenge Schweigen, mit dem hier die Erde dem Blick antwortet. Geschichte und Vorgeschichte haben kaum ihren Traum berührt.

»Su Sagradias« — was war der Name dieser Stätte, wann war die Gründung, welchem Heiligen war sie geweiht? Zählt sie zu jenen, die während der Araberzeit nicht nur vom Boden, sondern auch aus dem Bewußtsein verschwunden sind? Die Steine schweigen, und das bedrückt den historisierenden Sinn. Vielleicht wäre manches darüber in den Archiven des Vatikans zu finden, in den Berichten und Abrechnungen von Diözesen, die wie jene von Bisarcio längst eingegangen sind.

Der Gedanke, daß ein »großes Buch« besteht, ist tröstlich, aber es kann dort nicht alles aufgehoben sein. Wenn man die Zahl allein der christlichen Kirchen bedenkt, die je bestanden haben, so dürfte eine Million nicht ausreichen. Auf jeden begangenen Altar kommen viele, die verfallen, zerstört, vergessen sind. Vor dieser Fülle erfährt die historische Leidenschaft ihre Prüfung: Sie muß entsagen oder sich zu anderen Kategorien aufwölben. Uns quält ein Durst, der durch Namen und Daten nicht gestillt werden kann. Auch Herzmuschelschalen verwittern hier zu Millionen, doch ist das Ufer nicht ihre Prägstätte.

Will sich der Geist im vollen Licht der Geschichte sonnen, so wird er auf Sizilien Genüge finden; will er sich auf ihre Grenzen besinnen, so schenkt ihm ein sardisches Tal im Frühling zeitlose Heiterkeit. Hier spricht die Erde unmittelbar.

Auf dem Rückweg begegne ich Raffaello, der seine Schafe über das verbrannte Gefilde treibt. Ich begleite ihn zu seiner »cucina«, der Feldhütte der sardischen Hirten: einem Schilfdach, das als Spitzhut einen Steinring krönt. Eine Strohgarbe als Lager, ein Fell als Decke, einige Steine zum Sitzen um die Feuerstätte, das ist die Einrichtung. Der Eingang ist niedrig; draußen sind mit Dornsträuchern verschiedene Hürden abgeteilt. Sie dienen zum Melken und zur Trennung der Lämmer von den Müttern; auch »maskru«, der Widder, wird eingepfercht. Ich habe es aufgegeben, mir die verschiedenen Namen für die Tiere einzuprägen; die Hirten unterscheiden nicht nur Widder und Hammel, Lämmer und Mutterschafe, sondern auch Alters- und Verwandtschaftsgrade in feinster Abstufung. Ob ein Lamm im Winter oder im Frühling geboren wurde, ob es noch saugt oder schon entwöhnt ist—dafür haben sie besondere Ausdrücke. Sementusu (semel tonsus) ist das einmal geschorene, lunadiga das unfruchtbare Schaf. Auch für ein Lamm, das »räubert« und besonders fett wird, weil es sich von zwei Müttern säugen läßt, gibt es ein eigenes Wort.

Gekocht wird selten in der cucina; Schafmilch und Käse bilden die Nahrung, dazu ein hartes, mit wenig Hefe zu Fladen gebackenes Brot, das Raffaello »carta di musica« nennt. Die Form ist alt, doch die Bezeichnung neueren Datums: gemeint ist die Ähnlichkeit der dunklen Scheiben mit Grammophonplatten. Einmal im Monat wird gebacken, dann gibt es Weizenbrot zur Milch. Zu jedem Haushalt gehört der bienenkorbförmige Backofen. Die Milch holt der Padrone, nur eine kleine Menge zum Trinken und zur Bereitung von Quark und Käse wird in der cucina verbraucht. Die Hirten im Gennargentu, die kein Metallgeschirr besaßen,

kannten bis vor kurzem noch den uralten Brauch des Stein-
kochens, ein Relikt aus der Altsteinzeit. Sie brachten die
Milch durch Kiesel zum Kochen, die sie im Feuer erhitzt
hatten und in den hölzernen Trog warfen.

Fleisch nur an hohen Festtagen; die Herde ist tabu. Allerdings wird dem Hirten ein kleiner Anteil zugebilligt, den er
durch Listen zu vermehren strebt. Dem kommt entgegen,
daß die Kopfzahl immer ein wenig schwankt. Durch Raub
und Diebstahl darf freilich nichts verlorengehen. Dafür ist
der von seiner Herde unzertrennliche Hirt verantwortlich.
Auf seine Hunde ist Verlaß. Der bewaffnete Viehraub gehört
der Geschichte an.

Bei Zwillingswürfen jedoch kann eins der Lämmer zum geheimen Festschmaus dienen; das wird nicht auffallen. Ist Überraschung zu befürchten, so wird es nicht am Spieß gebraten,
sondern eingegraben und leicht mit Erde bedeckt. Darüber
brennt das Feuer, und wenn unvermutet der Padrone erscheint, so findet er seinen Hirten, der sich die Hände wärmt.
Die Art der Zubereitung heißt »cotta a carasciù«. Den Ausdruck verdanke ich Valentino, der alle Listen und Schliche
des Hirtenlebens kennt.

Raffaello ist ein armer Hirt; er hat weder Pferd noch
Gewehr, auch keine Uhr, die er lebhaft begehrt, obwohl er
ihrer nicht bedarf. Bald wird sich das vielleicht ändern, denn
er ist mit seinem Zustand unzufrieden geworden, und auch
dieses Begehren zählt zu den Anzeichen. Er hat Verlockendes
von Arbeitern gehört, die aus Deutschland zurückkamen.
Freilich sollte er, bevor er sich dorthin verdingt, ein wenig
lesen und schreiben lernen; er will also das, was ich hier zu
vergessen suche, sich aneignen.

Als ich vor zehn Jahren zum ersten Mal hierher kam, gab es noch kein elektrisches Licht. Ich sah vor entlegenen Gehöften noch den Wagen mit den benagelten Scheibenrädern und im offenen Feld die Tenne, auf der das Vieh zum Dreschen im Kreise geführt wurde. Im Bergland gab es noch Orte, in denen aus Eicheln Brot gebacken wurde, und das galt schon als altertümlich zu Zeiten des älteren Cato, der übrigens als einer der ersten Prokonsuln die Insel verwaltete.

Inzwischen wurde eine tausendjährige Entwicklung mit einem Sprunge eingeholt. Wo damals die Ochsen im Kreise gingen, wird heute nicht etwa mit Flegeln gedroschen, sondern Armando hat dort eine Maschine laufen, zu der die Bauern von weither die Ernte anfahren. Desgleichen werden zwei große Hotels, die an meinen alten Lieblingsplätzen emporwachsen, nicht für einfache Reisende, sondern für Luxusgäste gebaut. Snobs, die aus Saint-Tropez auswanderten, haben Sardinien entdeckt.

Allerdings ist das Wasser, dessen solche Hotels im Überfluß bedürfen, hier seit jeher kostbar gewesen; in vielen Dörfern holten die Frauen es von weither auf dem Kopf. Immer wieder kommen trockene Jahre, in denen der Hirt, um die Mutterschafe zu retten, die Lämmer schlachten muß. Iscaddedare ist das Verbum dafür. Indessen erwartet der Gast bei Luxuspreisen mit Recht, daß kaltes oder heißes Wasser fließt, wenn er den Hahn aufdreht. Also muß das Rinnsal der Bäche in Bassins gestaut werden. Das geht zu Lasten der Herden, aber die Hirten werden deshalb nicht arbeitslos. Die Nachfrage nach Dienstleistungen wächst. Auch der Padrone ist zufrieden; der Preis des Bodens stieg um ein Vielfaches. Wenn auch Raffaello sich verbessern will,

236

ist es verständlich; er folgt einem Gesetz. Ihn zieht es dorthin, woher ich komme; wir treffen uns auf der Halbscheide.

Am nächsten Morgen brechen wir in die Berge auf. Valentino und Italo sind von der Partie. Die Signora packte uns Brot und Zukost ein. Auch der Wein darf nicht vergessen werden; wir haben ihn in Castiadas bestellt, wo die Rebe vortrefflich gedeiht. Dort wartet auch das Majaletto auf uns; es ist in der Frühe geschlachtet und mit dem eigenen Blut gefärbt. Orlando bringt es an den Wagen, ein Hüne mit Schultern wie Schrankflügel und gutmütigem Gesicht. Im Zorn entwickelt er Berserkerkräfte — es heißt, daß er auf einer Fahrt durch Südfrankreich, in Händel geraten, eine ganze Familie erschlagen hat und zur Verbüßung der Strafe ausgeliefert worden ist. Während wir uns mit ihm unterhalten, begrüßt uns Signor Anselmo, der auf dem Platz, an dem wir halten, ein Pferd zureitet. Dieser tötete, als er sie in flagranti erwischte, seine Frau und deren Liebhaber. Da solche Delikte hier nachsichtige Richter finden, war er mit einigen Jahren quitt.

Zwei Totschläger auf den ersten Blick. Das ist kein Zufall, denn wir sind hier auf dem Boden einer alten Strafkolonie, die erst vor kurzem in eine Genossenschaft verwandelt wurde, und mancher Sträfling blieb nach der Entlassung hier. Ich mußte in den ersten Jahren bei meinen Streifzügen noch Vorsicht walten lassen; das Gebiet war tabu und wurde durch Berittene bewacht. Von der Höhe umfaßt der Blick eine sorgfältig bestellte Latifundie mit Alleen von Fruchtbäumen, die auf das Zentralgefängnis zuführen. Kleinere Kerker, vergitterte Dormitorien, sind über die mit Wein

und Tabak bebaute Fläche verstreut. Mussolinis Schwieger-
sohn, Graf Ciano, war hier begütert und kam einige Male,
um in den wildreichen Wäldern auf Jagd zu gehen.

Etwas vom Odium haftet dem Ort noch immer an. Das
Gefängnis ist zwar verlassen, doch wittert noch die Aura
der Untat und des Zwanges in dem öden Bau. In einem der
Gänge die Büste des Direktors, eine Sträflingsarbeit aus
Beton. Die Knöpfe, Epauletten und Orden sind so akkurat
getroffen, wie es das Material erlaubt. Die schweren Türen
sind quadratisch und so niedrig, daß der Eintritt fast nur
auf allen Vieren möglich ist. Das war als Sicherung gegen
Tobsüchtige gedacht. Eine normale Tür wäre von einem Typ
wie Orlando im Nu gesprengt worden. Zur Zähmung dienten auch die hohen Schwellen, denn die Zellen konnten vom
Dach aus unter Wasser gesetzt werden. In diesem Fall mußte
der Gefangene, nachdem er vergeblich versucht hatte, seinen
Tabak und andere Vorräte zu retten, mit einem Gefäß das
Wasser in einen hochgelegenen Ausguß abschöpfen. Italo:
»Arbeitsverweigerung dauerte nicht länger als eine Nacht.«

An diesem entlegenen Ort hielten sich Formen der Ein-
schließung, wie Maurice Alhoy sie in seinem Werk »Les
Bagnes« beschreibt, dem Victor Hugo einen großen Teil
seiner Kenntnisse über dieses dunkle Thema verdankt. Die
Einsamkeit schloß nicht aus, daß der Zwang durch den Fortschritt der Wissenschaft verschärft wurde. Jetzt wird das
Areal durch Siedler bestellt. Ihre Häuschen sind winzig,
doch haben sie den Vorteil, daß man nach Belieben aus- und
eingehen kann. Dazu Silos, Verwaltungsgebäude, eine Trak-
torenstation. Die Hitze ist afrikanisch; Italo, der in der
Verwaltung arbeitet, meint, daß der lange, schwüle Tag

238

nur durch Unmengen des dicken Rotweins erträglich zu machen sei.

Nachdem wir das Majaletto und die Korbflasche verstaut haben, gehen wir noch zu Dom Puddu, dem jungen Geistlichen des Ortes, um bei ihm Kaffee zu trinken und seine Sammlung alter Funde zu besehen. Seit meinem letzten Besuch ist wenig dazugekommen; auf diesem Südzipfel der Insel müssen seit den ältesten Zeiten nur arme Leute gelebt haben. Wenn sich je etwas aufstockte, landeten Seeräuber, um es zu plündern, und die Einwohner konnten von Glück sagen, wenn sie lebend davonkamen. Ein wenig weiter nach Westen, etwa auf Sant' Antioco, ist das anders — da sind die phönizischen Gräber mit reichen Beigaben einer frühen Händlerkultur und weiter nördlich, bei den Nuraghen, die Fundorte der Statuetten, deren archaische Wucht erst in unserem Jahrhundert erkannt wurde. Hier am Golf von Simius wohnte ärmstes, nicht einmal auf den Sklavenmärkten begehrtes Volk. Durst, Hunger, Malaria. Man kennt meist nicht einmal mehr die Ortsnamen. Die Häuser sind längst zerfallen; die Lehmziegel haben sich aufgelöst. Es blieben höchstens die Friedhöfe. Einen von ihnen hat der allzeit findige Valentino aufgespürt. Die Gräber dort sind mit schmucklosen Kalkplatten gedeckt; darunter liegen Knochenreste und ein billiger Krug aus gebranntem Ton.

Nur einmal hat Valentino dort einen goldenen Ring gefunden, ein Kleinod, auf dem sich zwei Palmzweige kreuzen und das seiner Meinung nach einem Giganten gehört haben muß. Er läßt es sich auch heut nicht nehmen, Dom Puddu mit der Hand den Umfang zu zeigen, der den »anello del gigante« auszeichnete. Die Frage, ob es denn wirklich ein

Fingerring und nicht ein Armreif gewesen ist, liegt nahe; ich behalte sie für mich. Valentino sieht mehr als die Archäologen; er hat noch die mythenbildende Kraft, von der sie ihre Rente ziehen.

Es wird nun Zeit, daß wir ins Gebirge aufbrechen. Wir lassen den Wagen am Waldrand stehen und steigen auf einem Felspfad an. Im Frühling blüht hier der Erdbeerbaum, der jetzt Gehänge von roten Früchten trägt. Vor Jahren, als ich mit Alexander vor seinen Blütentrauben stand, überraschte mich an ihnen ein kleiner Buprestid, der Vauvenargues nachahmte: das Tierchen vereinte, wie viele seinesgleichen, Schönheit, Härte und Eleganz. Unter leichtem wolligem Flaum trug es eine violette Rüstung mit eingeschmolzenen goldgelben Schmuckflecken. Es erinnerte mich sogleich an das Bild des genialen Ritters im Museum von Aix-en-Provence, ein Porträt mit gelber Schärpe über blauem Brustpanzer.

Wir waren damals im Verzug. Ich pflückte eilig zwei Exemplare; im Abstieg würde ich eine Serie von Spielarten einheimsen. Als wir am Nachmittag zurückkamen, war nicht ein Stück mehr zu sehen. Die Sippe hält Corso, wenn die Sonne am höchsten steht. Auf der Jagd muß man den Augenblick auskaufen. Das erfuhr ich öfters; andererseits kehrt jedes Wild zurück, wenn wir lange genug zuwarten und die Hoffnung nicht aufgeben. Das bestätigte mir ein ganz naher Verwandter des Vauvenargues, ein Tierchen namens Pilosella, das ich im Juni 1932 auf Sabbioncello, der dalmatinischen Halbinsel, aus einer Zistrosenblüte nahm. Trotz dieser engen Verwandtschaft ruft sein Anblick ganz andere Asso-

240

ziationen hervor. Ein violetter Metallhauch, einem Herbstbraun aufgetragen, das rosa Lichter überspielen — das ist die Palette von Toulouse-Lautrec. Ein Ritter also auch.

Gern hätte ich einige Stücke zum Vergleich gehabt, doch dieses blieb das einzige. Genau zweiunddreißig Jahr später, im Juni 1964, kam es wieder, und zwar auf Xylokastron, am Golf von Korinth. Ich saß am Strande, den Rücken gegen eine Pinie gelehnt und mit einer meiner chronischen Plagen, der Neufassung einer Arbeit, beschäftigt — da flog die Pilosella auf das Manuskript. Ich erkannte sie sofort, und als ob sich ein Kontakt schlösse, war die Spanne zwischen den beiden Begegnungen gelöscht. Warum erfreut uns solche Wiederholung? Doch wohl als Hinweis auf die Wiederkehr. Wir dürfen die Hoffnung nicht aufgeben.

Nicht nur die Zeit verdichtet sich im Hinblick auf die winzigen Objekte und ihre magischen Charaktere, sondern auch der Raum gewinnt an Ausdehnung. Der Wald von Acquacalente ist nicht nur Menschen-, er ist auch Buprestidenreich, und dieser Busch ist ebenbürtig einer Stadt.

Ein Feuerplatz am Bach ist bald gefunden; es fehlt weder ein flacher Steingrund noch trockenes Holz. Die Acquacalente macht ihrem Namen Ehre; sie springt so klar durch die Felskessel, daß man ihr Wasser mehr hört als erblickt. Valentino vertraut ihm Weintrauben, Tomaten und die Korbflasche an und läßt sie zur Kühlung in einem Strudeltopf umhertreiben. Italo schichtet das Feuerholz auf und beginnt sich mit dem Majaletto zu beschäftigen. Die nächsten beiden Stunden gehören mir.

In den ersten Jahren hatte ich die Einsamkeit des Ortes unterschätzt. Einmal umkreiste uns beim Mahl ein Eber, der, ohne sich durch uns stören zu lassen, seine Kapriolen trieb. Ein andermal ergriff eine Gesellschaft von Genuesen vor uns die Flucht, als Italo mit aufgekrempelten Ärmeln und blutigen Armen aus dem Dickicht trat. Diese »Kontinentalen« kommen alljährlich hierher, um Holzkohle zu brennen; durch ihre Tätigkeit dürften im Lauf der Jahrhunderte die Wälder im weiten Umkreis verschwunden sein. Nicht umsonst ist das Vorgebirge seit jeher als »Capo Carbonara«, als Köhlerkap, bekannt.

Trotzdem tragen die Hänge noch Urwaldbäume, die nicht der Axt, sondern allein der Zeit zum Raube fallen, vor allem mächtige Stecheichen. Die toten Äste sind von Farnen und Baumschwämmen besiedelt; Efeu, Klematis und andere Schlingpflanzen umkränzen sie mit ihrem Laub. Es gibt Tiere, die den Urwäldern folgen und mit ihnen aussterben; hier kann man sie einholen. Den Bewohnern des alten herzynischen Waldes muß man nun in Finnland und Litauen nachspüren, an spanischen, dalmatinischen, griechischen, türkischen Berghängen, auf Korsika und Sardinien — überall, wo die Wälder noch nicht völlig egalisiert worden sind.

Als Oasen haben sich auch noch fürstliche Parks erhalten wie der von Fontainebleau. Friedrich Tippmann, ein passionierter Liebhaber der Cerambyciden, hatte im Umkreis der alten Residenzen sein über Europa verstreutes Jagdrevier. Einmal gelang es ihm, im Laxenburger Park an der berühmten Doppeleiche, die jetzt auch ad patres gegangen ist, den Trichoferus anzuleuchten, ein sagenhaftes Tier, das längst als ausgestorben galt. Die Nachricht machte bei den Entomophilen Sensation. Der Monsignore, bei dem jede Meldung einläuft, zeigte mir 1955 in Überlingen den Bericht.

242

»Na, das geht allerdings zu weit«, sagte er, auf einen Satz weisend, in dem der glückliche Nimrod behauptete, der Einschlag einer Atombombe könnte ihn nicht in solche Aufregung versetzen wie die überraschende Begegnung mit dem Trichoferus. Mir gefiel das; so grenzt sich der homo ludens gegen den homo faber ab.

Hier oben, im Urwald von Acquacalente, fehlt es nicht an Geschöpfen ehrwürdiger Art. Es fehlt nicht an Runen, die die Tiefe des Waldgangs bestätigen. Sie blitzen in den Blüten, schlummern in Schächten und Wiegen des Holzes und bilden *ein* Leben mit ihm. Heut bin ich indessen mit der Absicht gekommen, nach dem Arborensis zu sehen; ich machte hier vor Jahren unter den flachen Steinen des Bachgrundes einen seiner Fundorte aus.

Der Arborensis vertritt die Carabensippe Macrothorax in Südsardinien. Seine Stammesbrüder sind an den Küsten des westlichen Mittelmeers zu Haus; sie bewohnen Sizilien, die Balearen, auch Kalabrien, Südspanien, Algerien, kabylische und marokkanische Bergzüge. Die Schilde spielen in verschiedenen Metallfarben und sind mit Linien inkrustiert, die sich mehr oder minder in Striche und Punkte auflösen.

Hat man sich nun eine Vorstellung von der Art gebildet, in der diese Muster sich folgten und auseinander hervorgegangen sind, so läßt sich das zeitliche Schema auch räumlich ausmünzen, etwa hinsichtlich eines früheren Zusammenhanges von Inseln und Landmassen. Die Punkt- und Linienmuster sind aufzulösen wie eine Geheimschrift oder wie Morsezeichen auf einem Magnetband; sie beginnen zu sprechen und geben einen Text.

Sind wir zusammen bis hierher gekommen, so mag auch

die Behauptung nicht mehr gewagt sein: daß diese Zeichen
mehr bedeuten als jeder Text, der aus ihnen entschlüsselt
werden kann. Die Züge sind höher als die des Atlas, und in
ihnen verbirgt sich eine tiefere Einheit als selbst jene von
Europa und Afrika.

Ein Ziel auf tausend Meilen anzupeilen und zu treffen
wie hier den Arborensis in einem guten Dutzend, gewährt
auch den Genuß der haarscharf gelungenen Kombination.
Dazu noch das Gefühl des Reichtums: überall sind Pfründen,
nie zu erschöpfende Schatzgründe dicht unter der Oberfläche
der grenzenlosen Welt. Zudem sinds Nebenwege: hauptsäch-
lich bin ich dem Moosgrünen auf der Spur.

Inzwischen waren auch die Gefährten gut am Werk. An
Stelle der Rauchsäule, die im Grunde aufstieg, zittert ein
fast unsichtbarer Glast. Die Glut liegt unter der Asche,
strahlt aber noch kräftig aus. Das Majaletto wird seitlich
davon am Eisenspieß gewendet, der zu jedem sardischen
Haushalt gehört. Eine Handvoll duftender Macchiakräuter
hat es gewürzt. Das Mahl kann beginnen; Valentino schnei-
det vor. Er sagt »Majaletto« dabei, als ob er zärtlich von
einem Freund spräche.

Was man auch immer bei alten und neuen Autoren über
die Insel an kritischen und sich widersprechenden Bemerkungen lesen möge, so sind sie sich doch einig in zwei Lob-
sprüchen. Der eine gilt dem Mangel an giftigen Tieren, der
andere dem in der Macchia gerösteten Spießferkel. Wenn
man auch die Behauptung des Julius Solinus »Sardinia est
absque serpentibus« schon bei den ersten Feldgängen durch
den Augenschein widerlegt sieht, so gibt es doch kein Beispiel

dafür, daß jemand durch eine Schlange Schaden genommen hätte. Die schwarze Natter, Colora niedda, gilt bei den Bauern sogar als Wahrsagetier und wird als Glücksbringerin begrüßt.

Was nun das Spießferkel angeht, so ist sein Ruf wohlbegründet; die Rasse ist ursprünglicher als die des Festlandes. Die Tiere sind von hitzigem Temperament und von einer Beweglichkeit, die sie wenig Speck ansetzen läßt. Sie werden im Herbst in Herden zur Eichelmast durch die Wälder getrieben; besonders bekommt ihnen die süße Frucht der Stecheiche. So rühmt schon der Abt Cetti in seiner immer noch lesenswerten Naturgeschichte Sardiniens das Fleisch der Schweine, die mit diesen Eicheln gemästet sind: »Es bildet neben dem Eichelbrot eine Speise, die keiner hier für eine ganze Küche hergäbe.«

Dem Urteil würde auch Don Quixote zustimmen, der die Eichel ein Geschenk des Goldenen Zeitalters nannte, und ebenso Valentino, der freilich kaum je ein Buch gelesen hat. Die Klinge knistert jetzt durch die hauchdünne, glasharte Kruste des Majaletto, die rotbraun wie Mahagoni glänzt. Valentino verteilt die Stücke auf Brotschnitten. Während des Schmauses wendet Italo den kleineren Spieß, auf den er Scheiben von Herz und Leber, von Speck, Wurst und Hühnerfleisch aufreihte. Radieschen und Tomaten reicht er als Contorno dazu, schenkt auch eifrig aus der Korbflasche ein. Als Nachtisch Schafkäse, Früchte, Cafè nero; eine virginische Zigarette zum Beschluß. Dann sucht sich jeder im Schatten der Bäume ein Lager zum Schlafen; Breughels Schlaraffenland. Das Wasser murmelt, hoch oben kreist ein Geier, dicht neben mir sonnt sich eine Smaragdeidechse am Stamm.

Der Moosgrüne haust noch entlegener als in den Bergen von Acquacalente; ihn aufzuspüren, muß ich noch zwei Tage zulegen, muß von der großen zu kleineren Inseln fahren, und dann zu Inselchen. Dabei fällt mir ein Wort von Gregorovius ein, das ich ad hoc ein wenig umwende: »Ein Inselchen kann nicht so klein sein, daß es nicht einen Kontinent von Gedanken ansetzte.«

Hier werden die Fahrzeuge schon recht klapperig. Diesen Autobus, dessen Stationen auf freiem Felde liegen, müssen die Passagiere nach dem Halten anschieben, damit der Motor in Bewegung kommt. Der Wagen ist überlastet; die Insassen fahren zur Bestellung ihrer Weingärten und kehren am Abend in ihre Stadtwohnungen zurück. Dann müssen auch die gefüllten Körbe mit hinein.

Allmählich wird es etwas leerer — da ist auch Silverio. Seine Hütte liegt ganz draußen inmitten eines Gärtchens, das er der Lava abgerungen hat. Sonst ist ringsum nur mit Zistrosen überwucherte Einöde. Der Wein, den er dort zieht, ist schwer und dunkel wie der von Algier, doch reiner im Geschmack. Er hat unsere Bekanntschaft begründet, denn einmal, als ich, wie auch heute, mit wohlgefülltem Cestino hinausfuhr, fiel in einer Kurve die Flasche heraus und zerbrach. Das war betrüblich, denn zum Roten Kap gehört der rote Wein.

Damals nahm mich Silverio mit in seine Hütte und rüstete mich mit neuer Stärkung aus. Ich kam dann wieder, um mit ihm zu angeln; wenn man aus der kleinen Bucht, in deren Nähe er wohnt, bei günstigem Wind hinausfährt, umkreisen Fische das Boot wie silberne Mondscheiben. Als Köder dienen turbanförmige Schnecken von Walnußgröße, die wir aus dem Lavagekröse herausholen, in dem sich auch die Muräne mit Vorliebe verbirgt.

Was wir von den Schnecken nicht aufschlagen, verwahrt Silverio zusammen mit anderem Kleinfang in einem Säckchen, weil sie benissime für die Pasta sind. Seine Hausfrau kocht sie mit Öl, Tomaten, ein wenig Fenchel und anderen Kräutern; Parmesan tut jeder nach Belieben dazu. Das Gericht lockt denn auch den Leuchtturmwärter und seine Frau herbei; es gibt wenige in seinem Beruf, die unverheiratet sind.

Lässige Stunden am Südrand, während deren man Glanz und Elend Europas vergißt. Die guten Gesellen ziehen die Pasta aus der Schüssel und rollen sie geschmeidig um die Gabel — das ist ein Essen für wohlbeleibte Männer, ein Mahl, das Bonhomie erzeugt. Sie schenken ein und bringen Gesundheiten aus. Die brütende Hitze wird durch das offene Feuer des Herdes, an dem die Signora den Kaffee vorbereitet, noch verstärkt. Silverio ist als Matrose lange auf Handels- und Kriegsschiffen gefahren und hat in einer Seeschlacht einen Finger eingebüßt. Er hat konservative Neigungen, wählt Democrazia cristiana als Monarchist. Der Leuchtturmwärter, Benedetto, ist Syndikalist, wie man sie nur in südromanischen Ländern findet, ist antidemokratisch, antimilitaristisch, antiklerikal. Sein Kummer ist, daß die Deutschen vor ihrem Abzug nicht den Vatikan in die Luft sprengten. »Wir sind von den Schwarzen besetzt.«

Wie die Pflanzen und Tiere hier schon recht südlich werden, obwohl sie den europäischen Ursprung nicht verleugnen, so auch die Männer und ihre Theorien — vereinfacht, vergröbert und zugleich spannend wie ein Roman von Dumas Père. An solchen Rändern, auf solchen Inseln kann, vor allem wenn der Hochdruck im Zentrum nachläßt, Erstaunliches hervortreiben. La Maddalena, Kreta, Korsika, Sizilien — Retorten des Unvorhergesehenen. Dann kommt Nordafrika.

Benedetto ist der geborene Volksredner, was sich hier freilich von jedem Dritten behaupten läßt. Das ist wie mit der Musikalität in Neapel: will man sich dort als Tenor einen Namen machen, muß man schon ein Caruso sein. Die romanischen Sprachen kommen den Rhetoren bereits durch den Duktus entgegen; das Element trägt so leicht, daß man von selber schwimmt. Benedettos Vortrag erweckt ein von dem Inhalt unabhängiges Vergnügen; stets wiederholt sich derselbe Dreiklang: die überzeugende Darlegung, die passionierte Anklage, der gebietende Schluß. Einer, der nur *ein* Buch gelesen hat, das aber gründlich, Kläger und Richter in einem, vielleicht künftiger Säuberer und Liquidator einer bevölkerten Provinz. Das ist zwar unwahrscheinlich, doch erinnert mich der Typ an andere, mit denen ich gezecht habe und die zum Zuge kamen, obwohl mans noch weniger gedacht hätte.

Heut gibt es nur eine kurze Begrüßung; Silverio will die leeren Weinfässer am Strand mit Meerwasser beizen; er bereitet die Kelterung vor. Mein Weg führt nach der anderen Seite; zunächst durch ein Bergtal und dann durch verbranntes, wegloses Hügelland. Nun ist der Moosgrüne beinah in Sicht. Allerdings ist der Einstieg schwierig zu finden, denn in einem Gewirr von Regenschluchten, die in turmhohen Abstürzen enden, verbirgt sich der Zugang zum Roten Kap. Er ist von Buschwerk überwachsen und führt in die Schlucht, die den roten Fels wie ein Messerschnitt teilt. In regenreichen Wintern springt das Wasser hier in Kaskaden herab. Jetzt hält es sich nur noch in einzelnen Moostümpeln. Die Stufen sind steil in den glatten Trachyt gebrochen; der Abstieg muß um so behutsamer sein, als hier kein Hilferuf gehört würde. Nur auf den Sockeln ist ein Rundblick erlaubt.

Unten das Meer: ein Ausschnitt zwischen zwei roten Wänden, oben der Himmel als blauer Bogen, vor dem im Segelflug rostbraune Falken stehen. An den Fels haben sich winzige Margeriten geheftet; die Blüte wächst aus dem Zentrum einer grünen Rosette empor. Sie halten sich trotz der Glätte, ebenso wie die grün- und schwarzgescheckten Eidechsen — nur daß sie die Schatten-, die Lazerten die Mittagsseite bevorzugen.

Auf den Sockeln lauert die Eidechsennatter, hellhörig, schattenhaft entgleitend beim mindesten Geräusch. Das stattliche Tier ist wie aus Antimon gegossen, die kleinen gelbgrünen Schuppen auf der dunklen Rüstung wirken, wie Abbate Cetti in seiner Beschreibung es ausdrückt, »als wäre es mit Hirsekörnern bestreut«. Hier sah ich einmal ein Stück, bei dessen Anblick mir der Atem stockte, eine uralte Wahrerin des Ortes, die lautlos verschwand.

Der Abstieg dauert eine gute halbe Stunde; er endet bei der winzigen Marina, zu der sich die Schlucht ausweitet. Sie ist mit grobem Geröll bedeckt; manche Schliffe ähneln gefleckten Straußeneiern, andere roten Brotlaiben. Dazwischen angeschwemmtes Holz und Schiffstrümmer, auch noch der mächtige Baum, den eine Winterflut hoch auf den Strand geschleudert hat und der entrindet im Lichte bleicht. Auch die gelbschnäblige Möwe ist aufgezogen, die von der höchsten Spitze des Kaps aus mein Treiben überwacht.

Hier ist es still, wenngleich nicht lautlos: die Monotonie webt ein Netz über die Stille, die um so tiefer wird. Die See geht flach; die runden Steine folgen ihr mit gedämpftem Wirbel nach. Der Schrei der Möwen: es war immer so.

Die Sonne beginnt eben, die westliche Steilwand der Marina zu färben; sie wird nun vier Stunden auf den Steinen glühen. Ich berge den Cestino im Schatten und streife die Kleidung ab. Das Bad ist erfrischend, doch hat es zugleich etwas Unheimliches, als ob aus dem Unergründlichen Schatten heraufquirlten. Die Gefahr ist namenlos im Element begründet; sie nimmt keine Formen an, doch zwingt sie zu tieferer Atmung, zu schärferer Wachsamkeit.

Der Schwimmweg umrundet die steile Nase des Kaps und führt zwischen den Klippen hindurch, die den Strand abschirmen. Sie bilden von den Möwen bekalkte Lava-Inseln oder tauchen nur aus der Tiefe auf, wenn die Woge sinkt. Andere verraten sich durch grüne flutende Schöpfe von Seetang und Algen und wiederum andere, noch tiefer verborgene, durch weiße Schaumkränze. Die Schiffer pflegen reichlich abzuhalten, und selbst die Langustenfischer versenken, obwohl der rote Grund hier gut ist, die Körbe außerhalb.

Hinter dem Felsen ist, nicht breiter als ein Zimmer und vom Land her unzugänglich, eine kleinere Bucht versteckt, die ich entdeckte, als ich zum ersten Mal das Kap umrundete. Damals glaubte ich an einen Augentrug, als ich in der grellen Sonne ein Gerippe erblickte, das den Strand der Länge nach ausfüllte. Nach der Landung erkannte ich jedoch das wohlerhaltene Skelett eines großen Meersäugers. Ein Wal, der »capidoglio« der Fischer, mußte zwischen die Klippen geraten und dann gestrandet sein. Man sieht solche

Skelette als Deckenschmuck der Alchimistenküchen und -laboratorien. Ich löste mir zum Andenken eine der kleinsten Rippen ab.

Heute ist keine Spur des Wales mehr erhalten, doch geblieben ist das Geräusch, das mich damals zugleich mit seinem Anblick befremdete: ein Ächzen und Stöhnen, dann ein Blasen und Schnaufen, als ob ein Ungeheuer atmete. Als ich ihm nachging, fand ich, daß es aus einer Höhle kam.

Die Neptunsgrotte — sie ist nur schwimmend zu erreichen; ein schmaler Eingang führt in die kühle Dämmerung des Vorhofes. Dort ist das Wasser knietief und so kristallklar, daß die Kette von Seerosen, die seinen Spiegel säumen, in der Luft zu schweben scheint. Unter der flachen Decke brütet die Felstaube. Im Hintergrund setzt das Gewölbe sich in dunklen Schächten fort. Die Klüfte verlieren sich im Untergrund. Sie füllen und leeren sich mit dem Seegang wie eine riesenhafte Lunge; hier begegnen sich das Meer mit seinen ungeheuren Kräften und die Unterwelt. Dem schäumenden Stoß folgt ein Ächzen, dann das stöhnende Ansaugen aus der Tiefe und das hohle Poltern, der malmende Umgang des Gesteins. Neptun und Pluto messen ihre Macht. Schon an der Schwelle wird es unheimlich.

Draußen hat jetzt die Sonne den Mittagspunkt erreicht. Sie brennt an der roten Wand, glüht auf der Brust, der Stirn, den Armen, die sich ihr zuwenden. Bis an den Horizont dehnt sich das Afrikanische Meer, schweigend, ohne Segel, ohne Schaumkrone.

Das ist das Ziel; die Elemente haben sich am Mittag in ihrer Reinheit voneinander abgehoben; das Auge ist von allen Einzelheiten, der Geist von jeder Reflexion befreit.

Das läßt sich, wie jedes Gleichgewicht, nicht länger halten als einen Augenblick.

Beim Rückweg ist das Meer vertrauter; das Wasser schmeichelt, es ist angenehm. Der Stamm des entrindeten Baumes bietet den Sitz, eines der angeschwemmten Bretter den Tisch zum einsamen Mahl. Der Gang ist gelungen; er hat kulminiert. Im Rückblick verdichten sich die Bilder: der Schlangenpfad mit den Terrassen, der große Fisch, die Rippe, die Neptunsgrotte, die rote Wand.

Fast hätte ich vergessen, nach dem Moosgrünen zu sehen. Dazu muß mit dem Haarsieb das Quellmoos des Tümpels durchkämmt werden, aus dem ich ihn vor Jahren herausfischte. Es ist belebt, sogar mit nahen Verwandten des seltenen Tieres; der Moosgrüne selbst ist nicht dabei. Nun gut; er hat den Pol gebildet, um den sich der Umschwung drehte — zwischen ihm und dem Unsichtbaren ist kaum noch ein Unterschied. Das Zentrum des Rades, der Zweck auf der Scheibe bleibt im Imaginären, gleichviel ob man einem Moby Dick nachjagt wie Kapitän Ahab oder einem Wilde der mikroskopischen Welt.

Es wird nun Zeit, an den Heimgang zu denken; die Sonne hat schon die Ostwand des Roten Kaps erreicht.

AM ISOLOTTO

Schon oft habe ich mich gefragt, warum in einem eng begrenzten Kreise, etwa einer Gattung, Individuen mit kaum im Traum zu vermutenden Anlagen auftreten. Solche Überraschungen gehören auch zum Glück und Elend menschlicher Familien. Das Staunen wächst, wenn Übergänge nicht einmal in Andeutungen zu erkennen sind. Das läßt auf mächtige, unmittelbare Reserven schließen, die im Einzelnen verborgen sind.

Wie kommt es, daß in einer Gesellschaft von Plattfischen oder auch von Aalen plötzlich ein Geschöpf mit elektrischer Ausstattung erscheint? Das ist kein Kuriosum mehr, sondern eher ein à part gesprochenes Zauberwort, das ungeheure Ausblicke erschließt. Nach solchem Muster könnte die Fauna eines fremden Planeten gebildet sein. Und wir sehen das Wunder immer nur zum Teil. Daß diese Batterien nicht nur als Waffe, sondern auch zur Peilung dienen, war erst zu vermuten, als unsere Technik ähnliche Mittel entwickelte.

Oder wie kommt es, um ein anderes Beispiel zu nennen, zu einer so singulären Erscheinung wie der Mimosa pudica? Die Bewegungen dieses Krautes haben mich oft, und stärker noch als die von Tieren, befremdet, wenn ich eine Fläche durchquerte, auf der es Rasen bildete. Würde diese Fähigkeit der Flora in Bausch und Bogen zukommen — wie anders würde unsere Welt aussehen. Dabei gibt es unsensible Mimosenarten, die kaum von dieser einen zu unterscheiden sind.

Im allgemeinen hält diese Welt sich brav an ihre Muster: auch *ihre* Amme heißt Gewohnheit; sie hat Dessintreue. Ein kleiner Sprung läßt fremdes Licht in unsere Höhle fallen, in deren Einrichtung wir mehr oder minder behaglich hausen wie Voltaires Candide.

Der elektrische Fisch und die Sinnpflanze bilden allerdings Extreme; sie weisen auf die Möglichkeit ganz anderer Gesamtausstattungen hin. Zum üblichen gehört der bloß graduelle Wechsel von Gewohnheiten. Etwa in der Ernährung: Coprophagen, Vegetarier, Fleischfresser, Kannibalen finden sich in eng begrenztem Kreise, selbst innerhalb der Art. Immerhin überrascht es, wenn man solche Spezialitäten oder gar Perversitäten bei Verwandten entdeckt.

So war mir, um beim Moosgrünen zu bleiben, seine Gattung zunächst in den Harztälern begegnet, die ich mit dem Rektor durchwanderte. Die Erinnerung an klares, moosiges Quellwasser, wie es der Goslarer Piepenbach führt, verband sich mit der Gestalt. Wenn ich mich an solchen Orten nach ihr umsah und Quellmoos auf einem weißen Tuch zerzupfte, wurde ich selbst im Winter kaum je enttäuscht.

Zwanzig Jahr später mußte ich mich eines Besseren belehren lassen, und zwar an einer ganz anderen Stelle, nämlich dem Isolotto Genià. Dieses winzige Eiland, eher ein Riff, ist der Insel San Pietro vorgelagert und von ihr durch eine kurze Schwimmstrecke getrennt. Der Platz ist weithin durch ein Zwillingspaar von Porphyrsäulen kenntlich, die »Due Colonne«, einen Richtpunkt für die Küstenfahrt zwischen San Pietro und Sant' Antioco. Die Landschaft erinnert an Goslars »geologische Quadratmeile«. Wie man dort in der Ferne die Hüttenwerke von Oker rauchen sieht, so hier bei klarem Wetter die des erzreichen Iglesiente auf der Hauptinsel. Granite tauchen mit glatten Rücken aus dem Meer. Das Rumpfgebirge ist von vulkanischen Ergüssen durchsprengt. Zu ihnen gehört das Isolotto, zu dem ich gern bei ruhiger See hinausschwimme.

Die Landung ist schwierig und nicht ohne Schuhwerk möglich; das Inselchen gleicht einer bleichen Wabe mit glasharten Zellen aus weißgeglühtem Kalk. Es mahnt als kalzinierter Sockel an ungeheure Erdbrände.

Nichts Lebendes konnte sich in jener Wende, soweit das Auge reicht, und weiter noch, erhalten; die Vögel fielen mit versengten Schwingen in die See, in der die Fische gekocht wurden. Selbst das Urgestein dort an der Küste muß umgeschmolzen worden sein. War der Herd dieser Feuersintflut der Monte Ferrù in Mittelsardinien, in dessen Krater jetzt das Dorf Lussiargiu liegt? Ist er im heutigen Korsika zu suchen oder gar auf dem Festlande? Auch dort können nur Teilzentren der gewaltigen Unruhe gewesen sein, die unsere Welt hervorbrachte.

Damals gab es schon Wälder, hochentwickelte Tiere, Menschen vielleicht. Die grüne, atmende Haut der Erde mit ihrem webenden Leben ging wie ein Vorhang in Flammen auf. Doch bald war auch das Ärgste wieder übergrünt. Dieses Inselchen blieb als winzige Brandnarbe. Drüben das Sumpfland, auf dem bis zur Mezzaluna die Herden weiden, davor Enricos Weingarten, die Agaven am Wegrand — wie oft mag schon ein neues Bild in diesen Rahmen gemalt worden sein? Das sind kleine Retuschen, flüchtige Protuberanzen — wenn wir ein Stück Granit in der Hand halten, wissen wir nicht, wie oft es schon durch die Schmelze gegangen ist. Doch lebt es nicht minder als die Hand, die es hält.

Solche Gedanken sind tröstlich in ungewisser Zeit. Sie kamen und gingen, während ich mich an der Südspitze des Inselchens sonnte und die Augen am Strand entlangwandern ließ, von der Punta delle Colonne bis zur Punta Genià. Das ging ein Thema an, dessen Konzeption mich beschäftigte: die Zeitmauer.

Auf dem Felsgrund pflegten Möwen und Kolkraben ihre Mahlzeit zu halten und das Gestein als Amboß zu benutzen;

zerschlagene Muscheln, Krebsscheren und Schulpe von Tintenfischen wiesen es aus. In den Waben verdunstete das heraufgesprühte Seewasser; es schwelte über dem inkrustierten Salz. Einmal, als ich wieder auf der Klippe ruhte, verfolgte ich das Spiel von Rußkörnchen, die in den heißen Lachen kreiselten. Aber *waren* es Rußkörnchen? Ihre Bewegung unterschied sich vom mechanischen Umtrieb, wie man ihn beobachtet, bevor das Wasser den Siedepunkt erreicht. Ich fischte eines von ihnen mit der Fingerkuppe heraus: ein Lebewesen, daran konnte kein Zweifel sein. Was mochte hier auf dem sterilsten Grunde siedeln, der sich denken ließ? Dem nachzuspüren, fehlten mir die Mittel; man konnte sich damals in dieser Ecke noch nackt bewegen, ohne daß man durch Nudisten gestört wurde.

Am nächsten Morgen schwamm ich wieder hinaus; ich hatte aus Carloforte ein Haarsieb, eine Lupe und ein Glasröhrchen mitgebracht. Jetzt konnte ich die Tierchen in der Vergrößerung betrachten; sie schienen sich äußerst wohl zu fühlen; manche krochen auf dem puren Salze, andere kreisten allein oder gepaart im Sud umher. Sie schwammen nicht mit der gezielten Bewegung der Raubtiere, sondern ruderten gemächlich nach Art der Pflanzenfresser; es konnten also keine Dytisciden sein. Sie folgten auch nicht dem Rhythmus der Mückenlarven, an die ich zunächst gedacht hatte. Es waren Hydrophiliden, »Wasserfreunde«, und zwar der kleinsten Gattung, Brüder des Moosgrünen. Wahrscheinlich weideten sie hier einen unsichtbaren Algenteppich ab.

Wieder einmal mußte ich umlernen, den Begriff entspannen, die Skala erweitern, innerhalb deren mir der Moosgrüne vertraut geworden war. Nichts mehr von der grünen

Pracht der Goslarer Wälder; der Gattung war ein Vorstoß gelungen, der sich der Landung auf einem fremden Gestirn vergleichen ließ.

DIE TRACHYTKAMMER

Wenn wir mit solchen Details bekanntwerden, so ist es, als ob sich ein neuer Kontakt schlösse. Licht fällt auf Dinge, die uns seit jeher umgeben haben und die wir nicht wahrnahmen. Das wurde mir erst unlängst wieder deutlich, nachdem ich hier in Wilflingen mit Hans Ullrich, einem Liebhaber und vorzüglichen Kenner der Flechten, einige Gänge getan hatte. Ich sah nun Flechten an jeder Mauer, auf jedem Ziegelstein. Ein Beispiel sind auch die Felsbilder der Höhlen, von denen noch vor kurzem nicht die Rede war. Nun sind sie Gegenstand einer Wissenschaft geworden; man findet sie selbst in der Sahara.

Am Isolotto hatte ich Kontakt zu einem Formenkreis gewonnen, den amerikanische Biologen den »rock-pools« zuordnen, und damit auch die Gabe, seine Vertreter an ähnlichen Stellen zu erkennen — an den Küsten der Adria, des Tyrrhenischen, des Afrikanischen Meers. Selbst auf San Pietro, bei La Punta, spürte ich zwei neue Verwandte des Moosgrünen auf. Natürlich kommt es weniger auf die Kenntnis der Arten an, obwohl auch deren Unterscheidung stets Gewinn bringt, als auf das Finden und Wiederfinden und damit auf die Schärfung einer Fähigkeit, die uns ganz allgemein zustatten kommt.

La Punta bildet die Nordspitze der Insel als hohe, lotrecht aufsteigende Trachytklippe. Um diese Felsnase pflegt im Frühjahr der Thun zu streichen, bevor er in der Enge zwischen San Pietro und der Isola Piana in die Netze geht. Hier ist einer der altberühmten Fangplätze, an dem schon vor zweihundert Jahren der Abbate Cetti Studien für seine klassische Schilderung der Mattanza trieb, deren Verlauf und Ritual sich inzwischen kaum veränderten.

Vom Städtchen nach La Punta und seinen Thunfischsiedereien, die den größten Teil des Jahres über verödet liegen, führt eine Straße; doch zog ich für den Hinweg meist den beschwerlichen Strandgang vor, besonders in jenen Jahren, in denen ich noch der Saphyrina nachstellte. Da die See am Kap oft stark bewegt ist, gibt es »rock-pools« noch auf dem höchsten Plateau. Den Sockel der Klippe bilden verglühte Kalke mit flachen Becken, in denen das Meerwasser verdampft. Es war ein gutes Revier für die Jagd auf Salztiere. Auch Cicindelen fühlten sich dort wohl im grellen Licht. Zuweilen unterbrach ich die Fischzüge durch ein erquickendes Bad.

Da manchmal Haie den Thun begleiten, wird im Baedeker von 1906 zur Vorsicht beim Baden gemahnt. Trotzdem sah ich an heißen Tagen junge Carlofortiner sich im Wasser tummeln; seit Menschengedenken war dort nichts von Untaten des »pesce cane« bekannt. Es bestand also kein Grund, deswegen die See zu meiden, obwohl das Kap zu runden nur bei ruhigem Wetter rätlich ist.

Dafür entdeckte ich im Flachwasser ein Naturbad, das auch das Genie eines Vitruv nicht vollkommener hätte ersinnen können, einen im Meer verborgenen Jungbrunnen. Der Trachyt hat die Eigenschaft, sich in lange Risse aufzuspalten, die an ein Kanalsystem erinnern oder auch an die Gassen einer versunkenen Stadt. Ähnlich zerklüftet sich der Helgoländer Buntsandsteinsockel, auf dem ein Outsider das alte Atlantis entdeckt haben will.

Beim Umherstreifen durch das Geflecht der Gänge stieß ich auf einen mit Seemoos gepolsterten Sitz im Gestein. In die Rückenlehne war eine Kimme eingeschnitten, bis zu der die Wellen hinauffuhren. Der Sessel war in eine vom Strudel ausgeschliffene Wanne eingelassen, in der das klarste Wasser stand. In diesem Becken schwammen durchsichtige Garnelen, von denen ich in der Bewegung nur die schwarzen Augen sah, doch auch die zierliche Gestalt, sobald sie, was sie gern taten, auf meiner Brust ausruhten.

Die Wellen brachen sich schon an den Klippen; zuweilen schäumte einer ihrer Kämme durch den Ausschnitt und frischte das Wasser auf. Freilich ist keine Welle wie die andere. Manche sprangen nur mit einem Kopfguß in das Becken; die starken kündeten sich durch ihr Rauschen an. Dann galt es, sich mit Armen und Beinen wie eine Krabbe zu verankern, bevor der Sturz hereinbrach und die Wanne in eine Walkmühle verwandelte. Wenn das Wasser sich klärte, perlte die Luft, den Leib galvanisierend, vom Grunde auf. Folgten sich höhere Kadenzen, so war es im Mürs-kessel nicht lange auszuhalten; die Muskeln wurden bis in die Fibern durchgeknetet, die Glieder wie auf dem Streck-bett gerenkt.

An solchen Tagen strich auch der Wind frischer, doch gab es im Gestein geschützte Stellen, Schwitzkammern, in denen die Mittagssonne die Kur vollendete. Die wirkte in mannig-faltigen Potenzen, im großen wie im kleinen, von der mecha-

Haß; das wird schon bei Moses erwähnt. Die alte Hauptstadt, Rabbat Ammon, die »Große« Ammons, heißt heute wieder Amman, nachdem sie zwischendurch auch einmal Philadelphia genannt wurde. Ich war also in uralte Händel geraten, konnte aber meine Harmlosigkeit in dieser Hinsicht nachweisen. Immerhin kostete der Zwischenfall mich eine wertvolle halbe Stunde; und gerade dort am Toten Meer gibt es die merkwürdigsten Salztiere.

Auf dieser Fahrt schienen uns die Sieben Plagen zu verfolgen; obwohl es dort so selten regnet, hatte ein Wolkenbruch Brücken fortgerissen und wälzte Erdmassen und große Blöcke auf die Bahn. Der Heuschreckenschwarm gehörte zu den Kuriositäten; unangenehmer war ein Sandsturm, in dem man die Hand vor Augen nicht sah. Als wir ihn hinter uns hatten und von El Ghor aufstiegen, kamen wir an eine Kurve, in der schon Unheil geschehen war. Schmieröl war ausgeflossen und schwamm auf dem Regenwasser, das noch auf der Straße stand. Unten in der Schlucht lag Blech; Männer in Chalabijen standen herum. Wir gerieten auf das Öl; der Wagen verwandelte sich in einen Schlitten und glitt sanft auf den Absturz zu, an dessen Rand er stehenblieb. Wir kamen mit dem Schrecken davon, der sich freilich erst nachträglich einstellte. Das Unausweichliche begleitet eher eine Aufmerksamkeit, als ob man es bereits von außen betrachtete. Auf manchem Exvoto kommt das gut heraus.

Lehrreich an dieser Kette von Mißgeschicken war, daß eigentlich nur das letzte als widrig in der Erinnerung blieb. Was die Elemente anrichten, nimmt bald anekdotischen Charakter an. Der technische Unfall ist schwerer zu bewältigen; wahrscheinlich gibt er einen ungünstigen point de dé-

261

part. Das Gefühl hatte ich auch bei diesem, obwohl er sich hart vor El-Azarîje ereignete, dem Bethanien der Schrift, in dem Lazarus wiedererweckt wurde.

Zwischenfälle sind auch beim Schwimmen, Tauchen und Klettern kaum zu vermeiden — beim Eindringen in Klüfte, Höhlen und submarine Grotten, wie sie die Beobachtung von Tieren mit sich bringt. Diese Art Neugier nimmt immer größeren Umfang und seltsamere Formen an. Schon in Rehburg suchten wir solche Orte mit Vorliebe auf, obwohl wir dringend davor gewarnt waren. Es ist kaum zu glauben, was Kinder oft hinter sich haben, wenn sie abends mit den Eltern am Tisch sitzen.

Die Hoffnung, in Höhlen augenlose Kerfe zu entdecken, war literarischen Ursprungs, wie manche andere. Wer die Welt durch Bücher kennenlernt, visiert leicht zu hoch und schießt über das Ziel hinaus. Ich hatte in den Reiseberichten des Doktor Kraatz gelesen, wie er in den Grotten der Pyrenäen nach blinden Silphiden auf Jagd gegangen war. Solche Tiere konnten bei uns nicht vorkommen. Dennoch durchspähten wir nach ihnen den Untergrund, wo immer ein Eingang sich öffnete. Die Überschätzung des Möglichen hatte wohl der Vater auf uns vererbt, der nach dem Studium prächtiger Kataloge Tiere und Pflanzen zu bestellen pflegte, die spätestens im nächsten Winter eingingen. Immerhin sah ich, als ich vor kurzem das alte Haus besuchte, daß eine Araukarie dort die Unbilden von fünfzig Jahren überstanden hatte und prächtig gediehen war. *Eine* Erfüllung steht für viele Hoffnungen.

Im Wald bei Bad Rehburg hatten wir den Eingang zu

einem alten, waagrecht in den Hang getriebenen Schacht entdeckt. Der Gang mußte alt sein; die Wände waren mit flauschigen Kristallen wattiert. Auf der Sohle lag herabgebröckeltes Gestein. Wir fanden dort keine Tiere außer winzigen Fledermäusen, die von der Decke herabhingen. Die Luft war stickig; die Kerze verlosch, wenn wir sie hinabhielten.

Noch bedenklicher war der Einstieg in einen lotrecht geführten Stollenhals, durch den vor Zeiten Kohle gefördert worden war. Der Eingang war durch einen Deckel gesichert, dessen Schloß wir aufbrachen. Leitern mit grünbemoosten Sprossen führten in die Tiefe hinab. Rechts davon gähnte der Förderschacht. Wir bissen die Zähne zusammen und machten uns auf den Weg. Nachdem wir auf einer Reihe von Plattformen gerastet hatten, wurde es dunkler, und es begann zu regnen; das Wasser tropfte aus dem Gestein. Endlich erreichten wir die Sohle und sahen im Schein der Kerze die Gänge abzweigen. Bis auf das Rauschen des Wassers, das sich am Grunde zu einem Bach vereinte, war es unheimlich still. Da verließ uns der Mut, uns weiter in die hohle Welt zu wagen; wir kehrten um.

Ich war, den Bruder hinter mir, wieder zur Hälfte emporgeklommen, als ich den furchtbaren Sturz hörte. Er krachte von Plattform zu Plattform und endete im freien Fall durch den Förderschacht auf dem untersten Grund. Dem folgte Stille, und ich fühlte, wie sich die Hände von der glitschigen Sprosse lösen wollten, an die sie sich klammerten. Endlich wagte ich, seinen Namen zu flüstern — er antwortete. Einer der schweren Brocken, die aus der Wand gebrochen waren und auf den Brettern lagen, hatte sich unter seinem Fuß gelöst.

Wir suchten seitdem den Ort nicht wieder auf und mieden sogar den Forst, in dem er gelegen war.

Es gibt kein »totes« Gestein. Aber der Kalk ist dem, was *wir* als Leben begreifen, verwandter als der Granit. Der Granit neigt zu klassischen, der Kalk zu romantischen Bildungen. Die größere Fülle war immer zu spüren, wenn ich aus dem Harz in die Vorberge, in die Wälder bei Dörnten und Immenrode oder in den Harli bei Vienenburg kam. Auf manchen Lichtungen standen dort im Juni die Blüten so dicht, wie man sie kaum in den Gärten sieht.

Der Kalk ist ein Grenzgänger zwischen den beiden Reichen, die wir als Leben und Tod trennen. Oft kann man den Stein vom Fleisch kaum unterscheiden; er scheint zu blühen wie im Korallenriff. Will man Tiere und Pflanzen sammeln, so findet man in den Kalkgebirgen die reichste Ausbeute. Das gilt selbst für die Fossilien. Der leichte Übergang vom Stein zum Wasser und wieder zum Stein zurück zählt zu den großen Flutungen des Lebens, zum »Stirb und Werde« der Natur.

Dazu kommt, daß die Materie nicht nur das Leben stützt und festigt, sondern ihm auch Schutz und Sicherheit gewährt. Sie baut ihm Häuser, liefert Waffen — die Knochen und Zähne, die Schalen und Panzer, die Stacheln und Scheren sind Zeugnisse dafür. Das gilt auch im großen: für Halt und Zuflucht im zerklüfteten Gestein. Der Bios wurzelt in seinen feinsten Poren, nistet in seinen Wänden, siedelt in seinen Höhlen und Felslöchern.

Diese Porosität bringt aber auch Gefahren mit sich, besonders wenn man Tieren nachstellt, die sich im Unzugäng-

lichen aufhalten. Weder Tritt noch Griff sind verläßlich in
der mürben Wand. Immer wieder erfuhr ich, wie sehr dort
Vorsicht geboten ist — selbst für einen geübten Bergsteiger
wie Gustav Kramer, der in den kalabrischen Gebirgen ab-
stürzte. Er war, begleitet von seinen beiden Söhnen und
einem Ziegenhirten, am 19. April 1959 in die Steilschlucht
des reißenden Raganello eingestiegen, um Felstauben im
Nest zu beobachten. Das Klettern durch diese Schrunden ist
im Frühjahr besonders gefährlich, weil die Schneeschmelze
den Kalk stark ausgewaschen hat. Als der Vater sich am
schmalen Saum entlangtastete, sich mit den Händen in die
Risse klammernd, löste sich ein Block aus der Wand. Der
Versuch, ihn rücklings über den Kopf zu stemmen, mißlang;
das Bruchstück war tonnenschwer. Es riß den Forscher mit
sich in den Raganello hinab. Dort bargen die Söhne den
Leichnam unter Lebensgefahr.

Sehr jung, noch Knaben, waren die Brüder Gebhardt, die
am 31. Mai des Jahres 1961 in Südwest am Rietfontainer
Berg abstürzten. »Es war der Berg, auf den sie sich immer
freuten« — sie waren dort in den Ferien. Sie hatten ein Riff
überquert und standen zusammen auf einem Felsblock, der
sich unter ihnen ablöste. Dort arbeitet die Hitze am Gestein,
wie bei uns der Frost. Ich erfuhr den unermeßlichen Verlust
von der Mutter: »Wir hörten ihre hellen Stimmen, dann ein
Felsdonnern. Aber noch dachten wir an kein Unglück —
dann fanden wir sie. Kein Stein war auf sie gefallen, ganz
heil und friedlich lagen sie. Kein Blut war geflossen aus den
nicht großen Wunden am Hinterkopf.«

Andere Tücken haben die Sandsteine und Schiefer, wiederum andere der Granit, dessen Bänke, Buckel und Rücken aus der Erde hervorwachsen. In Norwegen sah ich eine besonders mächtige und zugleich typische Kuppel: Teufels Hirnschale. Hier ist vor allem die Glätte zu beachten; wer auch nur mit einem Fuß ausgleitet, weiß nicht, wo die Fahrt enden wird. Ganz zu meiden sind Stellen, an denen das Wasser ansteht und Grünalgen den Fels decken. Aber gerade in solchen Lachen sind Verwandte des Moosgrünen zu Haus.

Ich gehe über solche Böden gern mit den aus Grobgarn geflochtenen Sohlen der »Espadrilles«, deren sich die baskischen Schmuggler auf ihren Paßgängen bedienen; sie sichern einen zugleich festen und lautlosen Tritt. Im Maggiatal, wo wir eine Zeitlang oberhalb von Schettys Schlangenfarm unser Wesen trieben, bewegten wir uns barfuß und in leichtester Bekleidung über den blanken Granit, der den Fuß streichelte. Freilich konnten wir mit den Nattern nicht Schritt halten, die sich in den Morgenstunden am Rand der Tobel sonnten und als silberne Schatten davonglitten. Michael Klett brach sich dort das Handgelenk.

In diesem Abschnitt stürzt die Maggia über ihre letzten Fälle, bevor sie das Delta erreicht. Einer von ihnen verbirgt den Eingang zu einer Grotte hinter seiner schäumenden Wand. Hat man sie durchschritten, so steht man auf einem Sims wie unter einer Kuppel aus flüssigem Glas. Im Halbdunkel der Grotte treibt ein Malstrom rundum. Sein Kreisen an den glatten Wänden erzeugt ein Naturspiel, indem es eingeschwemmte Hölzer auf absonderliche Weise glättet und formt. Einfache Äste werden zu Kommandostäben, verzweigte zu Hirsch- und Elchgeweihen, massive Strünke zu

Brotlaiben poliert. Als Prunkstück brachte ich ein Ochsen- oder besser ein Mammutherz aus Kastanienholz heraus. Man könnte es selbst dem Gewicht nach für einen großen Kiesel halten, verriete nicht die Maserung die Holznatur.

Der Ort hat Tücken; außer manchem Exvoto für glückliche Errettung hätte hier auch ein Marterl seinen begründeten Platz.

Wenn mich die sardischen Freunde zum Baden begleiteten, was sie nur in den Hundstagen zu tun pflegten, sah ich, daß jeder ein goldenes Kettchen mit dem Bild seines Schutzpatrons um den Hals trug, von dem er sich seit seiner Kindheit nicht getrennt hatte. Auch versäumten sie nicht, bevor sie ins Wasser gingen, sich zu bekreuzigen.

Nicht nur das Meer birgt Überraschungen, sondern das Element an sich, selbst in den Bächen und Brunnen, und kein Weiher ist so klein, daß er nicht, wenn die Stunde schlägt, sein Opfer forderte. Berüchtigt sind die Tongruben, in denen sich dicht unter der Oberfläche eiskaltes Wasser bis in den Hochsommer hält. Dort lauert einer der Hauptfeinde des Lebens, die Disharmonie. Vom Donner der Brandung wird man weithin gewarnt. Aber die stillen Wasser sind tief.

Die »großen Fische« sind selten und haben meist mehr Grund, den Menschen zu fürchten, als umgekehrt, besonders seit das Tauchen Mode geworden ist. Nun ist es mit dem beschaulichen Leben der Einsiedler vorbei, die in den Grotten als Ansitzjäger hausten und dort, ohne jemals von einem Netz gestreift zu werden, uralt wurden. Sie würden von

Moos und Parasiten überwuchert werden, wenn nicht zu bestimmten Stunden die Baderfische kämen und sie reinigten. Das Wasser verbindet — daß das Haus der Fische im astrologischen Sinne nicht nur die Verfolgung, sondern auch das Zusammenleben stärker begünstigt als die Luft- und Erdzeichen: dafür haben diese Tauchfahrten schon eine Fülle wunderbarer Bestätigungen gebracht. Das wurde gefühlt, als der Stern zu wirken begann; jetzt will es gewußt werden.

Auch den Sockel von Serpentara höhlen solche Grotten, die niemand betreten hatte, bevor wir eines Tages zur Fischsuppe dorthin fuhren. Die nötigen Fische und Muscheln zu erbeuten, ist kein Problem; man muß nur den Kessel, dazu Wein, Brot und Gewürze mitbringen. Ein Frankfurter Arzt war dabei, der mit der Bombe tauchte und so lange unten blieb, daß wir besorgt wurden. Dann kam er wie der Fischer im orientalischen Märchen mit einem verkrusteten Henkelkrug herauf und berichtete, daß er einen Amphorenfriedhof entdeckt hätte. Beim zweiten Abstieg blieb er noch länger und tauchte mit blauen Lippen wieder auf — diesmal mit einem Zackenbarsch, den er in einer Höhle harpuniert hatte. Daß diese Familie einen solchen Giganten hervorbringen könnte, hätte ich nie geglaubt. Selbst die Fischer staunten — der Kopf allein reichte zu einer Suppe für zwölf Hungrige. Dem schloß sich am Abend ein Festmahl in Gavinos Albergo an.

»Neptun hat die Dicken lieber; er mag die Dünnen nicht.« Das schrieb mir Josef Breitbach, als er die Sache mit dem Rochen erfahren hatte, und daran ist etwas Richtiges, obgleich es auch Aale und Seenadeln gibt. Schon das spezifische

Gewicht kommt den Beleibten zugut. Auch kühlen sie nicht so bald aus. Böcklin hat ihrem animalischen Behagen im »Spiel der Woge« ein Denkmal gesetzt.

Was mich betrifft, so bin ich froh, wenn ich nach einer Schwimmstrecke von einer Viertelstunde Dauer wieder Grund fasse. Das war auch am 14. April 1957 der Fall. Wir hatten uns an einem meiner Lieblingsplätze, der kleinen Lagune des Rio Campus, gesonnt — Friedrich Georg, Ernst Klett und ich. In solchen Stunden erwacht der Spieltrieb in jedem Alter — der Bruder baute im Sand ein Gärtchen mit einem Zaun von Sepiaschulpen, die ich am Strande für ihn sammelte. Ich nahm dazu den Schirm, mit dem ich auch die Tamarisken abklopfte, obwohl »Neues« kaum zu erwarten stand.

Der Gedanke, diese Tätigkeit durch ein Bad zu unterbrechen, lag nahe, denn es war ziemlich heiß. In der Nacht hatte es Sturm gegeben; das Meer war trübe, aber schon wieder still. Um ins klare Wasser zu kommen, mußte ich weiter als sonst hinausschwimmen und kam reichlich ermüdet zurück. Es wurde Zeit, daß ich Grund gewann. Schon einige Male hatte ich vergeblich mit dem Fuß hinabgelotet, ehe ich fühlte, daß er aufsetzte. Freilich dauerte die Freude nur einen Augenblick, da der Boden sich lebhaft zu bewegen begann.

Auch an der Nordseeküste kommt es vor, daß man beim Baden auf eine Scholle tritt, die sich mit leichtem Gezappel befreit. Hier war es ähnlich, nur war die Unruhe stark und wallend; der Grund bewegte sich. Im Augenblick der Begegnung war ich orientiert. »Verflucht, du bist auf einen Rochen getreten — das wird schiefgehen.« Ich hatte das Tier, den pesce tondo der Sarden, schon öfters als blauen Schatten im Flachwasser davongleiten sehen. Es pflegt bei Nacht zu jagen und bettet sich tagsüber in der Nähe des Strandes unter einer Sandschicht ein. Wenn es Gefahr wittert, macht es sich rechtzeitig davon.

In diesem Fall vereinten sich ungewöhnliche Umstände, ein Rencontre herbeizuführen, an dem keinem der beiden Partner gelegen war. Das Wasser war so trüb, daß weder ich den Fisch wahrnehmen konnte, noch er mich. Zudem kam ich von oben wie mit einem Fallschirm und landete auf ihm. Wäre ich seitlich herangewatet, so hätte das die Berührung, wenn nicht überhaupt verhindert, so doch verkürzt. Da ich aber auf ihm stand, fühlte sich der Rochen nicht nur angegriffen, sondern auch festgehalten und legte sich nun mit Volldampf ins Zeug. So wenigstens suchte ich mir das Abenteuer zusammenzureimen, als ich später darüber nachdachte, und dazu sollte ich reichlich Zeit finden.

Ähnlich wie der Skorpion ist der Rochen imstande, den Schwanz als Geißel zu benutzen, indem er ihn rücklings in die Höhe schnellt. Wie gut, das spürte ich sofort durch eine Reihe von Stichen — an den Knöcheln, den Knieen, den Schenkeln bis hoch hinauf. Es wurden sieben, ehe es dem Fisch sich zu befreien gelang. Es schien, daß er nun erst in Rage kam, denn ich fühlte ihn dicht an mir emporgleiten. Für einen Augenblick waren wir Brust an Brust, und seine Flanken umfingen meine Seiten — das war weniger eine Berührung als eine schon beinah stofflose Andeutung davon. Das Wesen war von einer Membran umgeben, die eher zu ahnen als zu fühlen war. Nachdem es mir noch einen Denkzettel, den achten, dicht über das Knie gepflanzt hatte, machte es sich in die Tiefe davon, während ich dem Ufer zustrebte.

Dort sah ich den Schirm mit den Schulpen liegen und fuhr, als ob nichts geschehen wäre, mit dem Einsammeln fort. Das Abenteuer war abseitig, war ein spontaner Tanz zwischen zwei Partnern gewesen, die einander nie gesehen hatten und doch in besonderer Weise über einander und über die Regeln Bescheid wußten. Es gehörte zur Welt der Träume – und nicht zu der des Tages wie die weißen Schulpe hier. Sie schlossen den Knoten, an den die Erinnerung sich knüpfte; vergessen hatte ich, was auf der Schleife geschehen war. Es völlig einzuordnen, vor allem den Augenblick, in dem mich der Fisch umarmte, gelang mir auch später nicht.

Während ich benommen am Strand entlang ging und nach Schulpen spähte, sah ich die roten Strähnen, die, sich mit dem Salzwasser mischend, an den Beinen hinabrieselten. Auch die Schmerzen begannen bereits. Mein Bericht rief bei den Gefährten, die noch behaglich in der Sonne lagen, zunächst Unglauben, dann Erstaunen, endlich Schrecken hervor. Wir zogen uns an und kehrten ins Städtchen zurück. Nur mühsam bewältigte ich den Weg.

Es ging mir mit dieser Attacke wie mit mancher anderen im Leben, deren Bedrohlichkeit mir erst nachträglich bewußt wurde. »Einem solchen Biest sollte man nicht mehr als drei Tage zubilligen«, meinte Ernst Klett, und das war auch meine Ansicht, aber der Wille half wenig, und da sich innerhalb dieser Frist der Zustand noch verschlimmert hatte, machten wir uns eilig nach Norden auf den Weg.

Drei Tage hatte ich in Valentinos Cortile liegend verbracht und mich zwischen den Wehen in eines meiner Lieblingsbücher, Ricklis große Mittelmeerflora, vertieft. Die Schmerzen waren durchweg stark und erreichten, besonders in den Nachtstunden, Spitzen, die jede andere Wahrnehmung auslöschten. Sie waren feurig; auf den Höhepunkten kamen schneidende hinzu. Noch nach sechs Wochen mußte ich nachts aufstehen und ein kaltes Bad nehmen. Perpetua, selbst schon leidend, erschöpfte sich im Anlegen immer neuer Umschläge, die schnell austrockneten: Heilerde, Quark, Kamille, Arnika, Alkohol.

Eine gute Konstitution tat das ihre dazu. Starke tierische Gifte sucht der Körper zunächst aufzufangen, indem er sie in Eiweißverbindungen deponiert. Dann werden sie allmählich abgebaut. Wichtig ist allerdings, daß keine besonders empfindliche Stelle getroffen wird. Wenn ich den Experten glauben darf, tritt bei einem Stich in den Unterleib der Tod nach spätestens einer Stunde ein.

Mein Fall galt auch bei den Einheimischen als Kuriosum; Verwundungen durch den pesce tondo waren vorgekommen, wenn Fischer das Tier im Netz gefangen oder harpuniert hatten — beim Baden noch nie. Aber schon im Herbst desselben Jahres hörte ich, daß einem jungen Mann, der mit der Tauchmaske dicht über dem Sandgrund schwamm, ähnliches zugestoßen war. Ein Rochen hatte ihn im Gesicht getroffen und so zugerichtet, daß, wie Nora sagte, der Kopf so breit wie die Schultern geworden war. Die Ärzte hatten sich im Hospital von Cagliari wochenlang um ihn bemüht.

Bei allen Verletzungen, Vergiftungen, Infektionen wird die Lebenskraft geprüft. Der Schmerz zählt zu den günstigen Zeichen; er bezeugt, daß der Körper die Herausforderung annimmt und daß etwas geschieht. Einige Male schien eine

272

Steigerung nicht mehr möglich, als ob glühende Lava, ohne einen Ausweg zu finden, sich verdichtete. So während einer kurzen Rast bei Urzulei. Ich lag dort im Schatten eines wilden Birnbaums, dessen Blüte sich vom makellosen Blau des Himmels abzeichnete. Schwärme von Bienen und anderen Bacchanten umkreisten ihn. Einer davon, mückengroß, fiel auf mein helles Jackett; das war eine Ablenkung. Es mußte ein Ipide, ein Borkenkäfer sein. Aber wie paßten die zierlich aufgeblätterten Fühler, die typische Auszeichnung der Scarabäen, dazu? Da war ein Sprung, eine Dissonanz im System. Ich ließ das Wesen in ein Glasröhrchen schlüpfen und sann über die Zuordnung nach. Dieses Grübeln, dieses der-Sache-auf-den-Grund-gehen-Wollen, kehrt in solchen Fällen immer wieder, ähnlich wie die Suche nach einem Wort, das uns entfallen ist und dem wir durch mancherlei Listen nachstellen. Es schien sogar, als ob dabei der Schmerz ein wenig nachließe.

Auch unterwegs beschäftigte mich die Frage und unterbrach Sorgen und Ängste, die mir bislang fremd geblieben waren — ob Sonne oder Schatten auf der Straße, Treppen oder Fahrstuhl, harte oder gepolsterte Stühle in den Gasthöfen? Endlich zu Haus im Bett, stahl ich mich gleich in die Bibliothek und suchte die Literatur zusammen — Eggers' und Erichsons Tabellen, Reitters Monographie der Ipiden, den 32. Band von Junks Weltkatalog.

Da hatte ich ihn bald gefunden; es war in der Tat ein Borkenkäfer mit extravaganten Fühlern, ein südeuropäischer »Schädling« der Ölbäume. Die Art war von Bernard in den Studien zur provençalischen Fauna um 1788 zum ersten Mal beschrieben worden, und schon ihm war aufgefallen, daß die

Fühler eher an einen Scarabäen erinnerten. Er hatte sie daher »scarabaeoides«, die Scarabäus-Ähnliche, genannt.

Wieder war ein Steinchen an seine Stelle gerückt. An sich ist die Verästelung von Antennen nicht selten, wie jeder sie nicht nur am Maikäfer, sondern auch auf den Hausdächern beobachten kann. Sie gehört zur Welt der Signale, und doch überrascht jeder neue Beleg, vor allem dort, wo man ihn nicht erwartete.

Ein Staubkörnchen, aber ich möchte es nicht aussparen. Oft hatte ich mir Vorwürfe gemacht wegen der Zeit, die ich mit solchen Spielen verschwendete, hatte das auch von anderen gehört, die mehr von mir erwarteten. Aber auch das Spiel des Mannes, der sich spät an den Flügel setzt, um sich den Zugang oder auch den Ausgang zur Harmonie zu wahren, hat Voraussetzungen. Er hat die Meister studiert, hat sich in seiner Kunst geübt. Handwerker schufen ihm das Instrument. Ähnlich ist es mit der Erkundung und endlich auch der Beherrschung des Natursystems, die nur in Zweigen gelingt. Hier schuf Gelehrtenfleiß von zwei Jahrhunderten die Tastatur.

Doch es bleibt ein Herantasten durch die sichtbare Ordnung der Dinge an ihre unsichtbare Harmonie, aus dem Stückwerk des Wissens an das, was nur geahnt werden kann. Wenn es gelingt, ein Staubkorn auf Falterflügeln mit der Welt in Einklang zu bringen, so ist das als Ziel belanglos, nicht aber als Hinweis, als Merkstein auf dem Weg, den wir zurücklegen. Die Flügel selbst sind ja ein Hinweis nur.

274

IM GEWITTER

Ein dies ater war der 13. September 1963, ein Freitag, der Sturm und Regen gebracht hatte. Um diese Jahreszeit kann man sich in Sardinien auf die Sonne verlassen; das Unwetter widersprach den Erfahrungen. Ich hatte am Morgen in der Camera Pflanzen gepreßt und Notizen ins reine geschrieben, den Nachmittag mit Valentino am Kamin verbracht. Gegen Abend wurde es klarer; ich machte mich mit dem Stierlein zu einem Strandgang auf.

An der Küste blies der Wind noch kräftig; einige Cicindelen flogen im letzten Sonnenschein. Wir stellten ihnen nach, doch drehten die meisten nach kurzer Verfolgung leewärts und verschwanden im Nu aus der Sicht. So war die Beute gering.

Auf diese Weise erreichten wir die hohe Düne halbwegs zum Sarazenenturm. Ich hatte bereits gehört, daß dahinter, fast über Nacht wie im Märchen, ein Hotel emporgewachsen war. Hier an einem meiner alten Badeplätze war der Lido der Gäste entstanden, mit einer Reihe von Hütten im abessinischen Stil. Der Ort war gut gewählt; das mußte ich zugeben. Jetzt lag er so einsam, wie ich ihn immer gekannt hatte.

Ein spätes Bad würde erfrischen; ich kannte den Strand genau. Oft war ich hier geschwommen, meist allein, einige Male auch mit Friedrich Georg. Weißer Quarzsand mit rosigem Schimmer: getönt durch Herzmuschelstaub. Zur Linken die Klippe mit den Trichterlilien.

Das Meer war noch bewegt; die Dünung brach sich in zwei Säumen — einem höheren, der um einen Steinwurf entfernt war, und einem schwächeren am Strand. Im schwindenden Licht bogen sich die Wellen mit grüner Kehle, bevor sie aufschäumten. Das Wasser war wärmer als die Luft, auch schien es leichter zu tragen als gewöhnlich; wir durchschritten die Uferbrandung und schwammen über die entferntere hinaus. Ich hatte die Kraft des Meeres kaum je so stark empfunden; die Woge, die auch einen Ozeandampfer gehoben hätte, trug mich wie eine Feder empor. Aber rasch wurde es dunkel; ich mußte umkehren. Das Stierlein, dessen weiße Kappe ich neben mir sich heben und senken gesehen hatte, war sicher schon am Strand.

Die erste Brandung zu passieren war einfach, vor allem da nicht jede Welle sich überschlug. Die Wellenzüge kamen in Strähnen, die sich an Höhe unterschieden, wie fast immer bei unruhiger See. Nun waren bis zum Ufer noch wenige Schwimmstöße. Es war finster geworden, doch war der weiße Schaum ganz nah zu sehen, auch das Stierlein, das am Ufer ausspähte. Gleich würde ich bei ihm sein.

Die Wahrnehmung des Unheils kam unvermittelt; im Augenblick war ich orientiert. Die Tatsache war banal: ich fühlte mich wie von einem Magneten festgehalten, der mich nicht von der Stelle ließ. Es mußte ein ungewöhnlicher Sog entstanden sein, der meine schon fast erschöpften Kräfte ausglich, ja überflügelte, je mehr ich mich anstrengte. Und das zwei, drei Mannslängen vor dem Strand. Einmal versuchte ich noch wie ein Wettläufer, der sich vorm Ziel sieht, durchzudringen — umsonst, ich mußte aufgeben.

Das kam im Handumdrehen. »Gibt es denn *keinen* Ausweg mehr? Wenn sie ein Boot holte? Aber das würde eine Viertelstunde dauern — und du hast noch zwei Minuten

Zeit.« Auch drang meine Stimme nicht durch. Die Brandung verstärkte sich.

Ich ließ mich auf dem Rücken treiben, um einige Sekunden zu gewinnen und scharf nachzudenken; im Inneren brannten alle Lichter, das Herz schlug wie ein Dampfhammer. Die Küste war trotz ihrer Nähe unerreichbar — vielleicht sollte ich im spitzen Winkel den Sog schneiden? Das dauerte länger, aber was ich an Zeit zusetzen würde, das könnte ich an Kraft sparen. Ein Hoffnungsfunke, der bald erlosch. Zwar wurde der Sog geringer, doch wirkte er nun auf die Länge des Körpers ein. Ich schwamm im Wellental durch die grundlose Nacht.

Noch einmal bog ich zur Küste ein. Zur Linken flammte ein Blitz auf, der den Sarazenenturm grell aus dem Dunkel hob. »Also der Schicksalsturm. Schon der Fisch war ein Vorzeichen.« Wieder legte ich mich auf den Rücken — ich schluckte Wasser — eine Welle drehte mich um. »Das wird hier Scherereien geben — gut, daß sie den Valentino hat.«

Von neuem schluckte ich Wasser und mußte die Position ändern. Die Wellen folgten sich; der Strand verschwamm. Die Angst war schnell gewachsen; nun wurden die Dinge katastrophal. Der Schauplatz verengte sich und wurde doch gewaltig — zwischen zwei ruhigen, glatten Wogen das finstere Tal. Es ging jetzt nicht mehr um Raumgewinn, sondern nur noch um Zeit, um zwei, drei Atemzüge noch. Zur eigenen Bewegung fehlte schon die Kraft. Ich trieb nun mehr, als daß ich schwamm, und wurde gewendet wie ein Stück Holz.

Schon einige Male hatte ich aufgeben wollen; jetzt war es soweit. Ich warf die Arme in die Höhe und stieß den

Schrei aus, den Schrei der Ertrinkenden, den Schrei aus der innersten Tiefe des Wesens, der wie ein dritter Arm aus dem Munde ins Unendliche hinaustastet.

Wieder kam eine weiße Schaumwand auf mich zu. Ich wurde, schon betäubt, von ihr vorangestoßen — und als sie zurückebbte, fühlte ich mit der Fußspitze eine Spur von Grund. Ein Wunder deutete sich an. Noch einmal wurde ich gestoßen, stolperte, kroch durch den Rückstrom ans Ufer und fühlte noch, wie das Stierlein sich über mich warf.

Als ich am nächsten Morgen nach fiebriger, doch angenehmer, friedlicher Nacht erwachte, fiel mein Blick auf das Fläschlein mit den Cicindelen vom Vorabend. Ich sah sie mit Erstaunen, aber auch mit Befremden, als ob das Bewußtsein auf ein um hundert Jahr entferntes Ereignis sich besänne und daran anknüpfte. Hier hatte sich ein Denkstein in meine innere Landschaft eingezeichnet, ein Obelisk, auf den viele Wege zuliefen.

Zu denken gab mir schon das Datum: Freitag, der dreizehnte. Aber, wenn ich es recht bedachte, war es doch eher ein Glücks- als ein Unglückstag. Das konnte auch für den extremen Fall gelten.

Obwohl ich die »Losungen« auf Reisen mitführe, denn sie sind ein leichtes Gepäck, kommt es selten vor, daß ich sie aufschlage. Hier war es geboten: Joel 3, 5 fand ich als Spruch dieses Freitags, ein mächtiges Wort. Wo das Episodische aufhört, wird alles zur Fügung, doch dieser Grund wird selten erreicht.

Hat sich solches ereignet und ist uns zuteil geworden, so beginnt auch sogleich, kaum daß die Schatten der Vernichtung

278

vorbei sind, der entwertende Geist es wieder aufzulösen und führt die große Zuwendung auf Zeit und Raum zurück. War nicht das Wellental ein wenig tiefer gewesen — gerade als ich schon halb erstickt war und Grund gefaßt hatte? Oder hatte ich im kritischen Augenblick eine vorspringende Sandbank erreicht?

Woher mag dieser Trieb kommen, das Substantielle gegen das Akzidentielle einzutauschen — das heißt: das Wunderbare gegen das bloß Merkwürdige? Aber die Erinnerung an den Kontakt läßt sich nicht auslöschen. Ich hatte ihn oft, doch nie so überzeugend, so eindringlich gefühlt. Das »hast du nicht dieses verspüret?« kehrt wieder in den Träumen, den trüben Stunden, inmitten der Gefahren einer Welt, von der nur das eine gewiß ist: daß wir sie eines Tages zurücklassen.

Auch hinsichtlich der praktischen Erfahrung erteilte mir jener Freitag einige Belehrungen. Schon öfters hatte ich gehört, daß man während eines Gewitters nicht ins Meer gehen soll; hier hatte ich die Bestätigung. Gefährlich ist es auch, sich im Dunkeln hinauszuwagen; da wirds bald unheimlich.

Das Meer ist veränderlich; keine Stunde, keine Welle ist wie die andere. Hier hatte ich den Strand genau gekannt und dennoch Überraschungen erlebt. Bei Viareggio war ich vorsichtiger — man hatte mich vor der Strömung gewarnt. Shelley ist dort ertrunken, allerdings nicht beim Baden, sondern als er mit Byrons Yacht »Don Juan« gekentert war.

Das Ertrinken hatte ich bis dahin zu den milden Todesarten gerechnet; von diesem Irrtum war ich kuriert. Es ist, auch wenn es schnell geht, ein bitterer Tod. Seitdem sind mir Seeleute verständlich, die es ablehnen, schwimmen zu lernen; das kann, besonders in warmen Meeren, die Qual sehr lang hinauszögern.

Noch einige Wochen kam beim Husten Blut. Wie ich von den Ärzten hörte, war das die Folge der übermäßigen Anstrengung, vielleicht auch des Schocks allein. Aber schon am nächsten Morgen fühlte ich Lust, zum Sarazenenturm zu gehen. Die Sicht war klar und das Meer immer noch bewegt mit Schaumkronen weithin. Beim Aufstieg sah ich eine Natter, schlank in smaragdener Frische; das Leben kreuzte von neuem meinen Weg.

PILZE

Wie überall in den Naturwissenschaften, und nicht nur in ihnen, beschäftigen den Geist auch in der Botanik heute weniger Form und Gestalt der Objekte als deren Funktion. Die alten Rektoren sind ausgestorben, die, wenn man sie ins Feld begleiten durfte, nicht nur den Namen jeder Pflanze kannten, sondern auch über ihre Kräfte Bescheid wußten, über ihre Geheimnisse, wie Albertus Magnus sie nennt.

Will man sich mit den Insekten beschäftigen, so ist die Kenntnis der Pflanzen wichtiger als die des übrigen Tierreiches. Hier waltet besondere Sympathie. Wenn bereits das Auftreten der Blütenpflanzen in ihrer unerschöpflichen Mannigfaltigkeit als eine gewaltige Eruption des kosmogonischen Eros betrachtet werden muß, so eröffnet sich in diesem Aufeinanderzustreben und Verschmelzen pflanzlicher und tierischer Organe ein unerfindlicher und unergründlicher Zug der

280

Großen Natur. Kein Scharfsinn würde auf ihn verfallen, offenbarte er sich nicht an jedem Feldrain, jedem Blütenstrauch. Und trotzdem hat es lange gedauert, bis das Geheimnis der Bienen erkannt wurde.

Diese Verschmelzung einander ferner Wesen deutet auf eine hochzeitliche Spannung, auf einen Funken, der alle Widerstände übersprang, auf den Beginn eines Liebesfestes, das immer noch währt. Man muß das synoptisch und nicht synthetisch fassen — an einem Morgen inmitten der summenden Wildnis, wenn Myriaden von Blüten sich öffnen und der Sonne zuwenden.

Die meisten Insekten sind nicht nur Liebesboten, sondern auch Tisch- und Wohngäste der Pflanzen, die sie fast ohne Ausnahme und von den Wurzeln bis zur Krone heimsuchen. Dabei sind viele recht wählerisch und beschränken ihren Speisezettel auf eine einzige Pflanzengattung, ja selbst auf eine Art. Eher gehn sie zugrunde, als daß sie eine andere Nahrung annähmen, wie jeder weiß, der einmal Schmetterlinge aus dem Ei gezogen hat.

Ist eine Pflanze selten, so ist das Tier, dem sie behagt, noch seltener. Ruppia maritima, die Strandsalde, findet man im Binnenland nur an wenigen Orten, meist in der Nähe von Salinen, wo sie im Salzwasser gedeiht. Ihr eigentliches Gebiet sind die Brackwassertümpel unserer Küsten — sie wird dort von einer tauchenden Chrysomelide bewohnt, die sich Macroplea, »die Großklaue«, nennt. Will man also der Großklaue nachstellen, so reist man am besten nach Rügen oder nach Sylt, wie ich es im Juni 1934 tat, allerdings nicht mit dieser Absicht allein. Die subtile Jagd erfreut gerade durch das, was man in der Ökonomie die Nebeneinkünfte oder »Emolumente« nennt.

Im Frühling werden die gemeinhin als Erdflöhe bekannten Halticiden leicht zur Plage; von den frühen Kohl- und Rettichsaaten bleibt oft kein Pflänzchen mehr. Als ich 1936 den Maler A. Paul Weber im Brümmerhof besuchte, zeigte er mir eine Schnappfalle, die er erfunden hatte, um sich der Fresser zu entledigen. Er strich große Büchsen innen mit Lack an und stülpte sie über die Pflanzen, von denen die erschreckten Tiere nach allen Richtungen absprangen und dann am Anstrich festklebten.

Der Schaden wird geringer, wenn überall in der Natur die Kreuzblütler hervortreiben, an denen sich die Halticiden vor allem delektieren; der Befall wird verteilt. Eine besonders große und schöne Art residiert auf dem Meerrettich. Immer, wenn ich in Gärten an einem Stoß des fetten, dunkelgrünen Krautes vorübergehe, spähe ich nach ihr aus. Ich fand sie nur einmal, da allerdings in solcher Menge, daß sie die großen Blätter zu einem Fichu zernagt hatte.

Die Pilze bilden auf dem großen Speisezettel ein bevorzugtes Gericht. Jeder von ihnen hat einen oder zahlreiche Liebhaber. Ihr massiver Fruchtkörper ist ganz und gar genießbar, und selbst die »giftigsten« sind begehrt. Wenn der Schmaus in vollem Gang ist, fliegen auch Larvenjäger hinzu und finden Beute im Überfluß.

Es versteht sich, daß hier auch der Entomophile auf seine Rechnung kommt. Ein Buch, das ich gern zu Rate ziehe, ist der Scheerpelz-Höfler, »Käfer und Pilze«, ein Werk zweier Wiener Professoren — »als Ergebnis glücklicher Stunden«, wie es im Vorwort heißt. Es hat zwei Register — das eine zählt die Pilze mit ihren Gästen, das andere diese Gäste mit ihrem Speisezettel auf. So gibt es sowohl in botanischen wie auch in zoologischen Zweifelsfällen Hinweise.

Den Pilzen, nicht nur den eßbaren, wurde von jeher besondere Aufmerksamkeit zuteil. Sie fordern schon durch ihre Erscheinung dazu heraus. Der Pilz hat Körper, hat Kopf und Fuß, die ihn auf einfachste Weise als Individuum abgrenzen. Daher die heitere Überraschung, wenn unser Blick im Dickicht oder im Hochwald auf eine Gruppe von Pilzen fällt. Da spricht uns Verwandtes auf niederer Stufe an. »Sag, wer mag das Männlein sein?«

Früh schon wurden den Pilzen Ikonographien gewidmet — Folianten mit schwarzen oder bunten Tafeln, die äußerst kostbar geworden sind. Werke wie das des Schweden Fries oder des Südafrikaners Persoon rechnet Junk nicht nur den »Rarissima« sondern sogar den »Introuvables« zu. »Jeder Versuch, sie zu erjagen, ist im voraus zur Ergebnislosigkeit verdammt.«

Begehrt ist auch das große Werk über die Bayerischen Pilze, besonders in der Erstauflage, die von 1762 bis 1770 erschien. Sein Autor ist der Regensburger Superintendent Jakob Christian Schaeffer, ein Polyhistor, der sich als Botaniker, Entomolog und Ornitholog einen Namen gemacht hat und auch in der Geschichte der Technik eine Rolle spielt. Da er viele Insekten benannt hat, werde ich oft an ihn erinnert, wenn ich das »Schaeff.« seines Signets in meine Notizen eintrage. Der zweite Band seiner »Fungorum Icones« fiel mir einmal auf einem Bücherkarren in die Hände; nach den drei anderen spähte ich vergeblich aus.

Je nach der gerade vorwiegenden Passion gab es Jahre, in denen ich die Pilze, und andere, in denen ich ihre Gäste als angenehme Zugabe, als »Emolument« betrachtete.

Pilze wachsen überall für den, der sie zu schätzen weiß und ihre Standorte kennt. Sie fielen mir zum ersten Male auf, als wir in Hannover am Rand der Eilenriede wohnten; eines Tages war der Wald zwischen dem Lister- und dem Pferdeturm von ihnen erfüllt. Damals konnten wir sie noch nicht unterscheiden; sie bildeten reine Objekte unseres Zerstörungstriebes, ob giftig oder ungiftig. Wir galoppierten in Rudeln durch den Wald und schlugen ihnen mit Gerten die Köpfe ab. Das war in dem Jahr, als Waldersee aus China zurückkam, nach dem dann ein Teil unserer Straße benannt wurde. Wir sahen ihn unter Hurrarufen vom Balkon aus vorbeifahren. Das war zu Beginn des Jahrhunderts; ich kann also noch nicht zur Schule gegangen sein.

In Rehburg kannten wir schon mehrere Arten, vor allem den Champignon. Es gab Jahre, in denen er massenhaft vorkam; die Weiden waren dann von ihm bis in den Oktober hinein bedeckt. Das waren die letzten Tage, an denen wir im Meerbach badeten — nicht der Erfrischung, sondern der Fische wegen, die sich schon reglos auf den Winter einrichteten. Sie standen in den Beugen, wo die matte Strömung den Torf gehöhlt hatte, und rührten sich nicht, wenn wir sie betasteten. Wenn sie uns groß genug schienen, packten wir sie an den Kiemen und warfen sie aufs Land. Meist waren es Weißfische. Schwieriger war es, die gefleckten Quappen zu erhaschen, die uns wie Aale durch die Hand glitten. Der Jagdeifer war so stark, daß wir im Wasser blieben, bis die Lippen und die Haut unter den Nägeln blau wurden.

Wenn wir mit unserer Beute heimgingen, während schon der Nebel über die Wiesen hinzog, kamen die Pilze an die Reihe, die in Bändern und Ringen durch die Dämmerung leuchteten. In guten Jahren nahmen wir nur die kleinen mit noch geschlossenem Hymen — feste, wachsglatte Kugeln, die nach Anis dufteten.

Auch mit den Champignons erlebte ich die Ausweitung, die uns immer wieder begegnet, wenn unsere Aufmerksamkeit sich auf eine der zahllosen Bildungen der Natur richtet. Wir erfassen den Typus, den wir nach einiger Übung bald sicher ansprechen. Das ist im Fall des Champignons besonders wichtig, da er höchst giftige Doppelgänger hat.

Nun aber kommen die Varianten; der Punkt, den wir erkannten, weitet sich zum Kreis. So erfuhr ich im Lauf der Jahre, daß allein in Deutschland an zwanzig Arten von Champignons oder Egerlingen vorkommen, von den Rassen ganz abgesehen. Auf den Moorweiden wuchs nicht nur der Wiesen-, sondern auch der feste, derbere Schafegerling. Auch die Wälder haben ihre Arten, die noch wohlschmeckender sind, weil sie auf ungedüngtem Boden gedeihen. Zu den Glücksfunden zählt der Riesenegerling der Fichtenwälder, der nach Mandeln duftet und an drei Pfund schwer werden kann. In Parks und Gärten, selbst auf Straßen, gibt es einen Stadtchampignon, der zuweilen sogar das Pflaster sprengt.

Überraschungen erlebt man noch nach Jahrzehnten des Waldganges. So glaubte ich beim Durchstreifen des Sigmaringer Forstes meinen Augen nicht trauen zu dürfen, als ich ein Tal erblickte, das junge Champignons so dicht bestanden, als ob ein Strom von schneeweißem Rahm hindurchflösse. Wieviel ich auch einheimste — es konnte nur eine Probe sein.

Da ich spät heimkam, verwahrte ich die Beute im Keller bis zum nächsten Tag. Das war gut so, denn es ging mir wie dem Mann im Märchen, der seinen Goldschatz in Kohle verwandelt sieht. Die herrlichen Pilze waren gelb angelaufen und von tintigen Flecken geschwärzt; sie erfüllten den Keller mit einem widrigen Geruch. Was war geschehen? Ich hatte mich durch den Karbolchampignon verführen lassen, der dem Schafegerling täuschend ähnlich sieht. Dieser zwar nicht gefährliche, doch unbekömmliche Pilz tritt selten und kaum je in solcher Schwemme auf. Nun hatte ich ihn kennengelernt.

Ein solches Mißgeschick mit Doppelgängern, die zwar nicht schädigen, wohl aber den Spaß verderben, beschränkt sich nicht auf die Champignons. So gehört schon ein scharfes Auge dazu, Jugendstadien des Steinpilzes und des Gallenröhrlings auseinanderzuhalten, von denen *einer* das Gericht verdirbt. Hier sind Nuancen von Weiß, Grün und Rosa zu unterscheiden, falls man nicht den Geschmack zu Rate zieht. Ähnlich verhält es sich mit der Aussonderung des Speitäublings aus der Schar seiner eßbaren Verwandten, von denen er durch sein stichiges Rot abweicht. Bei einiger Übung ist er leicht zu erkennen; es gibt aber Spielverderber, die sich nicht an die Abbildungen halten und nur durch eine Kostprobe zu entlarven sind. Auch hier bin ich vorsichtig geworden, seitdem ich einmal durch einen Übergang genarrt wurde.

Fatal wird der Mißgriff, wenn stark giftige Sorten auf den Tisch kommen. Die Meldungen mehren sich in den Hunger- und Notjahren. Verhängnisvoll werden vor allem zwei Verwechslungen: die des Champignons mit den Knollenblätterlingen und die von Perl- und Pantherpilz. Diese beiden gehören zur Amanita-Gruppe, der eine von zartem Wohlgeschmack, der andere ein gefürchteter »Dederling« (Töter), wie es im Bayrischen heißt. Ein weiteres Paar dieser zwiespältigen Familie bilden der Fliegen- und der Kaiserpilz. Merkwürdig ist das Nebeneinander von Verderb und Gedeih; eine winzige Differenz im Aufbau der Moleküle entscheidet über Leben und Tod. Wer die Spuren nicht kennt, verliert die Fährte — das zieht sich durch die gesamte organische Welt. Auch Petersilie und Schierling sind nächste Verwandte, und doch wurde die Verwechslung oft unheilvoll. Was für Sokrates der Schierlingsbecher war, das ist für den Papageien ein Strauß Petersilie. Solche Beobachtungen werfen Licht auf den Begriff des Giftes überhaupt.

Der Kaiserschwamm oder Kaiserling ist das Paradestück der illustrierten Pilzbücher. In natura begegnete mir noch kein Exemplar von auch nur sich annäherndem Glanz. Leuchtender ist der Fliegenpilz in seinen prallroten Varianten, besonders im Dickicht nordischer Birkenwälder, wenn seine Kappe noch vom Tau beschlagen ist. Da freut sich nicht nur der Schamane, wenn er ihn im feuchten Moos entdeckt.

Bei uns zählt der Kaiserling zu den größten Raritäten; es ist möglich, daß ihn die Römer hinterließen, ähnlich wie die Äskulapnatter und die Weinrebe. Er hält sich nur an den wärmsten Standorten, wie etwa am Kaiserstuhl. Wäre er häufiger, so würde er ebenso oft mit dem Fliegenpilz verwechselt werden wie der Champignon mit dem Knollenblätterschwamm. Fremdarbeiter und Kriegsgefangene aus den Mittelmeerländern machten hier schon böse Erfahrungen.

Wie sich im Leben die meisten Hoffnungen erfüllen, wenn

287

wir Geduld haben, so auch die meine, den Kaiserling einmal in der Natur zu sehen. Ich fand ihn in der Toskana während eines Oktobers, den ich mit André Germain in Florenz zubrachte. André hatte mit seinem berühmten Namensvetter, dem Grafen von Saint-Germain, gemeinsam, daß sein Alter nicht zu bestimmen war. Er hatte schon mit Gambetta zu Tisch gesessen, und es war lange her, daß er mit der Tochter Alphonse Daudets vermählt gewesen war. Als er ihr Jahrzehnte nach seiner kurzen Ehe bei einem Fest wiederbegegnete, fragten ihn Freunde, ob er sie erkannt habe. »Nein, aber ich habe meine Diamanten wiedererkannt.« Immerhin hatte er noch eine Schwester, die ihn um ein Jahr an Alter übertraf. Er pflegte daher auch, wenn er sie erwähnte, stets zu sagen: »Ma sœur aînée.« Ich kannte André damals seit dreißig Jahren und hatte mich mit ihm befreundet; wir leben auf einer Plattform, auf der die Eigenart an sich schon Zuneigung erweckt. Er schien mir jünger geworden seit jener ersten Begegnung in der Mark. Sein Haar war damals meliert gewesen und hatte sich inzwischen zu reinem Blond herausgemustert, was ohne Zweifel den Künsten der Friseure zu verdanken war. Er gehörte zu den Typen von zarter Gesundheit, die unglaublich alt werden, weil sie mit ihrer Kraft sorgfältig haushalten.

André hatte am Genfer See ein schönes Haus bewohnt und, angeregt vom genius loci, ein Buch über die großen Geister geschrieben, die dort an den Ufern gelebt haben. Offenbar hatte er rund um Florenz ähnliche Erkundungen vor. Wir fuhren jeden Nachmittag in die Umgebung, um Landhäuser anzusehen, und begannen mit dem Hildebrandschen Palais, das hart am Stadtrand liegt. Die Ausflüge dehnten sich dann weiter aus — bis zur Villa des Machiavell, die man heute als Weekendhaus bezeichnen würde, und bis zu schloßartigen Sitzen auf den Zypressenhügeln, die man von den Bildern der toskanischen Maler kennt. Ich habe die meisten vergessen; einer, von Michelangelo entworfen, blieb mir für alle anderen in Erinnerung. Es ist eine Landschaft, die weder Detail noch kleine Gedanken aufkommen läßt.

Der Verlauf dieser Exkursionen war stets derselbe: wir wurden von einem Faktotum erwartet und durch Haus, Park und Garten geführt. Dann kam die Einladung zum Tee, dem die Hausfrau unter Beistand ihrer Gesellschafterin, auch ihrer Tochter oder einer alten Tante präsidierte; der Hausherr war immer abwesend. Bei der Unterhaltung, die sich dann anspann, hatte ich Gelegenheit, Andrés Personengedächtnis zu bewundern — selten entging ihm ein Name, vorausgesetzt, daß er in »Who's Who?« oder im »Gotha« stand. Schon im Haus des Vaters hatten die Großen der Welt verkehrt. Der hatte den Crédit Lyonnais gegründet und die russischen Anleihen finanziert. Mir, dem sich Namen von seltenen Insekten viel leichter einprägen als die flüchtiger Zelebritäten, wurde das schon beim dritten Biskuit langweilig, und ich beurlaubte mich, um draußen ein wenig auf Jagd zu gehen.

Viel Neues stand nicht zu erwarten, denn die Natur der Toskana ist mitteleuropäisch mit südlichen Einschlägen. Ein besonderer Genuß, den solche Landschaften gewähren, liegt darin, daß sie in Fülle bieten, was bei uns nur an den wärmsten Hängen gedeiht. So etwa die schöne Orchidee Serapias, in deren Blüte sich rote, braune und schwarze Purpurtöne mischen und die in Südtirol ihre nördliche Grenze hat. Hier fand ich einen Feldweg, als ob die Ränder glühten, von ihr gesäumt. Im Überfluß zu haben, was man als seltenen Glücksfund schätzte, das ist, als ob man sich einem Golkonda näherte.

Hier überraschte mich auch der Kaiserling. Er stand nicht, wie ich es in den Büchern gelesen hatte, in lichten Kastanienwäldern, sondern auf sandigen Hügeln zwischen Heidekraut. Dort reckte er sich truppweis in straffen Kolben, mit deren Anblick ich mich begnügte, denn wir führten keine Küche, sondern aßen mit Freunden in einer kleinen Wirtschaft am Ponte Vecchio, der noch von zerstörten Häusern umgeben war. Dort gab es Kaiserpilze nach Belieben; sie lagen in Massen vor den Krämerläden zwischen der verdura aus. Giacomo briet sie in derben Stücken zusammen mit Krebsen, und man mußte, wenn er sie auftischte, dem Kaiser Nero zustimmen, der den Pilz, nicht nur des Wohlgeschmakkes wegen, als Götterspeise bezeichnete.

Ich bestellte mir jeden Abend »fungi e scampi« und trank Chianti classico dazu. André konnte sich das nicht leisten, denn Pilze galten als schweres Gericht. Er hatte einen schwachen Magen, und selbst wenn Giacomo ihm die zartesten Erbsen serviert hatte, bekam er zu hören, daß sie wahrscheinlich zur Mumienausstattung einer ägyptischen Prinzessin gehört hätten.

In der Wertung der Kenner steht selbst der Kaiserling noch hinter der Trüffel zurück, die Brillat-Savarin bekanntlich als den Diamanten der Küche gepriesen hat. Rumohr, ein Stratege der Kochkunst, sagt von ihr: »Was die Trüffel in Tunken, in Pasteten, in Füllungen leistet, weiß nunmehr die ganze gesittete Welt.« Daran schließt er eine nicht unwichtige Betrachtung über den mildernden Einfluß köstlicher Mahlzeiten auf die Stimmung des menschlichen Herzens an. Daß die Diplomaten gut zu speisen pflegen, sei daher nicht nur ein löblicher, sondern auch den Völkern wohltätiger Brauch. Allerdings, so fügt Rumohr hinzu, sei dadurch »jenes zweideutige Gebilde der Natur« an der Quelle selbst verteuert und mancher seiner stillen Verehrer im Genuß verkürzt worden.

Inzwischen ist der Diamant der Küche unbezahlbar geworden, da einerseits die Zahl der Feinschmecker sich mehrte und andererseits die Ergiebigkeit der Fundplätze, der truffières, sich verringerte. Ein Rezept, »Dinde aux truffes«, wie Viarol, »homme de bouche«, es um 1806 in seinem selten gewordenen Werk »Le Cuisinier Impérial« vorschrieb, dürfte inzwischen zu den Kulturkuriosa gezählt werden. »Nimm, je nach Größe Deines Truthahns, drei bis vier Pfund Trüffel, schäle und wasche sie.« Außerdem verlangt er, statt sich mit dem Abgeschälten zu begnügen, daß noch Trüffeln für die Sauce geschmort werden. Damit war es wohl spätestens nach dem Wiener Kongreß vorbei.

Der rare Erdpilz findet sich auch bei uns zulande; der Boden bringt die Art, nicht aber die Eigenart hervor. Eine Trüffel aus Sachsen oder Schlesien kann es ebensowenig mit jenen der Lombardei, der Provence oder des Limousin aufnehmen wie der Grüneberger Wein mit dem von Burgund. Das Milieu trägt die Imponderabilien hinzu. Ein mildes Klima, vor allem Sonne, fördert selbst das, was unter der Erde wächst.

291

Die zugleich guten, seltenen und teuren Dinge sind den Oligarchen vorbehalten, die im Löwenanteil das Beste vorwegnehmen: die Erstlinge, den Herrenziemer, das Pfaffenschnitzel und, früh schon, die schweren Markknochen. Das geht auf die ältesten Zeiten zurück und hat sich im Waidrecht erhalten; wer das Wild erlegte, dem steht der erste Zugriff frei. Man könnte die Trüffel, der man mit Hunden und Schweinen nachstellt, der Hohen Jagd zuordnen und damit den Tafeln der weltlichen und geistlichen Fürsten, der Diplomaten, der großen Bankiers.

Mich beschäftigten, mehr als die eßbaren, andere Sorten der Tuberaceen — so jene, die zwischen den Wurzeln der Dünengräser verborgen sind. In ihnen leben Liodes-Arten, blasse Dämmerungstiere, die nach Sonnenuntergang zum Hochzeitsflug an den Halmen emporklettern und die man, wenn man Glück hat, dort abstreifen kann. Alle sind selten, und der Monsignore pflegte zu sagen: »Um den Fleiß eines Sammlers zu prüfen, muß man zusehen, was er an Liodes' eingetragen hat.«

Als ich 1961 einige Herbstwochen bei Freunden im Périgord verbrachte, hätte ich Gelegenheit gehabt, dem Pilz in seinem Stammland nachzustellen, doch gab es anderes zu tun. Pressac, ein festes Haus mit Türmen, die schon den Hundertjährigen Krieg überstanden haben, liegt inmitten einer Wald- und Weidelandschaft, in der die Zeit stehengeblieben ist. Es war mit altertümlichen Dingen gefüllt. Auf den Fluren hingen Hirschläufe zur Erinnerung an geglückte Hetzjagden und ihre Teilnehmer, auch Köpfe von Wölfen, die von noch lebenden Schützen erlegt waren. In der Rüstkammer stand eine Miniaturkanone, die dazu bestimmt war, mit Schweinsborsten geladen, an Wechseln versteckt zu werden, auf denen man Wilderer vermutete — sie wurde, wie ich hinzufügen möchte, nicht mehr benutzt. Wenn ich in die Bibliothek ging, war der Tag verloren; sie war eine Fundgrube für alles, was den Krieg, die Jagd, die Pferde und Hunde, die Fischerei, auch die Geschichte und Vorgeschichte des Périgord betraf.

Wo die Hohe und die Niedere Jagd gedeihen, wird auch der subtile Jäger auf seine Kosten kommen; das ist eine Faustregel. Sie galt auch hier, im Herzen der Charente Inférieure. Das Land ist zugleich weit und labyrinthisch, da die Weiden durch hohe Hecken eingefriedet sind. Auch fehlt es an Wasser und Wäldern nicht. Edouard und Gilles Didier, die am frühen Morgen mit Gewehr und Fischzeug aufbrachen, kehrten nie ohne Beute zurück. Am Abend bot die Art und Weise, wie die Rebhühner und Enten, die Hasen und Wildkaninchen vorgekommen, wie sie getroffen oder auch gefehlt waren, der Unterhaltung unerschöpflichen Stoff. Dazu kam Gilles' »première truite«, seine erste Forelle; er hatte das kunstgerechte Auswerfen der Angel zuvor einige Wochen lang auf dem Trockenen bei einem Fachmann in der Rue de Seine gelernt.

Es kam schon kühl durch die Terrassentür; die Hunde schliefen am Kamin. Zuweilen fuhren sie empor, als ob sie Beute witterten. Sie jagen wie ihre Herren in den Träumen weiter, vielleicht noch in den Ewigen Jagdgründen. Die Sprache der Jäger ist klar und handhaft, sie ist weit von den Abstraktionen entfernt. Als sie noch ein Stand waren, wurde, wer ein Wort verfehlte, empfindlich gebüßt. Sie wußten, längst bevor man zählen konnte, daß der Fuß eines Hirsches einen anderen Namen als der eines Ebers oder eines Wasserhuhns verdient.

»Moucheronner« war eines ihrer Worte, die ich mir gemerkt habe. Es bedeutet »nach Fliegen schnappen«, und es ist ein gutes Zeichen, wenn die Forelle auf diese Weise unruhig zu werden beginnt. Sie bewegt sich dann anders, geschäftiger, als wenn sie sich aus reinem Wohlbehagen über den Wasserspiegel schnellt. »Moucheronner« könnte auch heißen: Fliegen wittern, nach Fliegen ausspähen. Das eben gehört auch zu den Schlichen der Trüffeljagd. Jeannine, die Hausherrin, kannte in der Nähe einige gute Gründe: aufgelassene Weinberge mit lockeren Beständen von Stecheichen. Bei schwülem Wetter steigen über den Trüffelnestern winzige Fliegen auf. Sie schwärmen dort in einer feinen, fast unsichtbaren Säule, die zu erkennen Jeannine schon als Kind erlernt hatte.

Leider versäumte ich damals, mich in dieser Kunst zu üben, da mich die Jagd in den Höhlen vollauf beschäftigte. An ihnen fehlt es im Tal der Dordogne und ihrer Nebenflüsse nicht. Die berühmteste ist die von Lascaux, doch gibt es außer ihr bekannte und unbekannte Grotten in großer Zahl. Hier gedachte ich zu finden, was ich in der Jugend vergebens gesucht hatte: die augenlosen Silphiden, die nie einen Lichtstrahl gespürt haben.

Freilich konnte ich mit meiner Beute, wenn wir abends am Kamin saßen, nicht solchen Staat machen wie die Freunde, auch erschien sie nicht wie die ihre auf dem Tisch. Meine Nachstellungen waren abstrakter, und sie hatten wenig Erfolg. Die Höhlen an der Garonne sind viel ergiebiger. Aber es war ein Strahl der alten, ungebrochenen Freude, als ich das erste dieser blinden Wesen im Kegel meiner Lampe am Köder sah.

Das Leben überrascht uns dort am stärksten, wo wir es am wenigsten vermuteten. Reichtum im Unerschlossenen — das ist aus dem toten Gestein hervorsprudelndes Quellwasser. Das gibt uns Zuversicht. Je mehr die Weltangst wächst, desto fernere Ränder streifen wir ab. Wir irren wie Fledermäuse durch die Welthöhle.

Die Grotte von Lascaux war jahrtausendelang versiegelt; erst während des Zweiten Weltkriegs entdeckten junge Leute, die nach ihrem Hunde suchten, den Zugang und damit das phantastische Bilderbuch aus unserer Kinderzeit. Es lag dort geschlossen und ist nun aufgeblättert für die Scharen von Besuchern, die sich vor dem Panorama ablösen.

Ein Echo aus dem Unverhofften, Staub aus den Grüften: »Das bist Du!« In diesem Pferdeschädel schlummert der Fries des Parthenon. In diesem Hirschrudel, das durch den Fluß zieht, verrät sich schon die Hebung und Senkung des vollkommenen Gedichts. Doch was ist erst im Rot und Gelb verborgen, mit dem so Großes geschaffen werden kann?

Die frühen Jäger liebten diese Täler mit den weißen, grottenreichen Klippen, die aus der Erde blendeten. Der Überfluß war ihnen gegenwärtig; sie bewegten sich in »Wolken des Wilds«, wie Hölderlin in dem Gedicht über Chiron es sah. Wunderlich scheint, daß sie, die Kraft und Anmut der Tiere unübertrefflich ins Bild zu bannen wußten, so wenig über den Menschen hinterließen — wir finden auf ihren Friesen keinen Jäger, auf den auch nur ein Teil dieser Sorgfalt verwandt wäre, vor allem kein Gesicht. Eben das verrät die wandelnde Kraft. Noch sind ihr wie im Märchen keine Grenzen gesetzt. Sie spiegelt die Welt, doch blickt sie nicht in den Spiegel; noch ist der Jäger identisch mit seinem Wild.

In diesen Tälern hat sich noch ein Hauch der Verzauberung erhalten; er wirkt bis in unsere Zeit. Noch spürt man, wo die Uralten sich wohl fühlten: nicht in den Wäldern, sondern dort, wo die Tiere die Weide kurz hielten. In den Klippen trat das Gerüst der Erde, wie später in den weißen Kathedralen, sichtbar hervor. Oft mußte sich der Blick nach oben richten, dann wieder senkte er sich zum stillen Strom hinab. Das klingt bis zu den Meistern der Donauschule nach. Doch damals hatten noch keine Götter die Erde aufgeteilt.

PILZE UND PILZGÄSTE

Den Pilzen ließe sich noch manches Kapitel widmen; ihre Zahl ist Legion, und von ihren Eigenschaften, ihren secretis, ist nur ein winziger Bruchteil bekannt.

Pilze in Massen: in jedem Herbst erstaunte mich in den Berliner Markthallen die gewaltige Anlieferung von Morcheln und Grünlingen. Der Grünling, ein Hutpilz von dem schwefligen Grün, dem auch eine Finkenart ihren Namen verdankt, bevölkert die Heiden und Kiefernwälder der norddeutschen Ebene. Man muß ihn finden lernen, denn oft treibt er kaum aus dem Sande hervor. Ähnliches gilt für die Morchel, deren Haube durch ein krauses Muster vexiert. Sie verschmilzt daher mit dem Dickicht, doch als ich zum ersten Mal in den Ravensburger Wäldern ein Exemplar erkannt hatte, sah ich sie gleich in überwältigender Zahl. In Herden erscheinen periodisch auch Stein- und Birkenpilze, Blutreizker und verschiedene Arten von Champignons.

Seltene Pilze: wenige haben wohl bei uns zulande die »Dame im Schleier« oder den Tintenfischpilz gesehen. Die eine ist aus dem brasilianischen Urwald eingewandert, der andere aus Australien. Auf Friedhöfen siedelt sich zuweilen der Maschen-Gitterling an, der aus den Mittelmeerländern kommt. Aus seiner platzenden Eihaut treibt eine kupferrote, durchbrochene Kuppel hervor. In den feuchten Wäldern überraschen die Becherlinge und auf trockenen Böden die Erdsterne durch wunderliche Bildungen.

Jeder Kenner hat auch eine ihm besonders zusagende Art, die er des Wohlgeschmacks wegen schätzt. Dabei fällt mir ein Wort des alten Naumann ein; ich zitiere es allerdings aus dem Gedächtnis und wahrscheinlich ungenau. Während eines Disputs über die Güte verschiedenen Flugwilds sagte er etwa: »Schnepfen und Bekassinen sind gute Braten für fürstliche Tafeln – ich habe mir für die meine den Goldregenpfeifer reserviert.«

Schamanen-Pilze: hier wird Aladins Lampe gestreift. Die geheime Kraft des Fliegenpilzes wird im Norden so hoch geschätzt, daß selbst der Urin der Auguren, die ihn genossen haben, für begehrenswert gilt. Eine ganze Sippe von Weissagepilzen wurde in unseren Tagen aus Mexiko bekannt. Einige Dutzend von ihnen werden in der Monographie von Heim und Wasson »Les Champignons Hallucinogènes du Mexique« aufgeführt. Ich habe das Werk aufgeschlagen vor mir liegen – links das Titelblatt mit einer Zeile von Albert Hofmann: »Zur Vorbereitung auf das Pilz-Symposion«, rechts eine Tafel mit der Abbildung von Psilocybe mexicana: ein Knäuel von Pilzen mit winzigen Hüten und fadenförmig verschlungenen Stielen; sie erinnern an die Schlangen, die den Laokoon einfingen.

Das ist ein Thema für sich. Wie aber mögen solche Kräfte einmal entdeckt worden sein? Der Weg zu ihnen scheint schwieriger zu finden als der nach Amerika. Neue Welten indessen eröffnen sich auch hier, Inseln, auf denen man wie auf denen der Kirke oder der Lotophagen die Zeit vergißt. Man könnte als Gegenfrage stellen: Wie entdeckte der Hirsch die Hirschbrunst, jene bittere Trüffel, die sich im Wurzelgeflecht der Kiefernwälder verbirgt und die nicht nur auf ihn, sondern auch auf den Menschen als Liebeszauber wirkt? Jedenfalls nicht auf unsere heutige Art der planmäßigen Nachsuche. Und auch hier müssen Chemie und Pharmakologie oft genug an dem ansetzen, was Magier und Zauberinnen vor ihnen gewußt haben. Die Welt der Alkaloide war ihnen längst vor der Wissenschaft vertraut.

Den bescheidenen Sammler, der in den Wäldern den Pilzen nachspürt, rührt noch etwas von der freien Gabe, vom unaufgeteilten Geschenk der Erde an. In dieser Zuwendung, nicht in der Beute, liegt sein Gewinn, denn wenn er zum dritten Male reichbeladen heimkehrt, geht es ihm wie dem glücklichen Angler: er bringt die Hausfrau in Verlegenheit. Besser ist der Kristallsucher in den Gebirgen dran. Ein guter Kristaller kennt mehr Adern, als er im Leben ausbeuten kann. Der wahre Reichtum schlummert; er ruht im unberührten Schatz.

Die Frage, ob den Pilzen nicht ein eigenes und von den Pflanzen getrenntes Naturreich einzuräumen sei, ist alt und wohlberechtigt; zum mindesten erfordern sie innerhalb der Botanik eine besondere Betrachtung wie die Kristalle innerhalb der Geologie. An beiden wird Unsichtbares sichtbar, beide sind Träger offenbarter Geheimnisse.

Das Myzel der Hutpilze ist zwar wurzelähnlich, doch nicht vergleichbar der Wurzel eines Grashalms oder eines Eichbaumes. Es stellt kein Organ dar, sondern eine organbildende, eine organisierende Macht. Es repräsentiert das ganze Leben, nicht einen Teil. Der mächtige Steinpilz, dessen Anblick uns erfreut, ist nicht dem Eichbaum ebenbürtig, sondern er ist wie die einzelne Eichel ein Fruchtkörper. Er könnte auch fehlen, ohne daß es dem Myzel etwas ausmachte.

Das Myzel ist unbeschränkt teilbar, wie jeder Pilzzüchter weiß. Noch wirkt auf urpflanzenhafte Weise die proteische Kraft, die sich hinter Sprossung und Knospung, Wachstum und Heilung, Vermehrung, Geschlechtertrennung, Stock-, Kolonie- und Gesellschaftsbildung verbirgt. Daß aber selbst hier noch Unterschiede herrschen, ist schon daraus zu schließen, daß jedes Myzel seinen besonderen Phänotyp ausbildet. Auch hier wirkt nicht, obwohl sie durchscheint, die reine Lebenskraft. Sie wohnt im Unzugänglichen, im »Innern der Natur«. Wo immer wir Meßbares als Maßstab nehmen, bleiben wir in den Vorhöfen. Wenn wir daher beim Anblick dieses Wachstums auf ein Unsichtbares schließen, das Sichtbares hervorbringt, so ist das ein Gleichnis, ein Vergleich. Auch wenn wir im Hirn ein bleiches Myzelium sehen, das Träume verwirklicht und Welten gestaltet, so bleibt das ein

Gleichnis innerhalb der Vorstellung. Gemeint ist Unvorstellbares, ist schöpferische Macht, die auch im Kunstwerk nur flüchtig und nie vollkommen sich offenbart.

Im Herbst tritt jede Bildung dichter, plastischer hervor. Der Frühling ist Maler, der Herbst Bildhauer. Nicht nur die Früchte beginnen sich zu runden, sondern auch das Laub wird starrer, metallischer. Die Blätter schwellen im Ansatz, bevor sie rosten und sich ablösen. Die Kronen zeichnen sich dunkler und strenger vom Himmel ab. Die Schwalben sammeln sich; der Häher streicht über die Lichtungen.

Das ist auch die Zeit, in der über Nacht die Pilze hervorwachsen. Sie bilden einen Formenkreis für sich. Schon ihre Namen knüpfen gern an handfeste und scharf umrissene Dinge an, wie Schirme, Keulen, Kugeln, Becher, Trichter, Helme, Hörner, Trompeten, Eier, Korallen, Bärentatzen, Hirschgeweih.

Keller, Böden und Scheuern stehen offen; es riecht nach Erde, nach Äpfeln und Most. Die Jagd ist aufgegangen; der Blick reicht bis zu den Waldrändern. Die Luft ist klar, dennoch ist etwas Webendes in ihr. Die weißen Fäden und Flocken ziehen mit dem schwächsten Winde; sie heften sich an Kleidung und Gesicht. Man sagt, daß sie als Nornengespinste Glück bringen. Im Wald wird das Weben dichter; das Licht fällt schräg durch die Bäume ein. Der Tau hält sich lange im Moos und schimmert in den Netzen der Kreuzspinnen.

Da sind auch die Pilze — sie lieben die kühlen Nächte; noch sind ihre närrischen Kappen betaut. Sie leuchten in Menge; beim Volk heißt es, daß viele Pilze findet, wer »nicht richtig getauft« wurde. Dem ist der Wald noch hold, daher soll er die ersten drei in einen hohlen Baum legen.

Die Pilze tragen nicht nur handfeste Namen, sondern auch andere, die wie »Schwindling« und »Tintling« auf eine kurze Epiphanie deuten. Sie sind Wiedergänger, sind nicht Gestalten, sondern Ausformung der Gestalt, sind Qualitäten, die aus dem Qualitätslosen hervorbrechen. Als solche erscheinen sie unseren Sinnen wunderbarer als das, was ihre Wiederkehr hervorbringt, als ihr Myzelium. Was aber kehrt wieder im Myzel? Doch wohl die webende Erdkraft, die in der Fülle auftritt, obgleich verborgener. Wenn *sie* uns berührt wie das ziehende Gespinst des Altweibersommers, so ist das wertvoller als der Glücksfund, der »ins Auge fällt«. Sie kommt dorther, wo das Glück seine Heimat hat.

Für den subtilen Jäger ist der Küchenpilz eine angenehme Zugabe, ein »Emolument«. Eßbar sind alle, wenngleich nicht für den Menschen — auch die verdächtigen, die giftigen, die verschimmelten, die bereits zu brauner Gallerte zerflossenen. Die von Linné »Phallus impudicus« getaufte Morchel schwängert mit ihrer Ausdünstung oft ganze Reviere, zuweilen auch in Gemeinschaft mit einer kleineren Verwandten, der Hundsrute. Sie wird wie ein stinkender Leuchtturm von Pilzmücken, Fliegen und Käfern umkreist. Besonders angenehm muß sie einer rotschildigen Silphide duften, die sich wie im Schlaraffenland tief in ihr lockeres Gewebe einfrißt — bis in das »Hexenei«, aus dem die Morchel entsprungen ist.

Je suspekter die Substanz, desto größer ist die Hoffnung auf Ausbeute. Das erinnert mich an einen Kollegen, Georg Dieck, der vor hundert Jahren Südspanien bereiste und von dem jeder tote Esel, den er in der andalusischen Landschaft aufspürte, als »entomologische Goldgrube« begrüßt wurde.

Fundgruben sind auch die Holzpilze, die halbmond- oder konsolenförmig sich an morschen Stämmen ansiedeln. Ich sah sie in Mengen an den Holzbirn- und Buchenbäumen des Kaukasus und an alten Eschen in Norwegen. Solang ihre Unterseite noch einem fetten, rahmigen Leder gleicht, sind sie ein Lieblingsplatz für träumende und oft skurril geformte Gäste, die sich zwischen den Tautropfen von ihren hellen Polstern abheben.

Alte, halbmorsche Stücke mit Bohrlöchern sind gut zum Mitnehmen. Sie finden ihren Platz in großen Gläsern, von denen das eine oder andere auf dem Fensterbrett steht.

Aus Mitteleuropa, und überhaupt aus Ländern mit intensiv bestellten Forsten, kommen kaum Überraschungen. Man muß schon die »schlechten Hecken« durchstöbern, falls man sich nicht weiter nach Norden oder Süden wenden will — zum mindesten nach Finnland oder nach Dalmatien. Ein toter Eichbaum auf einer Lichtung, die hin und wieder der Schwarzstorch heimsucht — das ist ein gutes Revier. Die Rinde des Baumes ist längst verwittert; aus den Bohrlöchern gerieseltes Wurmmehl zog einen rotbraunen Ring um seinen Fuß. Der Stamm ist bis in die dürren Wipfel mit weißen Schwämmen bestockt; greise Flechten hängen ziegenbärtig von den spärlichen Ästen herab. Schon als sie noch grünte, hat diese Eiche zahllosen Gästen Nahrung und Obdach geboten; jetzt ist sie von den modernden Wurzeln bis zu den kahlen Spieren belebt. Den grünen Blättern folgte bleicher Schimmel, dessen Fäden sich durch die Jahresringe ziehen. Nachtvögel nisten im Kernholz; die bunten Tiere kommen

302

und gehen flüchtig: Spechte, Baumläufer, Kleiber, gelbe und blaue Wespen, Ichneumoniden, Prachtkäfer.

Was auf die Dauer im mürben Holz wohnt, trägt düstere Farben oder ist in herbstlichen Mustern gescheckt. Oft, wenn ich eine der Hieroglyphen zu entziffern suchte, stand ich vor der Frage: war es nicht doch ein Stückchen verwesten Splintes, ein Häufchen Vogelkot? Doch dann begann es sich auf der warmen Hand zu demaskieren, die zarten Füße und Fühler vorzustrecken: der Staub nahm Leben an. Wie oft das Rätsel sich auch löste, die Überraschung blieb die gleiche: Erschrecken, Atemholen, Heiterkeit. Die Heiterkeit erkennt, begrüßt in der Erscheinung die Wiederkehr.

Der alte Riese starb; er hat die Zeit erfüllt. Aber sein Leichnam bleibt als Bühne für stets wechselnde Auftritte. Das Leben zieht mit vielen Schilden durch ihn hindurch. Als er noch grünte, war es nicht anders; das erinnert an eine Ringbahn, die hin und wieder durch einen Tunnel fährt.

Eine wahre Raubritterburg war der Eukalyptus am Strand von Porto, ein bleicher Gigant, schon ganz entrindet und von Bohrlöchern durchsiebt, doch noch fest im Holz. Er gehörte zu den in ihrer Masse noch grünenden Beständen, die Napoleon III. auf Korsika am Rand der Sümpfe und längs der Heerstraßen anpflanzen ließ, um die Luft zu reinigen. Ich machte jeden Mittag nach dem Bade bei ihm Station. Sein Holz war dann so grell beschienen, daß es fast blendete, und um die Bohrlöcher war ein Leben wie vor der Untergrundbahn. Ein Stamm von schwarzen Ameisen mußte hier Systeme von Vorratskammern ausgeschachtet haben; ich sah die dunklen Heerzüge täglich Proviant eintragen: Grassamen, Staubgefäße, kleine Tiere — es schien bei ihnen bald Jagd-, bald

Erntetag zu sein. Eines Mittags waren sie mit einer länglichen Wildbeute beschäftigt, als ob sie Stückchen von Bleistiftminen davonschleppten. Es war, wie die nähere Untersuchung zeigte, ein rarer Leckerbissen, den sie ergattert hatten: Lymexylon, der Werftkäfer. Wie der Name andeutet, wird das Tier an Bauholz in der Nähe von Häfen beobachtet. Seiner merkwürdigen Gestalt und anderer Eigentümlichkeiten wegen findet es sich selbst in Büchern für Anfänger abgebildet, doch selten in der Natur. Mir jedenfalls begegnete es hier zum ersten Male, und gleich als Volksnahrung. Die Ausstattung der Männchen weist auf ein nächtliches, verborgenes Leben hin. Wahrscheinlich hatten die Ameisen im Innern des Stammes eine der Puppenwiegen des Lymexylon aufgespürt und räuberten sie aus.

Auch die Ichneumoniden wissen, daß im toten Holz Larven minieren und Puppen eingebettet sind. Sie müssen eine besondere Kunst des Auskultierens kennen, denn sie treffen ihr verborgenes Opfer, je nachdem, ob sie es lähmen oder auf andere Weise schädigen wollen, mit anatomischer Genauigkeit. Dazu bedienen sie sich ihres Stachels, der als haarfeiner Bohrer im Splint arbeitet. In diesen Wesen hat sich der Parasitismus raffiniert. Es gibt eine Theorie, derzufolge die Lebenskunst darin besteht, andere für sich arbeiten zu lassen — in dieser Hinsicht haben die Ichneumoniden eine hohe Stufe erreicht. Jeder, der einmal Schmetterlinge züchtete, ist schon durch eine dieser Wespen enttäuscht worden, die statt des erhofften Falters ausschlüpfte. Schon als Schüler fragte ich mich, wenn ich in meinem Kästchen eine im Vergleich mächtige Ichneumonide neben dem Leichnam der Raupe sah, die sie bewohnt hatte, wie sie es wohl geschafft haben mochte, ein Gewicht zu erreichen, das dem ihres Wirtes um ein Mehrfaches überlegen war. Sie hatte eben nicht nur von der Substanz, sondern auch von der Lebenskraft des von ihr Befallenen gezehrt, hatte ihn als Ernährungsprothese oder vorgeschobenen Verdauungsapparat benutzt. Sterben durfte die Raupe erst, nachdem diese Aufgabe beendet war. Der Anblick bestürzte mich; widrige Formen der modernen Tierhaltung erinnern mich an ihn.

Auch der subtile Jäger errät das im Holz versteckte Leben aus mannigfachen Anzeichen. Ein Taschenmesser mit einer scharfen Säge gehört zu seiner Ausrüstung. Hier ist ein Baumpilz abzutrennen, dort ein Zweig mit Gichtknoten oder frischen Bohrlöchern. Sind diese Löcher oval, so deutet das auf Buprestiden, deren Larven sich oft lange im Holz halten. Der Goldbuprestis, den übrigens auch August von Goethe in seiner kleinen, noch in Weimar aufbewahrten Sammlung hatte, bohrt sich manchmal sogar noch aus Parkettfußböden hervor. Meist sind die so gezeichneten Hölzer zu groß zum Mitnehmen. Bleibt man länger am Ort, so kann man den Ast oder den Stamm mit Gaze umwickeln — in der Hoffnung, daß sich das eine oder andere der schlüpfenden Tiere darin verfängt.

Einen Kerntreffer machte ich mit dem knochendürren Abschnitt einer Dornakazie. Ich hatte ihn im Sudan aus einem Viehzaun herausgesägt, der mir verdächtig schien. Lange hielt ich den Zweig im Glase auf meinem Fensterbrett und ließ ihn von der Sonne bescheinen, so oft sie durch unseren grauen Himmel kam. Es arbeitete in ihm wie in einer Sanduhr — doch nicht regelmäßig, sondern nach langen Pausen rieselte ein feines Mehl heraus. Endlich, an einem Wintermorgen, wurde sichtbar, was da gebohrt hatte: ein schwarzes, mit Strahlen gekröntes Wesen, ein dunkler Helios. Es kam mir bekannt vor; ich mußte es schon einmal gesehen haben, und bald, indem ich Bibliothek und Mausoleum konsultierte, kam ich auf seine Spur. Ein Sinoxylon — also ein »Holzbeschädiger«. Dazu ein Afrikaner: ein rühriger Entomologe namens Karsch, der sich witzigerweise auch *Canus* zu nennen pflegte, hatte ihn vor Menschenaltern nach seinem Fundort »senegalense« getauft. Das Tierchen mußte weithin den Kontinent besiedeln, denn Heinz Muche, ein passionierter sächsischer Sammler, hatte es mir bald nach dem Zweiten Weltkrieg aus Libyen gesandt. Die Gattung hat in den afrikanischen und asiatischen Tropen ihre Heimat, und nur ein zierlicher Vertreter dringt bis in die dürren Zweige südtiroler Akazienund Feigenbäume vor.

FERDINAND UND JAKÖBLI

Daß totes Holz in Leben sich verwandelt — davon hat man schon immer eine Vorstellung gehabt: bereits im Mythos, und nicht erst in der Wissenschaft. Die Idee der Urzeugung begleitet seit Anbeginn das Denken; ihr Zeitstil ändert sich.

Jedoch bis dahin, wo die Übergänge zwischen Tod und Leben nicht mehr erstaunen, wie im Märchen, ist noch ein weiter Weg. Eine der großen Anstrengungen des Geistes zielt dahin, daß aus dem Nacheinander ein Mit- und Nebeneinander wird. Die blaue Brunfelsia an meinem Fenster:

das ist nicht nur das Blatt, die Blüte — es ist auch die Wurzel mit ihrer Erde und der irdene Topf. Das Holz des Fensterbrettes und auch der Himmel sind im Bild. Vertieft sich das Auge in diesen Grund, auf dem die Dinge einig werden, so tritt auch der Mensch unmerklich mit hinein. Dort hat auch das tote Holz von sich aus und nicht erst durch Verwandlung Leben — so der Wasserbüffel, den ich aus Manila, das Flußpferd, das ich aus Khartum mitbrachte. So ist das Leben im Gemälde: es ist im Bild und nicht im Gegenstand.

Wasserbüffel und Flußpferd scheinen sich am Fenster wohlzufühlen; vielleicht gewannen sie auch im Lauf der Jahre durch liebevolle Betrachtung an Leben, an Wirklichkeit. Zuweilen leisten ihnen andere Wesen Gesellschaft, die der Sonne bedürfen und in Gläsern gehegt werden. Über ein Jahr lang sah ich dort Ferdinand heranwachsen, eine indische Stabheuschrecke, die ich aus dem Ei gezogen hatte und mit frischen Kräutern fütterte. Im Sommer war das nicht schwierig; im Winter mußte ich für Ferdinand den Liguster beschneiden oder Petersilie aus dem Schnee graben. Die saftigen Blätter der unermüdlichen Tradeskantia nahm er besonders gern.

Ich hatte ihm auch tote Zweige mit in sein Glas gegeben, an die er sich schmiegte und aus deren Muster ich ihn wie aus einem Vexierbild herausfinden mußte, falls er nicht gerade ein Glied bewegte, was mit hieratischer Langsamkeit geschah. Wenn ich von der Arbeit aufblickte, sah ich ihn nah und immer gerne: ein fahles Stäbchen, das sich in ein vertrautes Wesen verwandelte. Obwohl er Ferdinand hieß, legte er im Lauf des Lebens viele Eier, die wie Mohnsamen den Boden seines Käfigs sprenkelten und aus denen durchsichtige Gespensterchen ausschlüpften.

Wäre er durch Zufall ein Männchen gewesen, so hätte ich mit dem Namen einen Haupttreffer gemacht, denn dieses Kerbtier existiert fast nur im Femininum und pflanzt sich durch Jungfernzeugung fort. Man fragt sich angesichts eines so autarken Geschöpfes, warum denn die Natur sich noch den Luxus leistet, Männchen hervorzubringen, und verliert sich in Spekulationen absonderlicher Art. Wären es Menschen, so würden sie als Götter verehrt werden. Aber es gibt auch das andere Extrem: die Bienenkönigin, die eine Wolke von Freiern umschwebt. Hier wirken die archaischen Gesetze noch in ihrer vollen Strenge: die Nicht-Erhörten müssen sterben wie jene, die vor Turandot versagten, und dem Gatten wird nach dem Brautflug das Zeugungsglied entrissen wie einst dem Uranos, nachdem er die Gaia umarmt hatte.

Solche Kuriosa lassen als winzige Risse im Vorhang erst das Wunder ahnen, das sich in der Regel verbirgt. Bruchstellen sind Fundstellen. Sie geben Aufschluß auch über den Menschen, über seine sozialen, mythischen, kultischen Wertungen.

Phlegmatische Tiere sind gute Gesellen im Studio. Angenehmer als Hunde sind hier die Katzen, die, wie Baudelaire im Gedicht rühmt, als geistige und souveräne Wesen von der Bewegung unabhängig sind. Sie ruhen lange Stunden, ohne sich zu regen, auf dem Schoß oder auf der warmen Kaminplatte, auch auf dem Boden wie der Löwe des Hieronymus. Ferdinand bot ein Muster unaufdringlicher Gegenwart. Selbst sein Futter verschwand auf unmerkliche Art, fast als ob es verdunstete. Wenn er ein Glied bewegte, geschah es auf die sakrale Weise eines Eremiten, der segnend die Hand erhebt. Trotzdem überraschte er mich einige Male durch ein eigenartiges Gebaren, als ob er berauscht wäre. Wenn die Sonne hoch über Stauffenbergs Linden stand, konnte er den Hinterleib gelenkig zurückbiegen, bis er fast den Kopf berührte und der Körper einen Ring bildete. Dann stellte er sich sechsbeinig auf, um sich zu wiegen wie ein Tänzer, der einen Wirbel hört. Er tremolierte wie ein Zigeuner; ich glaubte meinen Augen nicht zu trauen. So blühen steintrockene Kräuter in der Wüste nach einem Wolkenbruch. »Fürwahr, er dient Euch auf besondre Weise« — das war die *Webebrust* (2. Mose, 29. 27).

Daß Ferdinand meist so munter wurde, wenn auch mir die Arbeit gut von der Hand ging, war kein Zufall: wir nahmen denselben Sonnenstand, den gleichen Luftdruck wahr. Freilich genießen die Tiere tiefer, denn sie sind näher am Ungesonderten. Wir können die Ruhe nicht wie unsere Katze auskosten. Bei Ferdinand kam hinzu, daß er auch vom Geschlecht unabhängig war. Wenn ich ihn auf seinen hohen Beinen tanzen sah und mich vergebens bemühte, die Weise zu hören, die ihm aufspielte, kam mir ein Wort von Nestroy in den Sinn: »Ja, die Frauens hams gut: rauchen tuns net, trinken tuns net, und Frauen sans selber.«

Nachdem er mir, dem Wasserbüffel, dem Flußpferd, der Katze und der Brunfelsia über ein Jahr lang Gesellschaft geleistet hatte, lag Ferdinand eines Morgens tot auf dem Rücken in seinem Glas. Er hatte es gewiß nicht als Gefängnis empfunden und in ihm wahrscheinlich besser und sicherer gelebt als in der freien Natur.

Es war ein oberschwäbischer November, in dem Ferdinand dahinging und von mir in den Mumienstand überführt wurde.

Der Zufall gab, daß er schon nach wenigen Tagen einen Nachfolger auf dem Fensterbrett erhielt, und zwar in Jaköbli. So taufte ich ein Chamäleon aus dem Namaqualand, das Freunde aus Südwest mir gesandt hatten: eine kaum handlange Echse mit heraldischem Kopf, der in eine Helmzier ausgezogen war.

Jaköblis Ankunft setzte mich in Verlegenheit, und einige Tage brachte ich fast ausschließlich mit seiner Wartung zu. In den Büchern war wenig über die Art und noch weniger über ihre Lebensweise zu finden; A. Smith, den auch Brehm oft zu Rate zieht, hatte sie 1831 als »Chamaeleo namaquensis« beschrieben und Robert Mertens 1955 eine Anzahl von Fundorten zusammengestellt. Ein typisches Wüstentier, das die Eingeborenen für giftig halten; sie fürchten es sehr.

Als ich den fremden Gast betrachtete, hatte ich wenig Hoffnung, ihn am Leben zu erhalten, besonders zu dieser Jahreszeit. Daß ich ihn, den an baum- und strauchlose Wüsten Gewöhnten, auf eine Blattpflanze setzte, war schon ein Fehler; er hielt sich zwar an einen der Zweige geklammert, begann aber im Zimmer umherzuirren, wenn es dunkel geworden war. Am Morgen mußte ich ihn unter den Möbeln suchen, mußte ihn auch vor den Katzen in acht nehmen. Ich brachte ihn dann am Fenster in einem Terrarium unter, dessen Boden mit Sand und Steinen bedeckt wurde, kaufte ihm auch eine Sonne dazu.

Mit seiner Ernährung gab es weniger Schwierigkeiten, als ich gedacht hatte. Schabefleisch und gehacktes Eiweiß, das ich ihm zur Begrüßung vorsetzte, rührte er nicht an. Dagegen war eine dicke Fliege, die ich in ihrem Winterquartier aufgespürt und zu ihm in den Käfig gesetzt hatte, verschwunden, als ich nach einiger Zeit wieder nach ihm sah.

Sie konnte sich auch verkrochen haben, aber ihr Verschwinden ermutigte mich, auf dem Dachboden zu erkunden, was dort an Fliegen, Motten und Spinnen überwinterte. Nachdem ich die Gesellschaft bei Jaköbli eingezwingert hatte, sah ich bald, wo ihr Vorläufer geblieben war.

Jaköbli, den ich nun für einige Wochen neben mir hatte, besaß das Geheimnis, das die Jagd erfolgreich macht, denn er verfügte über die beiden Tugenden, die den großen Jäger auszeichnen: Geduld und Elan. Sie scheinen sich zu widersprechen wie der phlegmatische und der sanguinische Charakter, und doch müssen sie sich auf dem Anstand treffen: die unermüdliche Geduld und der blitzschnelle Angriff, wenn die Sekunde günstig ist.

Im Phlegma konnte Jaköbli es mit Ferdinand aufnehmen. Er bewegte sich selten und dann mit bleierner Langsamkeit. Seine Farbe änderte sich mit dem wechselnden Licht. Er trug keine grüne Montur wie seine andalusischen Verwandten, die im Laube jagen, sondern konnte dunkelblaue und violette bis zu rosa und blaßgrauen Tönen auspendeln. So spielt die Sonne auf den Dünen der Wüste und auf ihren Granitbergen. Die Wandlung war unwillkürlich, als ob Licht auf einen Farbfilm einwirkte. Jaköbli wurde auch im Schlafe blasser, wenn ich ihn bei Nacht besuchte und mit der Taschenlampe anleuchtete.

Zum Phlegma gehörte, daß er nicht pirschte; seine Jagd blieb auf den Anstand beschränkt. Das Wild mußte ihm vorkommen. Er nahm nur Bewegtes an; tote Fliegen, die ich ihm vorhielt, beachtete er nicht — vielleicht sah er sie nicht einmal. Als erstes Zeichen, daß eine Beute ihn ansprach, bemerkte ich, daß eines seiner Augen zu kreisen begann.

Die Augen bewegten sich unabhängig voneinander; sie waren durch hornige Kegel geschützt, die nur die Pupille freigaben. Jaköbli konnte, ohne den Kopf zu wenden, nach oben und unten, nach vorn und hinten, nach rechts und links beobachten. So verfügte er über einen vollkommenen Richtkreis und brachte, wenn er ein lohnendes Ziel ermittelt hatte, den Körper unmerklich in Position. Seine Jagdwaffe war die Zunge, die zugleich als Speer und Angel wirkte — oder auch als bis zu erstaunlicher Länge vorgeschnellte Leimrute. Sie traf das Opfer mit fast unfehlbarer Präzision, klebte es an und raffte es mit derselben Geschwindigkeit ein.

Bevor er seinen Schuß abgab, schwenkte Jaköbli den Kopf einige Male bedächtig hin und her. Da er das Ziel nicht mit beiden Augen anvisieren konnte, mußte er auf diese Weise ihre Tätigkeit zeitlich aufteilen, um die Entfernung zu schätzen, und dabei mußte er sich eine Reihe von Daten einprägen. Überhaupt: je länger ich diesen scheinbar so trägen Gesellen beobachtete, desto mehr erstaunte mich das verwickelte Zusammenspiel optischer und hydraulischer Apparaturen, das er zur Erbeutung einer simplen Fliege in Gang setzte.

Mehr noch als dieser Aufwand verblüfft es, daß er gewissermaßen nebenbei geschieht wie ein Experiment, das ein genialer Kopf in einer müßigen Stunde ersonnen und dann verworfen hat. Ein Spielzeug, das der Demiurg gebastelt und in einer Schublade vergessen hat. Ein Maskenzug verschollener Trachten taucht aus der Tiefe auf. Jaköbli zeigte diesen Zuschnitt sehr stark, fast unheimlich. Manchmal, wenn er mit überwirklicher Langsamkeit den Platz wechselte, hatte ich den Eindruck einer Vision.

312

Alle Echsen neigen zur Panzerbildung, zur Verhärtung nach dem Vorbild der Ehernen Schlange, doch viele bewegen sich unter einem leichten Schuppenhemd. Jaköblis Rüstung schien eher wie ein Harnisch gliedweis zusammengestückt. Die Augen kreisten am behelmten Kopfe unter vorgetriebenen Visieren, die zweigeteilten Füße schlossen sich wie Zangen, und selbst der schneckenartig eingerollte Schwanz krümmte sich mit der zähen Härte einer Spiralfeder.

So hat man die Tiere immer wieder gesehen, schon in den Heuschrecken der Apokalypse, auf den Höllenbildern der Bosch und Breughel, in surrealistischen Darstellungen. Der Mensch erschrickt; er muß dort etwas ahnen, was sehr gefährlich ist. Doch die Gefahr liegt in ihm; sie trifft im Rückstrahl wie ein Echo, mit dem er das Tier auslotet. Da wird ihm die eigene Tiefe offenbar.

Auch in der Wüste sind die Nächte dunkel; ich hielt es daher für das beste, Jaköbli am Abend, anstatt seine Sonne glimmen zu lassen, ins Bad zu tragen, wo es wärmer war. Trotzdem schien es ihm dort nicht so zu behagen wie am Fenster; er lag am Morgen starr in seinem Käfig, und seine Haut war verblaßt. Wenn ich ihn aufnahm, fühlte er sich kühler an als der Stein, auf dem er geruht hatte. Die Hand behagte ihm; ich merkte es daran, daß er dunkler wurde und sich aufzublasen begann. Er pflegte sich dann mit den Vorderzangen an meinen Zeigefinger anzuklammern, während er den kleinen Finger mit dem Schwanz umschnürte und mit dem Kopf aus der geschlossenen Hand hervorlugte. Dieses Refugium gefiel ihm offensichtlich; und ich hielt es nicht für unmöglich, daß er den Morgen in der Hoffnung auf seine Wiederkehr erwartete.

Auch ich fühlte gern, wie er sich in der Hand belebte, und trug ihn oft stundenlang umher. Wahrscheinlich litt er wie alle Echsen unter dem Heimweh nach verschollenen Erdaltern. Von dort aus gesehen sind Pelz und Gefieder der warmblütigen Tiere nur Notbehelfe in einer unwirtlich gewordenen Welt.

Jaköbli faßte sich gut an, und vor allem war es angenehm, zu fühlen, wie er sich anklammerte. Darin lag Zutrauen. Es war derselbe Griff, mit dem schon Säuglinge, denen wir einen Finger geben, ihn festhalten. So schmiegen sie sich auch an die Mutter in Ländern, in denen man sie noch auf dem Rücken trägt.

Einmal hatte ich, wie es zuweilen vorkommt, noch spät und unerwartet ausländischen Besuch bekommen und saß mit ihm zusammen in heiterem Gespräch. Ich hatte ganz vergessen, daß ich Jaköbli noch in der Hand hielt, wurde mir dessen aber gleich bewußt, als ich den Blick meines Gegenübers erstarren sah. Er mußte das herauslugende Köpfchen bemerkt haben. Wahrscheinlich meinte er, daß ich eine Schlange im Ärmel verborgen hätte, denn er sagte mit größtem Nachdruck: »J'ai horreur des reptiles!« Ich öffnete daher die Hand, um ihm das liebe Tier zu zeigen; es fand aber keine Gnade vor ihm. Er lehnte es mit dem gleichen Nachdruck ab: »J'ai horreur de tous les reptiles!« Da war nichts zu machen; ich mußte Jaköbli fortbringen.

Wie ich nachher im Gespräch erfuhr, empfand mein Gast nicht nur vor den Echsen, sondern auch vor den Vögeln eine unbezwingliche Abneigung. Der Fall ist häufiger, als man meinen sollte; allerdings haben die Vögel auch eine starre, unheimliche Seite, ein stymphalisches Wesen, das sich hinter der Eleganz der Bewegung und dem Glanz des Gefieders verbirgt. Hieronymus Bosch sieht beide Bedeutungen. Während überall, wo auf seinen Bildern ein Echsenschwanz auftaucht, die Beziehung zur Finsternis offenbar wird, treten die Vögel sowohl als Todes- wie als Lebensboten auf. Sie drohen dem Menschen mit Schnäbeln und Klauen, aber sie nahen ihm auch als Seelen- und Paradiesvögel. Sie bringen ihm Früchte, vor allem Kirschen — jede rote Frucht bedeutet auf diesen Bildern die gelungene Transzendenz und ist im eigentlichen Sinn Erd-Beere.

Jaköbli erfreute mich durch den guten Appetit, den er sich trotz unserer rauhen Witterung erhielt. Bald war der Vorrat an Winterfliegen erschöpft, der sich im Haus auftreiben ließ. Da ich um diese Zeit indessen die morschen Baumstümpfe zu revidieren pflege, fiel manches für ihn ab — nicht nur Fliegen, sondern auch Ameisen, Tausendfüßler, Spinnen, Schlupfwespen. Er nahm alles aufs Korn, was da fleucht und kreucht, vorausgesetzt daß es sich bewegte oder vielmehr bewegt hatte, denn nur auf verharrendes Wild zu schießen, war ihm waidgerecht. Einmal wagte ich sogar, ihm einen der großen bronzefarbenen Caraben vorzusetzen, auf den er ohne weiteres die Zunge abfeuerte, wie wir es früher mit den Pfeilen der »Heureka-Pistole« zu tun pflegten, die mit einem Gummipfropf an der Scheibe hafteten. Der Läufer verschwand im Nu zwischen den hornigen Kiefern mit dem Geräusch einer zersplitternden Krachmandel.

Daß Jaköbli nicht wählerisch war, schien mir um so verständlicher, als er ja auch in der Natur nicht pirschte, sondern das Wild auf dem Anstand erwartete. Vor allem in der Wüste muß man nehmen, was kommt. Die Passanten sind selten und absonderlich. Wahrscheinlich gibt es Wechsel, die sie benutzen müssen, sonst würde es auch der größte Hungerkünstler dort nicht aushalten.

Hinsichtlich der Ernährung hatte Jaköbli wohl nie so gute Tage gehabt. Ich merkte, wenn er sich in die Hand schmiegte, daß er dick und rund wurde. Warum mochte er sich dort so wohl fühlen? Die glatte Haut, die ihn umspannte, empfand er offenbar als genuin. In der Natur gab es für ihn kein Vorbild solcher Nähe – oder ging die Erinnerung bis in den Mutterleib zurück?

Eines Morgens fand ich ihn blaß in seinem Käfig; neben ihm lag, wie eine türkische Bohne geformt, ein gelbes Ei. Wieder einmal hatte ich also voreilig getauft. Ich hatte gelesen, daß die südafrikanischen Chamäleone lebendig gebären, doch brauchte ich dieses Ei, und auch ein zweites, das Jaköbli noch legte, nicht als Gegenindiz anzuerkennen, da beide sich als unbefruchtet herausstellten. Wie aber verhielt es sich, wenn Jaköblis Art eine Ausnahme machte, mit dem »Behagen im Mutterleib«? Auch da war ich durch den inneren Räsonneur, der die Arbeit und jeden ihrer Sätze begleitet, nicht zu schlagen, denn das Ei ist das eigentliche Urbild des Lebens und seiner Sicherheit, und es gehört lediglich zu den Modalitäten, ob ein Wesen Eier, Embryonen oder entwickelte Junge gebiert.

Überhaupt ist das tiefste Behagen unvergleichlich; es kennt kein Warum. Schon das Wie zeigt den Mangel – wo wir sagen »Wie bei der Mutter« oder »Wie in Abrahams Schoß«, da ist schon nicht Sicherheit mehr.

Nachdem Jaköbli seine beiden tauben Eier gelegt hatte, wurde er melancholisch und rührte kein Futter mehr an.

Die schönste Fliege konnte an seiner Nase vorbeispazieren, ohne daß er den Kopf wandte, und er lag schlaff in der Hand. Auch wechselte er nicht mehr die Farbe, sondern behielt ein fahles Grau. Immer noch ruhte er auf seinem Lieblingsplätzchen, einem Stein aus der Namib, der mit ihm gekommen war, aber er richtete sich nicht mehr auf. Eines Morgens, als ich wie gewöhnlich neben ihm an der Arbeit saß, überraschte er mich durch Sprünge, wie er sie nie getan hatte. Er biß mit aufgesperrtem Rachen nach allen Seiten wie ein Fechter, der einen Feind abwehrt, und endlich biß er auch in den Sand. Ich hörte es zwischen den Kiefern knirschen; in jenen Wüsten beißt man nicht ins Gras. Dann streckte er sich aus. Die Haut war nun ganz blaß geworden, doch auf der Brust erschien, scharf abgezirkelt wie mit Chinatusche, ein dunkler Fleck, als hätte sich aller Farbstoff dort konzentriert.

Ein Spatenstich im Garten genügte für sein Grab. Dort bekam er auch einen kleinen Grabstein, eben den aus der Namib, auf dem er so gern geruht hatte. Mit jedem Tier, an das wir uns gewöhnten und das wir sterben sehen, empfangen wir auch ein Memento für das eigene Schicksal, den eigenen Weg.

> Da liegt er nun, der kleine Pavian,
> Der uns so manches nachgetan.
> Ich wette: was er itzt getan,
> Tun wir ihm alle nach, dem lieben Pavian.

> *Lessing*

Ferdinand und Jaköbli waren flüchtige Gäste; immer noch weiden Nilpferd und Wasserbüffel unter dem Hibiskus und der Brunfelsia. Im Holz haust das Leben länger als im Fleische, und länger noch wohnt es im Stein.

Hinter dem Hibiskus kommt eine Schneise: die Dorfstraße. Als ich mich vor sechzehn Jahren hier einrichtete, wurden die Wagen noch von Pferden gezogen, auch Reiter kamen vorbei — einmal im Jahr sogar in Scharen, wenn sie nach Weingarten zum Blutritt aufbrachen. Inzwischen sind die Pferde fast ausgestorben; die Fahrzeuge, die sich an Art und Zahl bedeutend vermehrt haben, werden mechanisch bewegt.

Für die Schwalben hat sich wenig verändert; für sie ist die Straße noch die ideale Jagdbahn wie eh und je: ein langer Korridor, von dessen Seiten, aus den Ställen und »Misten«, Schwärme von Fliegen aufsteigen. Die Schwalben kommen im Mai und ziehen im Oktober; den Sommer über bestreichen sie, solang es hell ist, unablässig ihr Revier. Im September setzen sie Notenköpfe auf die Telegraphendrähte, aber schon vorher bilden sie kleine Schulen im Gezweig. Das sind die Nestlinge, Geschwister, die sich im Fliegen und Jagen üben; sie suchen dazu offene Lauben im Grünen aus.

Um diese Zeit kann ich sie durch den Hibiskus gut beobachten. Sie hocken nebeneinander in einer der alten Linden auf der anderen Straßenseite; die Mutter füttert sie im Vorbeiflattern. Manchmal läßt sie sich auf einem Ast in der Nähe nieder und betrachtet die Kleinen mit Blicken, in denen Liebe und Strenge noch nicht geschieden sind. Die wölben die runden Brüste — weiße Westen, die mit einer rostbraunen Krawatte abschließen. Darüber die stahlblaue Pilotenkappe; wie bei vielen verwegenen Fliegern sticht die Montur ins Metallische. Zuweilen dreht eins eine Runde; das erinnert an unsere Flugschulen.

Die Schwalbe entdeckte schon früh den Vorteil, den ihr die Nähe des Menschen, vor allem des Hirten, bringt. Sie nistete schon in Hiobs Hütte, und davor in den Städten der Stromtäler. Noch heute ist sie darauf bedacht, daß ihr Nest von oben gedeckt ist; das geht zurück vor jene Zeiten, in denen sie wie die Taube und andere Vögel der Felsenhöhlen in die Siedlungen zog.

Wir sehen die Schwalbe, wenn sie Abschied nimmt und wenn sie wiederkommt. Sonst nehmen wir sie wie viele der altgewohnten Dinge kaum noch wahr. Sie fliegt so schnell, daß es scheint, als ob die Luft blitzte, und oft so hoch, daß sie kaum noch zu sehen ist. Sie gehört zum Wetter, zum Atmosphärischen. Wenn sie fehlte, würde es kaum bemerkt werden, vor allem in Zeiten, in denen die Auguren aussterben. Doch ein Dorf ohne Schwalben wäre wie ein Haus, aus dem die Laren gewichen sind.

In China rühmen sich schon Dörfer, daß bei ihnen die letzte Fliege ausgerottet sei. Dort wird auch die Schwalbe nicht mehr sein, die früher die Luft klärte. Sie fehlt dann nicht nur im Dorfe, sie fehlt auch im Gedicht. Schon heute wirken Gedichte unzeitgemäß, in denen Namen von Tieren vorkommen. Was ist denn »dem Geier gleich«? Das Lied wird keimfrei wie die Luft. Statt der Tiere mechanische Wendungen.

Noch streichen die Schwalben am Fenster vorbei, Inbilder sanguinisch-solarischer Eleganz. Aber es scheint, als ob sich auch hier ihre Zahl schon verringerte. Die Spuren verfallener Nester unter den Simsen bezeugen es. Der Auszug der Tiere ist in vollem Gange; der Storch wohnt seit langem nicht mehr auf dem gotischen Turm. Das nächste Paar brütet auf dem Riedlinger Rathaus; seine Vorfahren sind dort schon auf mittelalterlichen Bildern zu sehen.

Flurnamen verraten, daß vor kurzem noch Bär, Wolf und Biber vertraut waren. *Vor kurzem* — etwa im Vergleich zu jenen Zeiten, in denen hier die auch schon bejagten Tiere lebten, deren versinterte Knochen in den Höhlen zu finden sind. Und das wiederum vor kurzem gegenüber dem Äon, vor dem der Eichberg ein Korallenriff im Jurameer war. Aber daß auf ihm wirklich Eichen wuchsen, wissen die Großväter noch.

Der Auszug der Tiere ist ein Schauspiel, das sich wiederholt. Die Tragik liegt in den Aufzügen. Das Universum gewinnt und verliert an Bildern, doch nie von seiner unendlichen zeugenden und vernichtenden Kraft. Wenn ich die Schwalben sehe, befällt mich Trauer — doch nicht, wenn ich den Blick ein wenig wende und auf die Seelilie richte, die in der Fensterbrüstung hängt. Sie wurde kunstvoll aus dem Schiefer herausgemeißelt, in dem sie seit hundert Millionen Jahren verborgen war. Ein Echo des Lebens aus dem Unverhofften, dem Unvermuteten. Dem Schicksal der Schwalbe sind wir verflochten, nicht aber dem des Archäopterix. Hier rührt uns der Schmerz und dort die Fülle des Lebens an.

Noch zu Voltaires Zeiten hielt man die versteinerten

Muscheln für Naturspiele oder für Reste von Mahlzeiten, die Pilger auf den Bergen verzehrt hatten. Heut ist die Paläontologie ein den anderen ebenbürtiger Zweig der Naturgeschichte; verborgener ist die Rolle, die sie in der Geistesgeschichte spielt. Fakten und Steine sind immer vorhanden, aber es ist kein Zufall, wann und in wessen Auftrag sie apportiert werden. Hier wird ein neuer Bildersaal gefüllt — einer von vielen nur. Ein Anfang nur, ein graues Heer von Schemen — es liegt am Dichter, ob er sie belebt. Novalis: »Der Geist animiert; Poesie ist die Konstruktion des Inneren.« Und auch: »Wir träumen von Reisen durch das Weltall: ist denn das Weltall nicht in uns?« In der Droste lebt es; sie wagt den Einstieg in die Mergelgrube: »Wie, Leichen über mir?« Und doch:

> Findlinge zog ich Stück auf Stück hervor
> Und lauschte, lauschte mit berauschtem Ohr.

»Und auch der Scarabäus fehlte nicht.« Nicht nur die Schwalbe, auch die Fliege nimmt am Auszug der Tiere teil, bei dem der Mensch als selbst bedrängter Treiber wirkt. Er ist in den Vorgang verstrickt, durch den die Arten bedroht und eingezogen werden, daher die Weltangst und zugleich das Unvermögen, dem Schicksal Einhalt zu tun. Das ist im Ganzen zu fassen — mit der Zeit des Pferdes ist auch die des Reiters vorbei. Doch immer leuchtet ein Morgenrot auf Gipfeln, die nie von der Flut erreicht werden.

Der Anblick der winzigen Risse ist unheimlicher als der des Balkens, der zusammenbricht. Die Schwalben werden bald Abschied nehmen, denn die Linden beginnen zu gilben, und rote Fahnen durchflechten den wilden Wein. Schon kommt der Nußhäher in kleinen Horden aus Sibirien. Im Garten breitet der Admiral die Flügel über den blauen Astern in der Herbstsonne. Er scheint mir nicht seltener geworden seit meinen Kindertagen, dagegen sehe ich kaum noch den Trauermantel, der damals so häufig die Birken umflog. In meinen Aufzeichnungen und Korrespondenzen verfolge ich das Verschwinden nicht nur von Arten, sondern auch von Gattungen und Familien. Museen werden zu Mausoleen für erst vor kurzem ausgestorbene Spezies. Der alte Leunis bezeichnete sie in seiner »Synopsis« durch einen Totenkopf — so etwa die Dronte, Stellers Seekuh, den Riesenalk. Das betraf Inseln, inzwischen mehrten sich die Nachrichten wie bei einem Flächenbrand. Auf Java gibt es kaum noch Urwaldreste, und in Malakka wirds bald ähnlich sein. Die Tiere, die in den Prachtwerken prunken, sah ich dort nur in den Museen von Kuala Lumpur und Singapur. Rachel Carson ist die moderne Kassandra; ihr Lied wird gehört und so wenig beachtet wie das der troischen Seherin. Die Ausrottung der Wale zählt zu den besonders widrigen Triumphen der modernen Ökonomie.

Wenn sich bei den großen Vergiftungen, die zum Bild der Verwüstung gehören, resistente Stämme entwickeln, so bildet die Massenhaftigkeit der Art die Voraussetzung. Je seltener die Spezies, desto schneller wird sie aussterben, und zwar schon deshalb, weil sie die Anzahl der zum Überleben notwendigen Kombinationen nicht aufbringen kann. Nicht jede seltene Art ist schön, aber fast jede schöne zählt zu den seltenen.

Ein Seitenblick auf die explosive Vermehrung der Species

humana liegt nahe — und hier wird der Gedanke tröstlich, daß mit den Milliarden sich auch die Resistenz erhöht. Zugleich könnte die Ausbreitung der Palette eine Variabilität entwickeln, die durch die feinsten Maschen der Normung schlüpft. Der normende Geist selbst raffiniert dann die Auslese.

Der Umschlag in die Qualität entzieht sich der planenden Vernunft. Jede Entwicklung durchläuft eine Reihe von unberechenbaren Siede- und Kristallisationspunkten. Sogar im Lebenslauf des Einzelnen verbirgt sich, wie in einem Dossier von Zeugnissen und Plänen, ein Geheimnis: Das Unerwartete. Darunter nicht nur das Todesdatum, sondern auch die betreffenden Vorschriften: Verlassen des Schiffes. Verhalten bei Feuer an Bord. Daß jeder sterben muß, ist sicher; warum er aber auch sterben *kann* — darüber wurde noch wenig nachgedacht.

Die Schwalbe ist in der Nachhut bedroht. Ein Zyklus endet, der mit der Fahrt der Argonauten und im besonderen mit Herakles begann.

Am Aussterben der früheren Tiergestalten, etwa des Mammuts, ist der Mensch unschuldig. Erst seit Herakles wird die Welt und werden im besonderen die Sümpfe und Wälder von Wesen gesäubert, die vordem geachtet und sogar durch Opfer geehrt wurden. Überall im Mythos, und vor allem im Märchen, finden sich Belege dafür.

Wenn Hölderlin sagt: »Wie Fürsten ist Herakles«, so sieht er in ihm ein Urbild der paternitären Welt. Ohne Herakles vermögen selbst die Götter den Tartaros nicht zu bändigen. Auf Herakles beruft sich Achill, auf Achill Alexander, auf diesen berufen sich die Fürsten der historischen Welt. Mit der herakleischen Zeit ist die ihre und auch die der Götter vorbei.

Herakles ist der geborene Feind der Hydra, die in den Sümpfen, und des Antaios, der in der Wüste wohnt. Gleich nach seiner Geburt sendet die Göttermutter zwei mächtige Schlangen gegen ihn aus. Er erdrückt sie als Kind in der Wiege, wie er als Mann die Hydra tötet, die ähnlich wie Proteus, Argus und all die vielgestaltig sich wandelnden Ungeheuer zu den Abbildern der unerschöpflichen Erdkraft gehört. Daher vermag Herakles sie auch nicht auf ewig zu töten — vielmehr muß er ihren letzten, den unsterblichen Kopf unter einem Felsblock verwahren: und eben dieser ist ein Sinnbild des Unerwarteten. Auch den Antaios muß er der Mutter zurückgeben; er kann ihn nicht ewig in der Luft halten. Ebenso konnte Herakles das Gewicht der Erde, mit dem ihn Atlas beschwerte, nur kurze Zeit tragen. Das Schicksal jeder Herrschaft spiegelt sich darin ab.

Herakles ist auch der Feind der Kentauren, deren Gestalt an Zeiten erinnert, in denen der Mensch der Schöpfung inniger verbunden war. Unmittelbares Wissen war ihnen eigen; sie unterwiesen selbst die Götter in der Heilkunst, der Sternkunde, dem Saitenspiel. Im Mythos finden sich die Spuren eines Schmerzes, der sich an ihren Abschied von den Höhlen, den Wäldern, den stillen Strömen knüpft. Er gleicht dem unseren. Wie ein Echo davon kommt in der Spätantike das Gerücht vom Tode des Großen Pan. Von dieser Trauer, die dem Verlust des Erd- und Naturgeistes gilt, ist auch Guérins »Le Centaure« durchtränkt. Sie, und nicht die Sehnsucht nach im historischen Sinne abgelebten Zeiten, bildet den Kern der romantischen Philosophie. Auch gibt es keine Lyrik ohne diese Mnemosyne — dort ist mehr als bei den Göttern, selbst Griechenlands.

> aber es haben
> Zu singen
>> Blumen auch Wasser und fühlen,
> Ob noch ist der Gott.
>
> *Hölderlin*

Zu den Kentauren, die Herakles mit seinen Pfeilen erlegte, gehört auch Nessos, dessen Blut ihm den feurigen Tod brachte. Das Gift der Hydra kam auf ihn zurück. Mit ihm hatte er die Pfeile getränkt.

AM FENSTERBRETT

Wenn die Schwalben ziehen, rücken Gäste aus dem Osten und Norden nach, aus den ostpreußischen Heiden, den Mooren und Tundren, der Taiga. Der wahre Kalender hat veränderliche Daten, doch beständige Freuden wie den letzten Pilzgang und den ersten Most. Zwischen den beiden darf man das Fernglas nicht vergessen, wenn man das Revier abgeht.

Schon beim ersten, noch halbverträumten Blick in den Garten künden die Stimmen: es ist Wanderzeit. Im Nebel verschwimmen buntwattig die Herbstastern. Die Amsel stößt über den feuchten Rasen; wenn sie rastet, zieht sie einen Wurm aus der Erde hervor. Der Garten ist aufgeteilt; es flattert und ruft aus dem Holunder, dem Lebensbaum, den Nußbüschen. Die Sonnenblumen sind von den Meisen ausgekernt.

Im Vorland wechseln die Drosseln zwischen den Obstbäumen; ein scharfes Zwitschern begleitet ihren Flug. Unter der Masse der Krammetsvögel, schwer von ihnen zu unterscheiden, verbergen sich Nahverwandte wie die Mistel-, die Wein- und die Rotdrossel. Einzeln und truppweis sickern sie in die lichten Bestände und rücken in ihnen vor. Andere Arten reisen, indem sie nur auf den höchsten Bäumen oder an bestimmten Wasserstellen Rast halten. Wer ihren Weg und ihre Zeit kennt, kann sie dort Jahr für Jahr beobachten. Wiederum andere fallen zu Legionen ein. In Jahren, in denen die Buchen gut gefruchtet haben, verwandelt sich der Hochwald zuweilen in den singenden Baum des Märchens; dort ist der Bergfink in Wolken eingerauscht und richtet sich zum Übernachten ein.

Mit dem ersten Frost belebt sich das Fensterbrett. Den Anfang macht eine Meise mit gelber Weste und weißen Backen, die leuchten wie Glacéleder. Eine Kohlmeise; sie klopft ans Fenster — das Tierchen muß sich über ein Jahr hinweg daran erinnert haben, daß hier offene Tafel gehalten wird. Jetzt ist es Zeit, die Körner auszustreuen.

Das war der Erstling; ihm folgen viele und putzen die kahlen Linden drüben mit bunten Farben auf. Es dreht und wendet sich in den Zweigen — ein zierliches Mobile, das vom grauen Morgen bis zum Abend die kurzen, frostigen Tage belebt, ein wirbelndes Federspiel. Der Schnee belehnt die Farben mit besonderem Glanz.

Die Vögel kommen zum Greifen nahe an den Arbeitsplatz heran. Unter dem immerblühenden Hibiskus und der Brunfelsia weiden Flußpferd und Wasserbüffel; die tropische Kulisse schirmt den schmalen Tummelplatz ab. Hier kann sich der Blick vom Manuskript und von der Lektüre am wechselnden Zwischenspiel ausruhen. Er kehrt aus wiederum anderen Regionen zurück. Eben noch haftete er an einem Wesen von der Farbe des dunkelsten Nußöls und schwefelgelbem, scharf akzentuiertem Seitenstrich, einer Cetonia. Daß sich das Gelb in diesem schweren, öligen Braun verbirgt, versteht sich; erstaunlich ist der jähe Sprung, mit dem es sich hier sublimiert. Würde ihn ein Maler gewagt haben, etwa Braque, zu dessen Palette das geheimnisvolle Braun gehört, so wäre es ein genialer Zug.

Der Patria-Zettel der Cetonia ist verlorengegangen; das Tier könnte die afrikanische Westküste bewohnen, vielleicht auch eine der vorgelagerten Inseln, etwa die Cap Verden oder Fernando Po. Diese Ortung von Pflanzen und Tieren ist kein müßiges Geduldsspiel, sondern eine Annäherung an die Komposition der Elementarteilchen, ein Hindurchtasten auf die Grundakkorde einer Insel, einer Küste, eines Kontinents. Je feiner der Schlüssel gefeilt wird, desto leichter springen die Fächer auf.

Da ist etwa die Gattung Sternocera, eine Gesellschaft schwerer, kahnförmiger Prachtkäfer. Würde man sich von einem Kind aus ihrer Menge die Stücke zeigen lassen, die ihm besonders gefallen, so würde es die schärfer geschnittenen rot-, gelb- und grüngoldenen Arten heraussuchen. Damit hätte es, ohne es zu wissen, eine systematische Arbeit geleistet, indem es die »Species orientales« von den »Spe-

327

cies aethiopicae« sonderte. Diese orientalischen Arten aus Ceylon, Südchina, Indien übertreffen an Eleganz und Farbenpracht die des dunklen Erdteils, bei denen Holz- und Erdtöne vorwiegen. Wir werden das Verhältnis wiederfinden beim Vergleich des Tigers mit dem Löwen, des indischen mit dem afrikanischen Elefanten, einer Skulptur aus Birma mit einem Fetisch von Dahomey. Es wird wiederkehren, wenn wir uns mit den Musikinstrumenten, den Mythen, der Grausamkeit beider Regionen beschäftigen.

Das Eindringen, das Sich-Vertiefen in die speziellen Kategorien kann überhaupt nur in dem Maß Sinn haben, in dem es der Harmonie annähert. Daß jedes Wissen vergessen werden wird, steht außer Zweifel; einmal hat es seine Aufgabe erfüllt. Eine andere Frage bleibt, was es darüber hinaus noch wert ist — ob einmal die Tracht in Nektar sich verwandelt, die Scheidemünze in Gold gewechselt werden kann.

Doch wovon waren wir ausgegangen? Von der gelbgerandeten Cetonia. Die Konzentration auf ein Objekt, die Anstrengung, es von ähnlichen zu unterscheiden, ist nur ein Vorspiel, nicht das Ziel. So spielte auch Odysseus als Kind mit Pfeil und Bogen, längst bevor er die Sehne schwirren ließ und der Gott in ihm erschien.

Jede Herrschaft setzt Differenzierung voraus. Das gilt auch für die Sprache: für das Herausheben der Worte aus dem Wort- und Gestaltlosen. Es wird an Objekten geübt. Was mag etwa der Unterschied zwischen *gerandet* und *gerändert* sein? Offenbar hat hier der Sprachgeist noch nicht so scharf gesondert wie zwischen *landen* und *länden* oder *lauten* und *läuten;* das Transitivum klingt nur an. Doch spürbar ist der Eindruck einer hämmernden, eingreifenden Tätigkeit. Eine Münze kann sowohl gerandet wie gerändert sein. Darin dürfte auch die Unterscheidung von Guß- und Fräsarbeit anklingen.

Während ich mich beim Doktor Kraatz über die Cetonia und in Fischers »Schwäbischem Wörterbuch«, einer bewährten Fundgrube, über randen und rändern zu unterrichten suche, hat sich das Fenster weiterhin belebt. Der Kohlmeise folgen zierlichere Verwandte, die sich im Nachtrupp der großen Meisenschwärme bewegen; sie sind zarter gefärbt, agiler, schüchterner. Die Blaumeise, eine blaustichige Miniaturausgabe der Kohlmeise, liebt aufgehängtes Futter in Form von Ringen, an denen sie gelenkig turnt. Seltener kommt die Tannenmeise; sie ist dunkler geraten, als ob sie durch Rußwolken geflogen wäre, die nur den weißen Nackenfleck verschont ließen. Sie ist noch zierlicher; ein Pärchen wiegt kaum so viel wie ein einfacher Brief. Häufiger läßt sich die Nonnenmeise blicken, die ihren Namen der sammetschwarzen Kappe verdankt; sie steht ihr gut zum grauen Habit.

Die Meisen kommen flüchtig und sind stets auf der Hut. Sie weichen sogleich, wie Plänkler den Fußtruppen, wenn Finken und Spatzen einfallen, oder ziehen sich bescheiden an die Ränder zurück.

Wäre der Sperling selten, so könnte er als Ziervogel gelten; die Art, in der die braunen Töne über eine graue Skala hinweg sich aufhellen oder auch zum Schwarz verdichten, bietet ein Muster unauffälliger Eleganz. Hier dominiert der Feldsperling, der sich nicht wie sein städtischer Verwandter durch eine graue, sondern durch eine schokoladenbraune Platte auszeichnet. Da steckt schon Rot drin, das sich am Mittelmeer entzündet; das Mönchlein schmückt sich mit der Kardinalskappe.

Wenn der Grünfink erscheint, wird tabula rasa gemacht; die Körner fliegen davon. Auf graugrüner Montur trägt er schweflige Vorstöße. Er ist sowohl gesellig wie streitbar; die Männchen turnieren mit gespreizten Flügeln gegeneinander an. Wie tief Ducky auch auf der Kaminplatte geträumt hat, jetzt wird er aufmerksam.

Die Meisen und die schwächeren Finken, auch Rotkehlchen und Hänfling, müssen weichen, wenn der Dompfaff das Revier betritt. Er kommt spät; die Kälte muß schon angehalten haben, bevor er einfliegt, und auch dann ist er vorsichtig. Er beobachtet lange, weithin leuchtend, von der verschneiten Linde aus den Futterplatz. Hat er die Lage beurteilt und für gut befunden, so kann kein Tenor mit größerer Sicherheit auftreten. Er pickt nicht hastig wie die kleinen Räuber, sondern schreitet während der Mahlzeit, meist von seinem einfacher, doch auch höchst vornehm gefiederten Weibchen begleitet, mit barocker Würde auf und ab. Die rote Brust ist hochgewölbt, ist bombig; so müssen sich die Brühl, die Choiseul, die Kaunitz in ihren Foyers bewegt haben. In unseren Breiten wirkt der Vogel faszinierend; sein Feuer wird in den Nordrassen noch lebhafter. Den großen Linné muß er als Inbegriff des Roten überwältigt haben; er hat ihn Pyrrhula pyrrhula, also den feurig Feuerroten, benannt.

Der Dompfaff ist zwar der schönste unserer Finken, doch nicht der mächtigste. Doppelt so schwer ist der Kirschkern-

330

beißer, ein Bursche von fast papageienhafter Färbung mit klotzigem Schnabel, der Pflaumensteine zu knacken vermag. Ein Matador, dem jeder von weitem ausweicht; schon wenn er anfliegt, wird das Feld geräumt. Ein Nobile mit Bernsteinaugen, für den es keinen Kompetenzstreit gibt, denn er weiß wohl, daß ihm nicht nur der Vortritt, sondern sogar der alleinige Zutritt gebührt. Er läßt sich nicht in jedem Jahre, sondern nur in strengen Wintern sehen, bestreicht mit eisblauen Flügeln ein weites Revier. Es ist ein besonderer Festtag, wenn er erscheint.

Ganz aus dem Rahmen fällt der Specht, der struppige Höhlen- und Waldschrat, der unermüdliche Baumklopfer, der in den kaukasischen Wäldern seine Ostgrenze erreicht. Ich sah ihn dort häufig, und es war immer eine Wohltat für die Augen, wenn er mit seiner roten Platte über die verschneiten Büsche von Baum zu Baum wechselte. Er ist ein Trommler, alles ist Rhythmus, nichts ist Melos an ihm. Die Federn sind starre Borsten, die Klauen Greifhaken, die Zunge ist ein horniger Spieß. Jede Bewegung, sei es im Fluge, sei es beim Klettern, Kleben und Picken an den Bäumen, ist scharf akzentuiert. Während der Arbeit hört man sein Trommeln, während des Fluges seinen wiehernden Schrei. Ein waldscheuer, unverträglicher Gast meiner Mensa; im Zorn sträubt er die Federn der glühenden Haube empor. Der Demiurg hat sich hier ein besonderes Spielzeug geschaffen, das sich mit der starren Eleganz eines Automaten bewegt. Wäre es nicht vorhanden und in vielen Abwandlungen greifbar, so ersänne es kein menschlicher Geist. Die Zahl der Spechte ist groß.

Dieser hier ist der Mittelspecht. Selten schaut er ins Fen-

ster; meist begnügt er sich, drüben die moosigen Linden aus-
zuputzen, deren Geäst er in federnden Spiralen umkreist.
Wenn er hier Nachtisch hält, kehrt er hin und wieder und
streicht mit den Flügeln herunter, was er nicht verzehrt.

Die Wiederkehr ist günstig; das Auge kann sich auf die
Erscheinung einrichten. Zwei Werke liegen während dieser
Winter immer in Reichweite: Huxleys Bestimmungsschlüssel
der europäischen Vögel und Heinroths Tafelwerk. Es ist in
Einzelblättern erschienen; das hat den Vorteil, daß ich das
Bild auf die Fensterbank legen und in unmittelbarer Nähe
mit dem anfliegenden Vogel vergleichen kann. Der Huxley
dagegen ist durch seine einfachen Strichzeichnungen wert-
voll; kleine Pfeile verweisen auf die spezifischen Merkmale.
Das ist auch für die Kenntnis der Spechte wichtig, bei denen
Arten und Geschlechter oft nur durch Nuancen voneinander
abweichen.

Im Sommer die Schwalben, im Winter die kleine vor-
geschobene Bühne, auf der gefiederte Akteure einander ablösen. Je unwirtlicher draußen das Wetter, je schärfer der
Frost, je höher der Schnee in Feld und Garten, in desto
größeren Scharen erscheinen sie, nicht nur verschieden an
Form und Farbe, sondern auch in den Charakteren, den
Listen, der Befangenheit. Die strenge Kälte macht sie ver-
traulich; sie lockt auch die heimlichen Arten herbei.

Längst ist das Treiben zu einem Teil der Einrichtung
geworden, an dessen Wechsel sich das Auge in den Pausen
wie am Strahl eines Springbrunnens erholt. Wie viele Uhren
laufen gleichzeitig. Da sind die Erinnerungen an Länder und
Meere, an Krieg und Frieden, Freunde und Feinde, Tote

und Lebende. Da sind die Bücher, ein Archipel für Fahrten, die in noch größere Fernen führen, sind die Lexika und Atlanten, die kleinen Objekte: Muscheln, Steine, Splitter von Meteoren, Hortungen magischer Substanz.

Da ist auch die Gelbgerandete. Sie hat sich verdoppelt; ich spürte erst vor wenigen Tagen ihr Pendant auf freier Wildbahn auf. Wir sind jetzt an Bord des »Principe Perfeito«, eines portugiesischen Schiffes; ich notiere Fundort und Datum: »Luanda, 1. Dezember 1966« – die Prognose war gut. Ich suchte am Strande die kleinen, dattelförmigen Schneckenhäuser, die der Portugiese »olivas« nennt. Unter den hellmarmorierten lag im glühenden Sand eine schwarze – als ich sie aufhob, verwandelte sie sich in die gerandete Cetonia. Sie war ins Meer geflogen, ertrunken und wieder angeschwemmt.

Zwei weitere Stücke verfehlte ich, als sie im typischen Cetonidenflug mit stahlblauen Schwingen an mir vorbeischossen. Ein blühender Baum mußte in der Nähe sein. Ich ging im verdorrten Gebüsch auf die Suche, aber entdeckte ihn nicht.

BUNTER STAUB

Jäger und Sammler werden oft sehr alt. Ich denke an Typen wie René Oberthür in Rennes, der vielleicht die größte Menge von Insekten zusammenraffte, die je ein Privatmann besaß. Da genügt kein Schrank, kein Zimmer, genügt auch ein Haus nicht mehr.

Ein tüchtiger Sammler treibt es auch lange, weil er seine

Affinität zu bestimmten Objekten schon in frühester Jugend entdeckt. Sie führt zu festen Verbindungen. Die Neigung wird bald zur Leidenschaft und nicht selten zur Sucht.

Zu den Schattenseiten des Sammelns gehören Habsucht und Unduldsamkeit. So ein zänkischer Alter, der wie Fafnir in seinem Museum hockt, dessen Schätze er unablässig zu vermehren sucht, und der keine andere Meinung gelten läßt als die eigene, kommt immer wieder vor. Daneben aber auch der vornehme, spendende Liebhaber, um den sich wie um den älteren Dohrn ein Kreis genießender und mitgenießender Freunde bildet, oder der Künstler, für den, wie für Wladimir Nabokov, die Jagd ein faszinierendes Spiel ist, ein Vorwand für subtilste Kombinationen und Differenzierungen.

Einmal geht jeder in die Ewigen Jagdgründe. Es kann keine glücklichere Existenz geben als die des Jägers; das erweist sich schon daraus, daß er sein Leben im Jenseits genau so fortzuführen hofft, wie es ihm auf Erden beschieden gewesen ist. Nur die Trophäen wird er zurücklassen. Und was wird er mitnehmen? »Das letzte Hemd hat keine Taschen«, wie das Volk sagt. Obwohl die Beute groß war, fand der Jäger kein Genügen; es muß noch etwas anderes seine Lust bewegt haben. Daß Wild und Jäger sich sehr ähnlich werden, wußten die Alten schon. Subtil wird endlich auch der Jäger, der im Geringsten keine Mühe scheute; ein Hauch, fast stofflos, als ob er von Ephemeridenflügeln käme, hat seinen Geist geformt. Die Namen freilich, die er hart am Namenlosen jagte, wird er nicht mitnehmen. Die Kunst reicht weiter, so wie ein Lied, auch wenn die Worte schwinden, als Melodie noch weiterklingt. Und dann wird auch die Melodie zurückbleiben.

334

Es ist erstaunlich, wie lange oft die kleinen, zerbrechlichen Objekte die Unbilden der Zeit überstehen. Noch besitzen wir Herbariumsblätter, die ein Linné, ein Chamisso beschrifteten, noch Scarabäen, die von Fabricius, von de Geer, vom Grafen Dejean bestimmt wurden. Wie oft berührte mich ein Hauch verwehter Jagden und ihres Glückes, wenn mir beim Vergleichen ein Zettelchen mit Namen wie denen Fruhstorfers, Ribbes, der Bodemeyer, des Ehepaars Korb oder anderer großer Reisender ins Auge fiel. Das sind nicht nur Belege; es sind Reliquien.

Die Frauen nehmen mehr oder minder teil an unserer Leidenschaft. Freilich genießen sie dabei meist eher durch den Mann als mit ihm, und ihre Teilnahme erlischt, wenn sie sich von ihm trennen oder von ihm getrennt werden. Sie haben ihn auf seiner Fahrt begleitet wie Sancho den Ritter von der Traurigen Gestalt. Dem Typus des echten oder gar des manischen Sammlers begegnet man bei ihnen kaum. Das gilt auch für andere Gebiete, wie für das Schachspiel und das Komponieren; il y a quand-même une petite différence.

Ist bei den Eskimos der Fangmann gestorben, so werden Boot und Waffen zerschlagen, sie haben nun keine Bedeutung mehr. Ähnlich ergeht es der Ausrüstung und den Schätzen, die der subtile Jäger hinterläßt. Zunächst bleibt wie ein Abglanz noch eine übertriebene Vorstellung von ihrem Wert. Er ist unschätzbar wie der von Märchenträumen, freilich nur für den Träumer, denn er überträgt sich nicht auf die Zahlen, nicht auf den Preis. Es sind nun Schätze geworden, die Motten und Rost verzehren und denen die Besucher kaum mehr als einen befremdeten Blick gönnen. Sogar sie zu verschenken, wird meist schwierig sein. Rasch ist verschollen, was die Freude oder den bescheidenen Glanz eines Lebens ausmachte.

Wenn man in der Literatur auf einen besonderen Fund stößt oder den Wunsch hat, eine alte Bestimmung zu überprüfen, kann der Weg zur Witwe eines Verewigten führen, dessen Stern an einem der Spezialistenhimmel leuchtete. Die Wohnungen sind heute klein geworden; und wo die Sammlung noch aus Pietät gehegt wird, wurde sie entweder im Keller oder auf dem Boden abgestellt. Geöffnet wurden Schrank und Kästen seit Jahren nicht. Im ersten Fall hat sich Schimmel gebildet; er setzt sich wie ein Reif, dann wie ein Flaum, endlich als Pelz an die zarten Objekte an. Zuletzt verbindet und bedeckt er sie mit einem dichten Leichentuch.

Auf den Böden dagegen ist es trocken; hier dringt Gewürm durch die Fugen ein. Winzige Milben machen die Tiere unansehnlich, indem sie die Behaarung scheren, die Schuppen abnagen. Dann kappen die Museumskäfer Fühler und Beine und fressen Löcher in die Panzer; die Motten räumen mit den Überresten auf. Die Nadeln rosten, aus ihren Messingköpfen blüht Grünspan empor. Sie ragen als ein Wald von Spießen aus buntem, glitzerndem Staub. Noch sind die Namen und Daten lesbar, wie auf Grabsteinen. Trophäenstaub — der Jäger ließ seine Spur zurück.

Auch in Serignan verblaßt, vergilbt, verwittert die gehortete Substanz — das riesige Herbar, Sammlungen von Insekten, Pilzen, Fossilien. In dieser Woche stand ich dort mit Freunden vor Fabres Arbeitstisch. Noch immer liegen auf ihm die beiden Taschenmesser, die Pinzette, der Spatel griffbereit als das bescheidene Handwerkszeug, das er auf seinen Gängen mitführte. Alles in diesem Hause zeugt von einem langen erfüllten Leben, von liebevoller Wirksamkeit.

Der Gang der Totenuhren ist unhörbar, doch kein Museum kann so gepflegt sein, daß man ihn nicht spürt. Das Licht wirkt mit am stillen, unaufhaltsamen Verfall. Der Kustos wies uns einen Kasten voll Buprestiden, deren Panzer einst herrlich in der Sonne funkelten. Nun zeigten sie kaum noch Spuren jener Pracht. Jeder von ihnen trug an einem Zettel seinen Namen in fast verloschenen, strohgelben Schriftzügen.

Namen und Daten, Bücher, Titel, Gegenstände, die die Hand berührte — all das gehört zum Totendienst. Immer ist Ehrfurcht, ist auch Trauer um diese Stätten, in denen noch für eine Weile der Schatten webt.

Auch draußen im Garten hat die Zeit gewirkt. Er ist verwildert, die Macchia zog ein. Die Bienen summen, die Vögel rufen aus dem vom Mistral gestrählten Dickicht, die Eidechsen fliehen in das Moos unter den weißen und roten Zistrosen.

In solchen Gärten vergessen wir mit den Namen fast schon den eigenen. Die Dinge sprechen in ihrer namenlosen Kraft. Das schenkt uns Freude, gibt uns eine Ahnung von der Stunde, in der wir nicht nur die Namen, sondern auch die Dinge zurücklassen.

Die Sonne scheint, hier wird es friedlich; nun tritt der Meister aus dem Hause, in dem wir ihn geehrt haben. Er nähert sich, er ist lebendig: dort verehrten, hier lieben wir ihn.

Mai 1967

337